韓国漢文
愛情伝奇小説

周生伝
憑虚子訪花録
崔陟伝
相思洞記
王郎返魂伝

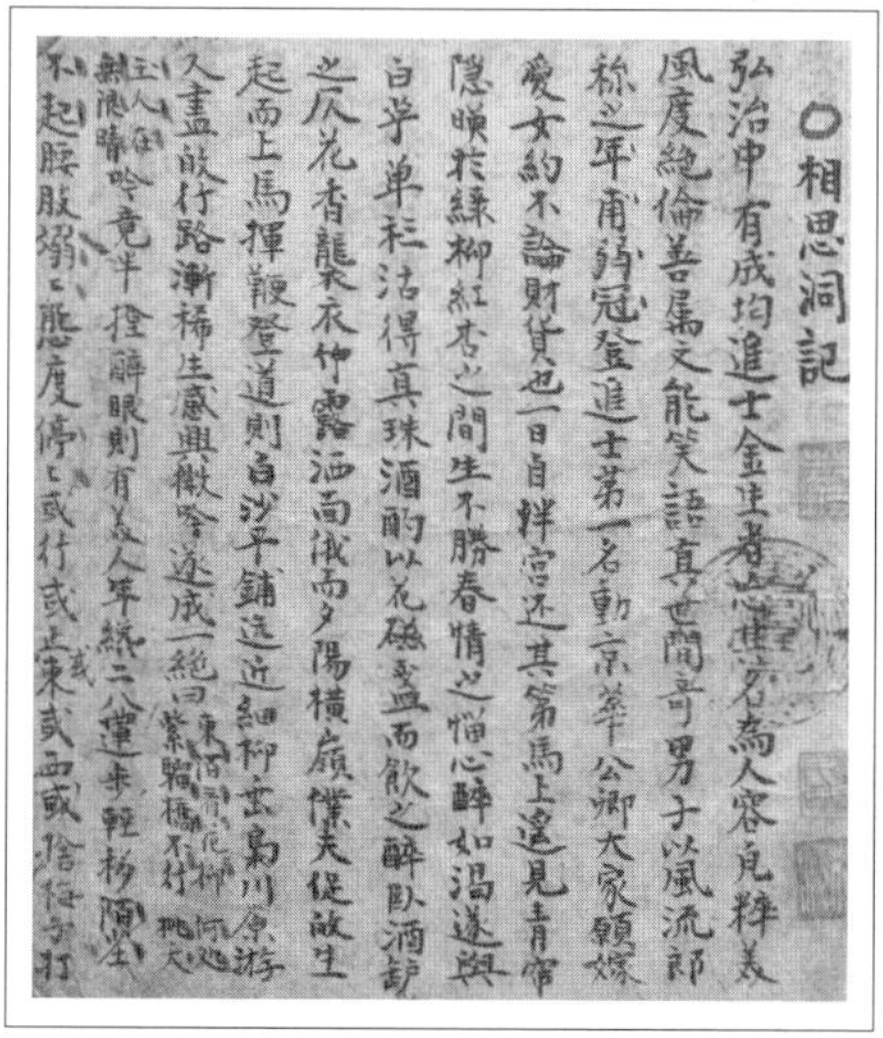
○相思洞記
弘治中有成均進士金生者忘其名爲人容皃粹美
風度絶倫善屬文能笑語真世間奇男子以風流郎
称之年甫弱冠登進士第一名動京華公卿大家願嫁
愛女約不論財貨也一日自泮宮还其第馬上遙見青帘
隱映於綠柳紅杏之間生不勝春情之惱心醉如渴遂與
白学单衫沽得真珠酒酌以花磁盞而飲之醉臥酒爐
之次花香襲衣竹露沾面俄而夕陽横嶺僕夫促故生
起而上馬揮鞭登道則白沙平鋪迤近細柳黃鳥川原游
人盡故行路漸稀生感興微吟遂成一絶曰

日向一雅 編
金孝珍・千葉仁美・朴知恵・李興淑・金木利憲・太田陽介 訳注
野崎充彦 解説

白帝社

この図書は、韓国大山(テサン)文化財団の
「2017年度韓国文学翻訳・研究・出版支援」を得て刊行されました。

*

装画
カバー・表紙「月下情人」図　CC BY 공유마당(コンユマダン)
　(朝鮮時代、申潤福『蕙園傳神帖』から)
本扉　『相思洞記』冒頭部分　韓国国立中央図書館蔵

はじめに

日向一雅

韓国の文学史において朝鮮時代は漢文学が盛行し、漢文小説も数多く書かれた[注1]が、日本における朝鮮漢文小説の受容は、金時習『金鰲新話《きんごうしんわ》』が広く知られている程度である。これは若者が幽霊の女や仙女と愛し合うとか、閻魔王宮や竜宮に行くといった異界訪問譚の五作品から成る伝奇小説集である。十七世紀から明治期にかけていくどか和刻本が出版され、林羅山訓点と言われる「道春（林羅山）訓點」本があることでも注目されたが、それは羅山に仮託した訓点であるようだ。ともあれ『金鰲新話』は広く読まれたようで、国立公文書館には和刻本を元にしたと思われる写本もある。また浅井了意『伽婢子《おとぎぼうこ》』（一六六六）の全六八話のうち二話は『金鰲新話』を典拠としたことが確認されている[注2]。この他、浅井了意は漢文の挿絵入り教訓説話集『三綱行実図《さんこうこうじつず》』を原作どおりに挿絵入りで翻訳しており、この翻訳は近世初期の仮名草子類に大きな影響を与えたとされる[注3]。しかし、これら以外の朝鮮漢文小説の受容は明らかではなく、翻訳紹介も近年までほとんどなされなかった。

本書は高麗大学校民族文化研究院刊（二〇〇七）、「校勘本韓國漢文小説」叢書の『傳奇小説』から、『周生伝《しゅうせいでん》』、『憑虚子訪花録《ひょうきょしほうかろく》』、『崔陟伝《さいちょくでん》』、『相思洞記《そうしどうき》』、『王郎返魂伝《おうろうへんこんでん》』の五作品を選んで翻訳したものである。現代語訳に、原文、書き下し文、校異、語釈を付けた。現代語訳を原文と照応できるようにするとともに、作品の背景、文脈の理解のために語釈や注釈が必要だと考えたからである。これらの作品がこのような体裁で翻訳紹介されるのは初めてであると思う。

各作品は愛情や恋愛をテーマとするので、書名は「愛情伝奇小説」と名付けた。「伝奇」は中国の唐代以来の伝統的な小説のスタイルであり、珍しい出来事を伝える小説という意味である。六朝時代の怪異を語る志怪小説から展開したものとされるが、志怪小説との違いは、人間社会の現実生活の範囲に小説世界が転換したこと、小説的な構成が整えられて筋立ての面白さが進歩したこと、文章が作者の意識的な飾った文体になったことなどが指摘されている[注4]。とはいえ、妖怪退治とか猿や狐との異類婚、魂魄の離合など、超現実的なことがらを語る作品もあるが、しかし、それはそうした怪異そのものに主題があるのではなく、超現実的な出来事を人間の現実生活の中に位置づけるのであり、あくまでも人間社会の現実が小説世界の舞台になっているのである。

本書で紹介する五作品は、朝鮮時代の厳しい身分制度や、壬辰倭乱（文禄の役）、後金（清）の侵略という戦乱のために一家離散を余儀なくされた現実社会のなかで、愛を貫いて生きた主人公たちを描いて、珍しい出来事を伝えるという伝奇小説の本領をみごとに示している。彼らの人生は、ぜひとも後世に語り伝えたい、珍しい話として創作されたと捉えることができる。

たとえば『周生伝』の末尾で、筆録者、権汝章は、周生の数奇な半生を聞いた時、周生自身は「自分の身の上話は人に伝えるほどのものでもない」と話したと記すが、この話が権汝章にとってまさしく後世に伝えずにはいられない話として記したのであった。

本書の五作品はそのように後世に伝えずにはいられない話、語り伝える価値のある話として創作されたのであり、各作品は主人公たちの数奇な人生とともに「愛情伝奇」の悲喜こもごもの面白さを十分堪能していただける作品であると思う。併せて朝鮮時代の人々の暮らしや社会、特に儒教的な考え方を理解する上でも有益である。そこには今日の韓国に引き継がれている伝統的な意識が明瞭であり、現代韓国を理解する一助にもなるものと思う。

それはさておき、本翻訳は参考文献も少なく、五作品中『崔陟伝』を除いた四作品は初訳であり、誤りもあるかもしれない。御批正をお願いしたい。

注1　林明徳『韓国漢文小説全集』（台北・中国文化学院出版部・一九八〇年）には一二八作品が収録されている。

注2　早川智美『金鰲新話　訳注と研究』（和泉書院・二〇〇九年）、「研究篇」。

注3　『日本古典文学大辞典』三巻（岩波書店・一九八四年）、徳田進「三綱行実図」。
『中村幸彦著述集』五巻（中央公論社・一九八二年）、「朝鮮説話集と仮名草子」。
冨士昭雄・土屋順子編『浅井了意全集仮名草子編』２（岩田書院・二〇一一年）。

注4　内田泉之助・乾一夫『唐代伝奇』（明治書院・一九七六年）、内田泉之助「解説」。
前野直彬『六朝・唐・宋小説集』（平凡社・一九五九年）、「解説」。

目次

凡例

一、本書は韓国朝鮮時代の漢文伝奇小説の中から、愛情、恋愛を主たるテーマとした『周生伝』『憑虚子訪花録』『崔陟伝』『相思洞記』『王郎返魂伝』の五作品を選んで、現代語訳をし、併せて原文、校異、書き下し、語釈を付したものである。

一、現代語訳、原文、書き下しには、それぞれ段落を設け、段落ごとに通し番号を付して、現代語訳、原文、書き下しを照合できるようにした。

一、各作品とも、底本は、張孝鉉・尹在敏・崔溶澈・沈載淑・池硯淑編『校勘本韓國漢文小説　傳奇小説』（高麗大学校民族文化研究院、二〇〇七年）により、適宜同書掲載の諸本の校異を参照して校訂した。校訂箇所は〈校異〉欄にそのつど記した。但し誤字の訂正箇所については記さない場合がある。

一、原文は旧漢字（正字体）であるが、書き下しと現代語訳は常用漢字を用いた。但し語釈の見出し語は旧漢字である。漢字のルビ、書き下しは現代仮名遣いである。なおカタカナのルビは韓国語読みである。

一、各作品とも中国古典の引用箇所は語釈欄で説明したが、現代語訳においても必要に応じて説明を補って訳したところがある。

一、各作品には、冒頭に粗筋の紹介と作品の背景、諸本などについて簡略な作品解説を付した。作品解説は底本とした『校勘本韓國漢文小説　傳奇小説』の「解題」の他、参照した文献は参考文献として付記した。

一、巻末に作品の舞台となった場所が分かるように略図を載せた。

周生伝

金　孝珍

作品解説

『周生伝《しゅうせいでん》』（주생전《チュセンジョン》）は朝鮮時代初めての青春男女の三角関係を描いた十六世紀伝奇小説で、権韠《クォンピル》（号 石洲《ソクチュ》）の作品として知られている。しかし権韠の文集である『石洲集』にはこの作品が収録されておらず、権韠を『周生伝』の作者だと断定できないという見方もある。しかし、小説を卑下していた当時の社会的雰囲気から考えると、文集編集の際に故意に除外した可能性が高い。また金日成大本の巻末には「癸巳《きし》年仲夏、無言子権汝章記」と記されており、権韠のもう一つの号「無言子《ムオンジャ》」と字「汝章《ヨジャン》」が見られ、権韠の作品と見て問題ないだろう。

権韠（一五六九～一六一二）は礼曹参判に追贈された権擘《クォンビョク》の五男として生まれた。権韠は朝鮮中期の優れた文人として有名で、社会の不条理を批判・風刺する詩などを多数残している。一五九二年の壬辰倭乱《じんしんわらん》（文禄の役）が起きた際、宣祖《ソンジョ》は群臣の意見を受け入れ難を逃れるため義州《ウィジュ》へと移った。権韠はこれを批判し、宣祖に避難を勧めた群臣を処罰することを主張したが、受け入れられなかった。この事件以来、権韠は科挙や官職に興味を失くし、江華島《カンファド》で儒生を教えながら詩酒を友として悠々自適な生活を過ごした。

『周生伝』の創作時期は巻末の「癸巳《きし》年仲夏」、および作品中に「明年癸巳春、天兵倭賊を大破し、追いて慶尚道に至る」とあるのを合わせて考えると、一五九三年、権韠二十五歳の時であることが分かる。この作品は壬辰倭乱で朝鮮が要請した明からの救援兵の一人である周生を主人公とし、一五九三年、作者が松都《ソンド》（現在の開城《ケソン》で周生と出会った際、彼が語った内容を筆録したという体裁をとっている。この時期、権韠はすでに官を辞していたと考えられる。

作品のあらすじは次のようである。

周生は銭塘に住んでいたが、父が蜀州の別駕となりこの地で暮らすことになった。子供の時から聡明で文才にも長け、太学に入っても仲間より抜きん出ていたが、何度も科挙に落ちてしまう。ついに科挙は諦め、その後、家の資産で舟を買い、商売をしながら所々を流浪した。ある日、舟の上で目が覚めると昔住んでいた銭塘に来ていた。そこで幼馴染の妓女・徘桃と出会い、愛し合い同居することになった。ある日、徘桃は丞相夫人《じょうしょうふじん》宅の宴に呼ばれて出かけた。周生は徘桃を尾行して丞相夫人宅に忍び入り、夫人の娘・仙花に一目ぼれし、以来、忘れられずにいた。丞相夫人は、徘桃から周生が学識豊かなことを聞き、周生を息子・国英の家庭教師につける。丞相夫人宅で国英を教える周生は、仙花と密会を交わす。しかし、徘桃に気づかれ、周生は仕方なく徘桃の家に戻ったが、徘桃に対する愛情はすでに冷めていた。徘桃は心変わりした周生のことで思い悩み、ついに病気になり死んでしまう。そのころ偶然国英も病死し、職を失い行先をなくした周生は母の親戚である張老人のもとに身を寄せた。周生は仙花と遠く離れてしまったが、依然として仙花を忘れられず、病気になってしまう。同情した張老人が仲人役を買って出て、周生は仙花に結婚を申し込むことができた。仙花も周生と離れてから病気になっていたので、丞相夫人も喜んで周生との結婚を許す。しかし結婚式の直前に壬辰倭乱が勃発し、周生は明の救援兵として朝鮮に行くことになる。朝鮮に行ってからも仙花への気持ちは募るばかりであったが、偶然松都の客舎で作者と出会い、今までの話を語った。

『周生伝』は朝鮮前期の伝奇小説の伝統を受け継ぎながらも、それらとは違った特徴がいくつか見られる。まず、伝奇小説の主な特徴である、伝奇性や幻想性が見られず、物語の背景や事件、人物などに現実的な要素が強く表れている。

二つ目に、以前の伝奇小説は主に男女二人の愛情を主眼とした話であったが、『周生伝』は一人の男性と二人の女性による三角関係を題材にしている点である。周生は妓女である徘桃と愛し合っていたが、丞相の令嬢である仙花と出会うと徘桃を裏切り、仙花に夢中になる。周生は徘桃に裏切られ病気なり亡くなり、その後、周生は仙花との結婚を前に朝鮮に行き、二人が悲しんでいる所で終わっている。その後二人の運命はどうなるか分からない未完のような終わり方をしている。このような男女間の愛欲とエゴイズム、女性の嫉妬などの繊細な感情を、抒情的な詩と詞牌を多く盛り込んで表現している。さらに平仄や韻律など形式が決まっており創作が難しい詞牌が四首も入っており、作者の詩・詞に対する知識が窺える。

三つ目に、『周生伝』は登場人物が中国人で、物語の主要舞台もまた中国だという点である。たとえば朝鮮初の漢文伝奇小説とされる『金鰲新話』は中国の『剪燈新話《せんとうしんわ》』の影響を受けてはいるが、登場人物や物語の舞台は朝鮮であった。『周生伝』がこのような設定をとっている背景には、壬辰倭乱を通して、多数の明軍が朝鮮に入り交流が頻繁に行われたことで、中国への関心と親近感がより高まったことを物語るのであろう。特に『周生伝』の舞台は中国の江南地域だが、朝鮮の使節団が明に行くときは北方内陸ルートを使っていたので、使節団も江南地域に行く機会はなかった。もちろん権韠も中国を訪れた経験がなかったので、十六世紀後半に輸入された『西湖志』などの文献や壬辰倭乱の時に朝鮮に来た明の水軍の人々との交流を通じて得た情報をもとに、南方地理を描いたのだろう。権韠の『石洲集』には明の水軍を指揮した浙江省出身の呉宗道と胡慶元（「送胡秀才慶元従呉都司南下」）、また婁鳳鳴に贈った詩（「送婁鳳鳴還杭州銭塘県」）が数首あることからも、『周生伝』の舞台設定にこのような交流が大きく影響したことは容易に想像できる。

『周生伝』は西湖を主な舞台にしながら、視聴覚に訴える描写が所々に散りばめられている。例えば湖から見られる銭塘の暁方の風景描写は、「碧樹葱蘢《へきじゅそうろう》、暁色蒼茫《ぎょうしょくそうぼう》たり。樹陰の中に、時に紗籠・銀燭有り、朱欄翠箔の間に隠暎す」とある。また、仙花の住む邸宅の様子は「雕欄曲檻《ちょうらんきょくかん》、半ばは緑楊と紅杏の間に隠る。鳳笙龍管の声、縹緲《ひょうびょう》然として、半ば空に在るがごとし」、「紗窓半ば啓《ひら》き、華燭高焼し、燭影の下、紅裙翠衫《こうくんすいさん》、隠々然と往来し、画図の中に在るがごとし」と描かれており、銀燭の灯りからちらっと映る朱色や翠色のコントラスト、そしてその中で聞こえてくる鳳笙龍管の演奏による聴覚効果の効いた、ロマンティックで情緒あふれる雰囲気を醸し出している。

現存する『周生伝』の諸本は『校勘本韓國漢文小説　傳奇小説』によれば七種、すべてが筆写本である。七種のうちでは金日成大本が判読不明字や内容を縮約した部分がなく、誤字も少ないため、現存する諸本の中では状態がよいとされる。『校勘本韓國漢文小説　傳奇小説』は金日成大本を底本とし、七種の異本を校勘している。本書でも金日成大本を底本として現代語訳し、書き下しを付した。

【参考文献】

・이상구《イサング》訳注『十七世紀愛情伝奇小説』月印、二〇一五年修正版
・신태수《シンテス》「外国空間に対する十六世紀朝鮮文人の心象地理と作品化—權韠の『周生伝』に形象化された中国南方を中心として」『古小説研究』三十一、二〇一一年
・申相星「朝鮮朝中期の抵抗文学—権韠の小説を中心として」『龍仁大学校論文輯』九輯、一九九三年
・鄭珉「壬乱時期における文人知識人層の明軍との交遊とその意味」『韓国漢文学研究』十九、一九九六年
・金孝珍「『周生伝』に見える西湖世界」『古代学研究所紀要』二十六号、明治大学日本古代学研究所　二〇一八年六月

現代語訳

【1】周生の名は檜、字《あざな》は直卿、号は梅川という。先祖代々銭塘に住んでいたが、父が蜀州の別駕となってから蜀州に引っ越した。周生は幼い時から聡明で、詩を作ることにも長けていた。十八歳で太学に入り、仲間からも敬愛された。周生自身も少なからず自負するところがあったが、太学に在学している数年間、続けて科挙に落ちてしまった。そこでため息をつきながらつぶやいた。

「人がこの世に生きている間は、舞い散る塵が弱々しい草にのっているのと同じようにはかないものだ。だから名声に束縛され、けがれた世の中にうずもれたまま、人生を終えるわけにはいかない。」

このように思うようになってからはついに科挙への思いを断ち切った。衣類などを収める箱をひっくり返してみると、中にお金が数千入っていた。その半分で舟を買い、江湖を往来し、残りの半分で雑貨の取引をした。そのようにして利益を得て生計を立てていた。朝には呉の地方に行ったかと思えば、暮れには楚の地方に行くなどして、気の向くままに過ごした。

ある日、舟を岳陽城の外に繋いでおいて、城中に入り、親友の羅生の所を訪ねた。羅生もまた俊逸の士であった。周生を見ると大変喜び、二人で楽しく酒を酌み交わした。大いに酔って時の経つのも忘れ、舟に帰った頃にはすでに暗くなっていた。しばらくして月が上り、周生は舟を中流に放して、棹に寄りかかると、ぐっすり眠ってしまった。舟は自然と風の吹くまま、まるで矢のように速く流れた。周生が目を覚ました時には、霧に包まれた寺から鐘が鳴り、月はすでに西に傾いていた。ただ両側の岸を見ると、樹木や草が青々と茂っているのがかすんで見え、空はほのぼのと明るくなっていた。木陰の向こうの建物の朱の欄干と青い簾の間に、時々羅紗の灯籠の灯りがちらちらと見え隠れしていた。人にここはどこかと聞くと銭塘だと言う。

そこで周生は一句を口ずさんだ。

岳陽城外倚蘭槳　岳陽城の外で木蘭のかじに凭《もた》れているうち
半夜風吹入醉郷　真夜中に風に吹かれて、酔郷に入る
杜宇數聲春月曉　ほととぎすの鳴き声に目を覚ますと、春月は明け方に傾き
忽驚身已在銭塘　驚くなかれわが身はすでに銭塘に来ている

【2】朝になり岸に登って故郷の親戚や旧友を訪ねてみると、半分がすでに亡くなっていた。周生は詩を吟じながら気が向くままそぞろ歩き、なかなか故郷の街を離れられなかった。
　そこで偶然妓女の徘桃に出逢った。彼女は周生が幼少の時によく遊んだ幼馴染だった。徘桃は才色兼備の女性で、銭塘ではほかに並ぶ者がいなかった。人々は彼女を徘娘と呼んでいた。徘桃は周生との久しぶりの再会を喜び、周生を自分の家に連れて帰り、心からもてなした。周生は徘桃に詩を作って与えた。

天涯芳草幾沾衣　天の果てまで行っても美人には逢えず何度衣を濡らしたことか
萬里歸來事事非　万里の異郷から帰ってみると、すべてが変わってしまったが
依舊杜秋聲價在　杜秋のようなあなたの名声だけは昔と変わらない
小樓珠箔捲斜暉　小楼の珠の簾を巻くと夕日が差し込む

徘桃は大変驚いて言った。

「あなたさまはこれほどの才能があり、科挙にも通るような人で、いつまでも人に頭を下げるような人ではありません。どうして当てもなくさまよっているのですか。」

続いてまた尋ねた。「まだ嫁をもらっていませんか。」

　周生は言った。「まだです。」

　すると徘桃はひそかに笑いながら言った。

「舟に帰らないで、私の家に泊まってください。私があなたにふさわしい美しい女性を探してあげましょう。」

徘桃はそうは言ったものの、気持ちは周生に引かれていた。

周生もまた徘桃の美しく艶めかしい容姿を見て、すっかり心を奪われたが、「恐れ多くてそのようなことは望めません。」

と、笑いながら断った。

楽しく談笑しているうち、日はすでに暮れ夜になった。

徘桃は若い下女に周生を別室に案内させた。周生が部屋に入り壁を見ると、絶句一首が書いてあった。詩はとても斬新だった。

下女に誰が書いたものか聞くと、「主の徘桃さまが書いたものです。」と答えた。

詩は次の通りであった。

　琵琶莫奏相思曲　　琵琶よ相思曲を奏でないでおくれ
　曲到高時更斷魂　　曲調が高くなるとさらに深い悲しみに包まれるから
　花影滿簾人寂寂　　花の影は簾に満ちても、訪ねてくれる人はなく

8

春來消却幾黄昏　春が来てもどれほどの黄昏時をむなしく過ごしたことでしょう

【3】周生はすでに徘桃の美貌に魅了されていた。さらに彼女が書いた詩を見て心は乱れ、何も考えられないほどであった。そこで、徘桃の詩の韻をふまえて詩を作り、徘桃の気持ちを試そうとした。しかし思いを凝らし苦心しても作り上げられなかった。すでに夜は深くなり、月の明かりが地面を照らし、花の影が一面に広がった。あちこち徘徊しているうちに、突然、門の外から人の声と馬の鳴き声が聞こえてきた。そしてしばらくしてから止んだ。周生はとても不思議に思ったが、どうしてなのかその理由はわからなかった。徘桃がいる部屋はそれほど遠くなかった。紗窓の室内は紅い蝋燭のあかりが煌々と灯っていた。ひそかに近づいて覗いてみると、徘桃は一人で座って上質の綵雲牋の紙を広げて、「蝶恋花」の詞を作っていた。しかしただ前段のみを書いて、まだ後段には手を付けずにいた。

周生はふと窓を開けて言った。

「ご主人さまの詞に、客の私が付け足してもいいですか。」

徘桃は怒ったふりをして言った。

「酔狂な人ですね、どうしてこちらまで来たのですか。」

周生は言った。

「私はもともと酔狂な人ではありません。主人のあなたが私をおかしくさせたのです。」

それを聞いて徘桃はにっこり微笑みながら、周生に続きの詞を書かせた。すでに書いてあった徘桃の前段は次のようなものだった。

小院沉沉春意鬧　小庭は静まり返り 春めく気配はにぎわいを増す
月在花枝　月は花の枝にかかり
寶鴨香烟裊　香炉からは煙がやわらかに立ち上がる
窓裡玉人愁欲老　窓の内側の美しい人は、愁いのために老けようとしている
遙遙斷夢迷芳草　長い夢から目覚めた私は芳草のようなあなたに心が迷う

これに周生は後段を足して「蝶恋花」の詞を完成させた。

誤入蓬瀛十二島　誤って蓬瀛《ほうえい》の十二島に入り
誰識樊川　誰が知っていただろうか　樊川が
却得尋芳草　美人に出会ったことを
睡起忽聞枝上鳥　急に眠りから覚め、梢にとまる鳥の鳴き声を聞く
翠簾無影朱欄曉　翠の簾の人影は消え、朱の欄干には暁の光が射す

周生が詞を作り終わると、徘桃は席を立ち自ら薬玉缸の盃に瑞霞酒を注ぎ、周生に勧めた。周生は今はとても酒など飲む気分にはなれず断った。また徘桃も周生のそんな気持ちに気づき、悲しみに沈んだ様子で自分の境遇を話した。
「私の祖先はもともと豪族でした。祖父は泉州の市舶司の長官でしたが、罪を犯したとして官職を追われ、庶人になりました。それ以来、子孫は貧窮し、再起することができませんでした。私は早くに両親を亡くし、

人に養われ今に至りました。操を守り、清く生きようとしましたが、すでに妓籍に名前が載り、仕方なく人々の宴席の相手をしなければなりません。しかし静かに過ごす折々には、いつも独りで花を見ては顔をおおって泣き、月を眺めては悲しみのために魂が身体を離れるような感じになります。今あなたさまを拝見しますと、容姿も秀でており、才能も抜きん出て優れていらっしゃいます。私は賤しい身分ではありますが、あなたさまの枕席のお世話をし、末永く妻としてでなくても妾としてでも仕えたいと思います。私があなたさまに望むのは、後日立身出世して、早く要職に就き、私を妓籍の中から抜いていただくことです。そうして祖先の名を汚さないようにしていただくことこそ、私のたっての願いです。もしいつか私を見捨て、ついに会えなくなっても、あなたさまのご恩は一生忘れませんし、あなたさまを怨むことなどありません。」

そう言い終わると、雨のように涙を流した。

【4】周生はその言葉に深く心を打たれ、徘桃に近づいて腰を抱いて、袖で涙を拭いてやりながら言った。

「それは男子の本分です。あなたがそうした事情を語らずとも、どうして私があなたに薄情なことをするだろうか。」

徘桃は泣き止んで真顔になって言った。

「詩経にも『女には誤りがないが、男の愛情が変わってしまった』という話があるのではありませんか。またあなたさまも『霍小玉伝《かくしょうぎょくでん》』の李益と霍小玉のことをご存じでしょう。もし私を遠ざけたり捨てたりなさらないのでしたら、誓いの言葉を書いてください。」

そして魯国の薄絹一尺を出し、周生に渡した。

周生は、徘桃への気持ちが永遠に変わらないことを明月に誓うという詩を、即座に筆を振るって書きあげた。その詩は次のようである。

青山不老　　青山は枯れることなく
緑水長存　　緑水は永遠に流れる
子不我信　　あなたは私を信じないのか
明月在天　　明月が私たちを見ている

書き終えてこれを徘桃に渡すと、徘桃はとても大事そうに封をして、帯の中にしまった。その夜、二人は愛を交わした。その様子は『翠翠伝』の金生と翠翠、『賈雲華還魂記』の魏郎と娉娉《へいへい》にも劣らないほどであった。

次の日周生が、昨夜に聞いた人の声と馬の鳴き声について聞くと、徘桃は答えた。

「ここから少し離れたところに、湖に面した朱門の家があります。そこは以前丞相《じょうしょう》であった盧《ろ》某さまのお邸です。丞相はすでに亡くなり、夫人とまだ結婚していない息子と娘の三人で住んでいます。夫人は日々歌舞を慰みにして過ごしています。昨夜、馬を送って私を呼んだのですが、あなたさまがいたので、病を言い訳に断りました。」

この日以来、周生は徘桃に夢中になり、世間との付き合いを絶って、毎日徘桃とともに琴を弾いたり酒を飲んだりして戯れ暮らした。

【5】ある日の昼頃であった。人がいきなり門を叩いて言った。

「徘桃さんはいますか、いませんか。」

徘桃が召使いの子を出させてみると、丞相宅の下男だった。

下男は丞相夫人の言葉を伝えた。

「『年老いた私が小宴を設けようと思います。徘桃さん、あなたがいないと興が湧かないので、馬を送りますから来てください。面倒だと思わないでください』とおっしゃいました。」

徘桃は振り向いて周生に言った。

「恐れ多くもまた丞相の奥様からお呼びを受けたので、断ることができません。」

そしてすぐに髪を梳かし化粧をして服を着替えて出かける支度をした。

周生は言った。「どうか夜を明かしたりしないで早く帰ってきてください。」

周生は徘桃を門の外まで見送りながら、「夜を明かさないでください。」と再三念を押した。徘桃は馬に乗って行った。徘桃は燕のように軽く、馬は龍のように飛んで、花や柳の間を縫うように進み、徐々に遠ざかった。

周生は心が落ち着かず、徘桃の後をつけて走って行った。湧金門《ゆうきんもん》を出て、左に曲がると、垂虹橋《すいこうきょう》に至った。すると雲に届きそうなりっぱな邸宅が見えた。徘桃が言っていたように湖に面した朱門の家だった。複雑な模様が彫られた欄干が、緑の柳の木と杏の花の間に半分見え隠れしていた。鳳笙《ほうしょう》と龍管の演奏がかすかに聞こえて、まるで別世界にいるような心地だった。時々音楽が止まり、人々の談笑する美しい声が外まで聞こえてきた。周生は橋の上をうろうろしながら、古風詩一篇を作って、柱に書きしるした。

柳外平湖湖上樓　　柳の向こうに静かな湖　湖の上には楼閣

翠甍碧瓦照青春　翠色の甍《いらか》、碧の瓦が春の光りに輝き
香風吹送笑語聲　香しい風にのって笑い声や話し声が聞こえてくるが
隔花不見樓中人　花に隠れ楼閣の中の人は見えない
却羨花間雙鷰子　ああ、羨ましい、花の間の二羽の燕は
任情飛入珠簾裡　思いのままに珠簾の中に飛び入る
徘徊不忍踏歸路　私は当てもなくさまよい、とても帰る気にはなれない
落照纖波添客愁　夕日が細波《さざなみ》のように差し、愁いを深めるばかり

うろうろしているうちに徐々に夕日は赤く染まり、夕暮れの霞は濃い青色を帯びた。しばらくしてから若い女たちが群れを成して朱門から馬に乗って出てきた。金の鞍《くら》、玉《ぎょく》のくつわの光彩が女たちを照らした。周生はその中に徘桃がいると思い、路傍に行き、誰もいない店の中に身を隠して様子を窺った。数十人をすべて見たが、徘桃はいなかった。周生は心の中で大変いぶかしく思って、再び橋のたもとに戻った。すでに暗くなり牛か馬かもわからないほどだった。そこで周生はすぐ朱門の内に入ったが、人影も見えなかった。楼閣の下にも行ったが、やはり一人も見えなかった。徘徊しているうちに、月はほの明るくなっていた。楼閣の北側を見ると蓮の池があった。池のほとりには様々な花が茂っていて、花の間に細い道がくねくねと曲がっていた。周生はこっそりと道に沿って行ってみると、ちょうど花畑が終わったところに堂があった。堂の階段から西に曲がって数十歩行くと、遠くの葡萄棚の下に堂屋が見えた。小さいけれどもとても麗しい建物だった。薄絹の窓が半分ほど開いていて華やかな蝋燭が高く燃えていた。蝋燭の影の下で紅色の裳裾《もすそ》と翠色の上着を着た人々が静かに往き来していて、その様子はまるで絵の中の人のようだった。

【6】周生は身を隠して近づき、息を殺しひそかに様子を窺った。金色の屏風や鮮やかな褥に目を奪われた。夫人は紫の羅衫を着て、白玉《はくぎょく》の椅子に寄りかかって座っていた。五十歳近くに見えた。落ち着いてあたりを眺める様子はあふれるばかりに美しかった。夫人の側に十四五歳ぐらいの少女が座っていた。髪は雲のように美しく結っていて、頬は酒に酔ったように紅く、澄んだひとみで流し目に見る様子は、まるで揺れる波に映る秋月のようだった。また愛嬌よく微笑むときにできるえくぼは、朝露を含んだ春の花のようだった。徘桃は夫人とその少女の間に座っていたが、鳳凰《ほうおう》の隣の梟《ふくろう》にも、真珠の隣の砂礫《されき》にも及ばなかった。それを見た周生の魂は雲の外に飛び、心は上の空であった。周生は心乱れて大声で叫びながら、部屋に入りたい気持ちに何度も駆られた。

酒が一度ふるまわれた後、徘桃はお暇しようとすると、夫人はしきりに引き止めた。徘桃が帰らせてほしいと切に願うと、夫人は言った。

「いつもこのようなことはなかったのに、どうしたのですか。もしかしたら好きな人と約束でもあるのですか。」

徘桃は襟をただして恭《うやうや》しく席を引きさがって答えた。

「奥様のご質問にどうして隠しごとなどできるでしょうか。」

ついに周生と縁を結ぶようになった経緯をことこまかに話した。夫人がまだ一言も発しないうちに、隣に座っていた少女が笑みを浮かべ、流し目で徘桃を見ながら言った。

「どうして早く言わなかったのですか。あやうく一夜の逢瀬を邪魔するところでしたね。」

夫人もまた笑いながら帰宅を許した。

【7】周生は走ってその場から離れ、先に徘桃の家に戻った。布団をかかえて寝たふりをして大きくいびきをかいた。その後家に着いた徘桃は寝ている周生を起こして聞いた。

「あなたさまは今どういう夢を見ていたのですか。」

周生は即座に詩を詠んだ。

夢入瑤臺彩雲裡　夢に色とりどりの雲に包まれた仙人の住む瑤台《ようだい》に入り
九華帳裏見仙娥　花模様の美しいとばりの中にいる仙娥《せんが》に会う

徘桃は機嫌を悪くして問い詰めた。

「仙娥とはいったいどなたですか。」

周生は答えに窮し、続いて詩を詠んだ。

覺來却喜仙娥在　ああ、嬉しいことよ。夢から覚めると、仙娥が来ている
奈此滿堂花月何　花と月がこの家に満ち溢《あふ》れている、どうしたらよかろう

そして徘桃の背中をさすって言った。

「あなたが私の仙娥ではないか。」

徘桃は笑いながら言った。

「そうでしたら、あなたさまは私の仙郎ですね。」

これ以後二人は互いを仙娥、仙郎と呼び合った。

周生が徘桃になぜ帰りが遅くなったのか、理由を聞くと、徘桃は答えた。

「宴会が終わってから、奥様は他の妓女は皆帰らせましたが、私一人だけをあとに残し、娘の仙花お嬢さまの部屋で、さらに酒席を設けました。そのため遅れました。」

周生が重ねて細かく聞くと、徘桃はより詳しく語った。

「仙花さまは、字は芳卿で、歳はやっと十五になりました。容姿がとても美しく、この世の人とは思えないほどです。また詞曲はもちろん、刺繍も大変上手で、私のような賤しいものがお相手できる人ではございません。昨日仙花さまが新しく「風入松」という曲の詞を作りました。私がその音律を知っていたので、居残って曲に合わせ弦を弾きながら一緒に歌ったのです。」

周生が、「その歌詞を聞きたい」と言うと、徘桃は歌詞の一篇を朗吟した。

玉窓花暖日遅遅　　美しい窓辺には花が咲き、暖かな日は遅々として暮れない
院静簾垂　　お邸は静かで簾が垂れ込めているばかり
沙頭彩鴨倚斜照　　池の水際に憩う色美しい鴨に夕陽が差し
羨一雙對浴春池　　つがいが春の池で遊んでいるのが羨ましい
柳外輕烟漠漠　　柳の向こうは一面霞に覆われ
烟中細柳絲絲　　霞の中の細い柳の枝は春雨のようだ

また、

美人睡起倚欄時　　美人が眠りから覚めて欄干にもたれる時
翠臉愁眉　　美しい眼元には愁いが満ちている
鷰雛細語鶯聲老　　燕の雛の囀《さえず》りや、鶯の老いた声を聞くと
恨韶華夢裡都衰　　恨めしいのは私の青春がはかなく過ぎてゆくこと
却把瑤琴輕弄　　瑤琴《ようきん》をとり慰めに弾いてみるが
曲中幽怨誰知　　曲の中の人知れぬ怨みに誰も気づく者はいない

徘桃が一句一句を口ずさむたびに、周生は心中ひそかに素晴らしいと称賛していた。

しかし徘桃には嘘を言った。

「この詞曲は、閨房《けいぼう》の女性の恋心をよく表しています。八百余字の回文詩を織錦《しょくきん》に書いたという蘇若蘭《そじゃくらん》のような才能がなければ、これほど巧みには書けないでしょう。しかし、私の仙娥の素晴らしい作詩の才能には及びませんね。」

周生は仙花を見てからというもの、徘桃への気持ちが一気に薄れてしまった。徘桃と杯を交わすときも、無理やり笑顔を作っただけで、心の中は仙花のことでいっぱいであった。

【8】ある日、夫人はまだ幼い息子国英を呼んで命じた。

「あなたは十二歳になりましたが、まだ勉学を始めていません。将来大人になった時、何を支えに自立でき

るでしょう。徘桃の旦那さんの周生さんは学問に優れていると聞いています。周生さんのところに行って学問を学びなさい。それがよいと思います。」

夫人の家は大変厳格であったから、国英は母の命令に逆らえず、その日のうちに本を持って周生の所に行った。周生は心の中で「すべて私が望んだとおりになっている。」と密かに喜んだが、形の上では再三遠慮してから、国英を教えはじめた。

ある日、周生は徘桃が留守の時をうかがって落ち着いた様子で国英に言った。

「あなたがこちらに学びに来るのも、とても大変だろう。もしあなたの家に空いている部屋があるならば、私がそこに仮住まいをしよう。そうしたらあなたはわざわざ苦労してこちらに来なくてもよく、また私もあなたを教えるのに専念できるだろう。」

国英はうやうやしく感謝して言った。

「恐れ多くてこれまでお願いできませんでしたが、実は私も最初からそうしてほしいと願っていたところです。」

国英は家に帰り夫人に報告し、すぐさまに周生を迎えることになった。

徘桃は外出から帰ってきて、大変驚いて言った。

「仙郎、もしかしたら隠しごとがあるのではありませんか。どうして私を捨てて他へ行こうとなさるのですか。」

周生が言った。

「丞相家には蔵書が三万冊もあると聞きました。しかし夫人は亡くなった旦那さまの形見をむやみに外に出すのを嫌がっておられます。だから私がそちらに行って誰も読んだことのない本を読みたいだけです。」

徘桃は、「あなたさまが学問に励むことは、私の幸せです。」

と言い、周生を引き止めることはしなかった。

周生は丞相家に移って暮らしはじめたが、昼は国英とともに生活し、夜は戸締りが厳しかったため、どうすることもできなかった。周生は悶々として眠ることもできず十日間も過ぎた。ついに自分自身に言い聞かせた。

「もともとこちらに来た本当の意図は仙花に会うためであった。もう春も過ぎてしまうのに、未だに逢えずにいる。濁った河がきれいに澄むまで待つには、人間の寿命がどんなに長くても足りない。むしろ夜突然に押しかける方がましだ。事が成功すれば喜べばよいし、もし失敗してもそれ相応の罰を受ければよい。それでよい。」

【9】その夜は月がなかった。周生はいく重もの垣根を越えて、ついに仙花の部屋に至った。回廊の曲がり角には欄干があり、部屋には簾や幕が幾重にも掛かっていた。しばらく辺りを注意深く見まわしたが、人影はなかった。ただ仙花だけが、明りを灯して楽曲を演奏していた。周生は柱の間に隠れて、仙花の弾く曲を聞くと、蘇軾《そしょく》の「賀新郎」の詞を小さい声で歌っていた。

簾外誰來推繡戸　　誰が簾の外に来て女人の部屋の美しく飾った戸を叩くのだろうか
枉教人夢斷瑤臺曲　　むなしく瑤台《ようだい》曲の夢が覚めてしまったが
又却是風敲竹　　なんということはない、これは風が竹を叩く音でした周生は簾の下にぴったり近寄って、ひそかに吟じた。

莫言風敲竹　風が竹を叩く音だなんて言わないでください
眞箇玉人來　まさに素敵なこの私が戸の外に来ているのですよ

仙花は聞こえないふりをして、蝋燭を消し床に入った。周生は部屋の中に入り、同衾した。仙花はまだ幼く体も弱くて、情事に耐えられなかった。薄雲から降る小雨に濡れた柳のようなしなやかな姿で、花のように可愛らしく、いとしい声を出すか思えば、わずかに微笑んだり顔をしかめたりした。周生は蜂が蜜を貪るよう、蝶が花に恋するように、心は乱れ情熱はあふれて、夜が明けるのも気づかなかった。急に欄干の外から梢にとまった鶯の流麗な鳴き声が聞こえてきた。周生は驚いて起き上がると外に出た。池と館は静まり返り、明け方の空気はおぼろに霞んでいた。

仙花は周生を見送るため戸口まで出た。それから戸を閉めながら言った。

「ここにはもう二度と来ないでください。秘密が漏れれば、死を覚悟しなければなりません。」

周生は悲しくて胸が塞がりむせび泣きながら、仙花のもとに走って戻ると言った。

「やっと逢えたのに、なんと薄情なことを言うのですか。」

仙花は笑って言った。

「今のは冗談です。怒らないでください。日が暮れたらまた来てください。」

周生は「必ず、必ず」と何度も言いながら帰った。

仙花は部屋に戻り、「早夏に暁鶯《ぎょうおう》を聞く」という絶句を作って、窓に書きしるした。

漠漠輕陰雨後天　薄暗い雲から小雨が降った後の晴れ渡った空の下
綠楊如畫草如烟　緑の柳は絵のように、草は煙のよう
春愁不共春歸去　春の愁いは春が過ぎると共に消え去ることはなく
又逐曉鶯來枕邊　愁いを追うように、暁鶯《ぎょうおう》が枕元に来て鳴く

【10】次の夜、周生はまた仙花の部屋を訪ねた。突如垣根の樹陰で、履物の音がはっきり聞こえた。人に見つかることを恐れて、すぐに反対方向に走ろうとしたが、履物の音を立てる人が、青梅を投げ、それが周生の背中に当たった。周生は狼狽《ろうばい》して、逃げるところもなかったので、竹やぶの中に伏せた。履物の音を立てる人が低い声で言った。

「張郎さま、恐れないでください。鶯鶯がここにおりますよ。」

周生は自分たちを『鶯鶯伝《おうおうでん》』の主人公に擬《なぞら》えているのを知って、仙花にからかわれているとわかった。起き上がって仙花の腰を抱き寄せて言った。

「どうしてこのように人を騙《だま》すのですか。」

仙花は笑いながら言った。

「あなたを騙したりしませんわ。あなたが勝手に怯《おび》えただけでしょう。」

周生は言った。

「ひそかにあなたを盗み奪うようなことをしておきながら、どうして怯えずにいられるでしょうか。」

それから、仙花の手を引いて部屋の中に入った。窓際にある絶句を見て、その最後の句を指さして言った。

「こんなに美しい人にどんな愁いがあって、このような詩句を詠むのですか。」

　仙花は沈んだ様子で言った。

「女の身は常に愁いが絶えない人生です。愛する人に出会う前は、出会えることを願い、出会うと別れるのではないかと心配します。女の身の上は、何処にいても愁いが尽きません。ましてやあなたはよその家の娘を犯し、私は結婚の前に身を汚してしまいました。もし不幸にも私たちの関係が発覚したら、親戚にも許してもらえず、村人にも軽蔑《けいべつ》されるでしょう。あなたと手をとり老年まで仲睦まじく暮らそうと願っても、どうしてそれが叶うでしょうか。今の私たちの出会いは、雲間の月、落ち葉の中の花と同じです。たとえ一時《いっとき》、喜びに満たされようとも、長くは続かないと存じます。どうしたらよいでしょう。」

　話し終わると涙がこぼれた。これからのことが不安になり、恨めしさに耐えられない様子だった。

　周生は涙を拭いてあげながら慰めの言葉をかけた。

「一人前の男が、一人の女を娶れないことがあるでしょうか。私は必ず媒酌人《ばいしゃくにん》を立てて婚約し、きちんと婚礼を挙げてあなたを迎えますから、苦しまないでください。」

　仙花は泣き止み、お礼を言った。

「あなたのおっしゃる通りになるならば、たとえ嫁としての徳は乏しくても、あなたの祖先の祭祀に真心を込めて尽くそうと思います。」

　仙花は化粧箱から鏡を取り出して、二つに分けて、片方は自分が持ち、もう片方は周生に渡して言った。

「それぞれ正式に結婚するまで持っていて、その時になったら二つを合わせましょう。」

　また、絹の扇を周生に渡して言った。扇には簫の名手、蕭史《しょうし》と、蕭史を慕う弄玉《ろうぎょく》が鸞《らん》に乗って飛び去る絵が描かれていた。

「この鏡と扇はささやかなものですが、私の気持ちをよく表しています。乗鸞《じょうらん》の美しい図柄の扇も秋の到来とともに使われなくなりますが、どうかあなたは私を扇のように捨てないでください。たとえ私と別れることになっても、その鏡を大切にしてください。」

　これより二人は毎日欠かさずに夕方に会って、明け方に別れた。

【11】ある日、周生はしばらく徘桃に会わなかったので、徘桃が怪しむのではないかと心配になった。そこで徘桃の家に行き、丞相宅に帰らなかった。仙花は夜周生の部屋に行き、こっそり周生の持っていた袋を開くと、徘桃が周生に送った詩数首が見つかった。仙花は嫉妬の念を抑えきれず、机の上にあった筆と墨で烏のように真っ黒く塗りつぶした。そして「眼兒媚《がんじび》」という形式の詞曲を作り、翡翠《ひすい》色の絹に書き、それを周生の袋に入れて帰った。このような詞だった。

窓外疏螢滅復流　　窓の外のあちらこちらに蛍の光が明滅して流れ
斜月在高樓　　月は傾き　高い楼閣にかかる
一階竹韻　　階下の竹は葉音を立て
滿簾梧影　　簾には桐の影が映る
夜靜人愁　　夜は静かに人は愁いに沈む

此時蕩子無消息　　自由気ままなあなたからはまだ消息もなく
何處得閑遊　　どこでのんびりと楽しんでいるのだろうか

也應不戀　きっと私のことなど思ってはいないのでしょう
離情脉脉　離別の情が込み上げて
坐數更籌　座って籌《かずとり》を数えるばかり

次の日、周生は丞相宅に帰ったが、仙花はいっさい嫉妬や恨む気色を見せなかった。また袋を開いたことも言わなかった。そうしたのは周生に自らの罪を反省させようと思ったからである。周生はそれとも知らずのんびり過ごしていた。

ある日、夫人は宴を設け、徘桃を招いて、周生の学業と品行を称賛した。また周生が息子の指導に励んでくれることにも感謝しながら、徘桃にその気持ちを周生に伝えてくれるようにと頼んだ。この夜、周生は酒を飲みすぎてすっかり酩酊していた。徘桃は独り手持無沙汰で眠れず、ふと周生の袋を開けてみると、自分の送った詩が墨で真っ黒になっているのを見つけ、周生への疑心がむくむくと広がった。そして「眼兒媚」を見てそれが仙花の仕業であることに気づくと、抑えがたい怒りが込み上げたが、その詞を袖の中にしまい、袋の口を閉じて元通りに締め直し、眠りもせず座ったままで朝になるのを待った。

周生が酔いから醒めると、徘桃はおもむろに問い詰めた。

「あなたさまがしばらく私たちの家に帰らないのは、どうしてですか。」

周生は答えた。

「国英の学業がまだ終わってないからです。」

徘桃は言った。

「愛妾の弟さまを教えるのですから、誠心誠意を尽くさないわけにはいきませんね。」

周生は顔を赤らめ、首回りまで赤くして、

「いったい何を言うのですか。」

と、しらを切った。

徘桃はしばらく何も言わず黙っていた。周生はびくびくと取り乱して、顔を隠し下を向いていた。徘桃は袖から仙花の詩を出して、周生の前に投げて言った。

「人目を盗んで密かに情を通わせるなんて、それが君子のなさるべきことですか。すぐにでも夫人に申し上げましょうか。」

そして徘桃が急に立ち上がったので、周生は慌てて徘桃の腰に抱きすがって、今までのことをありのまま告げた。さらに土下座して哀願した。

「仙娥と私は永遠に一緒であることを固く誓ったのではありませんか。どうして無情にも私を窮地に追い込むのですか。」

徘桃は気を取り直して言った。

「あなたさまは今すぐ私と一緒に帰るべきです。そうできないのでしたら、あなたさまは既に私との約束を破ったというのに、なぜ私だけが約束を守らなければならないのでしょうか。」

周生はやむを得ず夫人にあれこれ言い繕って徘桃の家に帰った。徘桃は仙花とのことを知ってから、周生を二度と仙郎とは呼ばなかった。穏やかな気持ちではいられなかったからである。周生は仙花に対する気持ちが募ってゆくにつれて、日増しに憔悴《しょうすい》していった。病気を理由に二十日間も寝込んでいた。

【12】そうしているうちに突然国英が病死した。周生は祭物を用意して行き棺の前に供えた。仙花もまた周

生のせいで病気になり、起き上がるのも人の助けを必要とするようになった。周生が来ると聞いて、病を押して起き上がり、薄化粧をし、白い喪服姿で一人簾の内に立っていた。周生は国英の棺に弔問をすませると、遠くに仙花の姿を見つけ、流し目で気持ちを伝えて出てきた。頭を下げて横目でちらっと見たが、もう仙花の姿は見えなかった。

数か月後、徘桃も病気になり、起きられなくなり、今にも死にそうだった。周生の膝を枕にして横になり、涙ぐみながら言った。

「私はあなたと同心になり、あなたの私に対する変わらない気持ちだけを頼りに、ずっと死ぬまで一緒にいたいと思っていました。ところが、芳しい草花が枯れる前に、季節を分けるほととぎすが鳴くとは思いもしませんでした。もうあなたとは永遠に別れることになります。綺麗な服や、管弦の遊びともお別れです。昔からの願いももう空しくなりました。ただお願いしたいのは、私が死んだ後、あなたは仙花さまを妻に迎えて、私の骨はあなたが往き来する道端に埋めてください。そうしたら、私は死んだとしても、生きていることと同じです。」

言い終わると、息が絶えた。しばらくしてからまた蘇り、目を開けて周生を見ては、「周生さま!周生さま!どうかお元気で、どうかお元気で!」と、数回繰り返し亡くなった。

【13】周生は身もだえしながら泣いた。そして、徘桃の願いに従い、湖のほとりの大通りの傍らに葬った。そして祭文を書いて祀った。

某年某月某日に私、梅川居士は蕉 黄《しょうこう》と茘丹《れいたん》を供え徘娘の霊を祭る。ああ、あなたの魂よ。あなたの生前の姿は花の精ように艶めかしく綺麗で、あなたの身のこなしは月のようにしなやかでした。あなたの舞は、章台の柳に倣い、また風になびく緑錦のようでした。顔は深い谷の蘭よりまさり、露を含んだ紅い花のようでした。回文を作れば蘇若蘭に匹敵するほど優れていましたし、また美貌は賈雲華とその名を争うほどでした。たとえその名が妓籍に載せられていても、その志は奥深く気高くありました。私の心は定まらず、風になびく綿、水に浮かぶ浮草のようにさまよっています。「沫の郷で根無葛《ねなしかずら》を一緒にとりましょう」という『詩経』の言葉を贈り、お互い恋する仲になりました。あなたと交わした約束を忘れていません。月が出て白く澄みわたった静かな夜、雲がかかった窓辺で私たちが誓いを交わした時に、花に包まれたお屋敷は晴れわたっていました。一杯の美酒、幾曲の鸞笙《らんしょう》。まさか時間が経ち、この喜びが終わり、悲しみが始まることを予想だにしませんでした。翡翠の衾がまだ暖まらないうちに、鴛鴦《えんおう》の夢が先に覚めてしまい、歓喜の心は雲のように消え、恩情は雨のように散り去ってしまいました。目を向けると、薄絹の裳は変色し、耳を近づけても玉佩《ぎょくはい》の音は聞こえません。あなたとの誓いを書いた一尺の魯国の絹は、まだその香りが残っているのに、朱琴と緑色の服は虚《むな》しくあなたの銀の床の上にあるだけです。あなたが住んでいた藍橋《らんきょう》の旧宅は下女の紅娘に頼みます。ああ、佳人のあなたに会えず、あなたの優しいお言葉も忘れられません。玉のような姿と花のような顔は、今も目の前にあるようです。永久に尽きることのないこの私の恨みは茫々《ぼうぼう》としています。他郷で伴侶を失い、これから誰を頼りにすればよいのでしょう。また古い舵を修理し、再び来た道を戻ります。湖海は広々と遠く、この世の中は険しいことだらけです。一艘の舟は寂しく遠く万里に離れ、頼るところはどこにもありません。いつかあなたのお墓を訪ねたいと思っても、広い世の中のゆえ、その約束もできません。山には雲が戻ってきて、江には潮が回るのに、あなたは去ってしまい、なんと寂寥としていることでしょうか。酒を供え、この祭文で私の気持ちを表します。吹く風に向かってもう一度あなたを呼びます。願わくは、美しい魂よ、

　こちらに来てくださいませ。尚饗。

祭祀が終わると、下女に別れを告げて言った。

「お前たちはこの家をしっかり守りなさい。私が後日志を成し遂げたら、必ずお前たちを引き取りにくるから。」

　すると下女は泣きながら言った。

「私たちは主人の徘桃さまを母のごとく敬愛し、また徘桃さまは私たちを実の子のように接してくださいました。私たちが薄幸で、徘桃さまは早く亡くなられました。これから私たちが頼りにするところは、他でもなくあなたさまだけです。それなのに今あなたさままでここを去ってしまえば、いったい私たちは誰を頼ればよいでしょう。」

　ずっと泣き崩れていたので、周生は再三慰めて、涙を振り払いながら舟に乗ったが、なかなか舟を出すことができなかった。

　この日の夜、垂虹橋の下で停泊し、仙花の家を遠くから見ていた。銀灯の明り、朱色の蝋燭が林の中で点滅していた。周生は仙花との幸せだった時間がすでに過ぎたことを思い、また再会する縁がないことを嘆いた。そして「長相思」一句を口ずさんだ。

花滿烟　柳滿烟　　花は霞につつまれ、柳も霞につつまれる
音信初憑春色傳　　春の訪れとともに、便りを期待するが
綠窓深處眠　　貴方は緑窓の深い部屋で眠っている
好因緣　惡因緣　　良い縁だったのか、悪い縁だったのか

曉院銀釭已惘然　明け方の邸には銀灯の明かりがぼんやりともり
歸帆雲樹邊　舟は雲に包まれた樹林のほとりで、帰途につく

周生は明け方に至るまで考え込んでいた。ここを去れば仙花と永遠に離れてしまいそうで、かといって留まろうとしても徘桃と国英がすでに亡くなった今、他に頼るところはなかった。いくら考えても銭塘に残る方法が見つからなかった。翌日の明け方、仕方なく舟を出発させたが、仙花の家も徘桃の墓もみるみるうちに遠く離れ、山を回り、江をめぐると、すでに見えなくなった。

【14】周生の母方の親戚に張という老人がいた。張老人は湖州の富豪で、昔から親戚と仲睦まじく過ごしていることで評判だった。周生は試しに彼を頼ろうと思って訪ねると、張老人は周生をたいそう手厚くもてなした。周生はここで身体は楽に過ごすことができたが、時間が経つにつれ仙花を思う気持ちはますます募っていた。輾転反側《てんてんはんそく》して眠れない夜を過ごしているうちにまた春を迎えた。

万暦二十年（一五九二）の春だった。張老人は周生が憔悴《しょうすい》しきっているのを見て、その理由を尋ねた。周生は包み隠さずありのままを話した。

話を聞き終わった張老人は言った。

「なぜもっと早くに思い悩んでいたことを言わなかったのか。わしの家内と盧《ろ》丞相とは昔から親しい関係だ。わしがお前のために結婚話を進めてみよう。」

次の日、張老人は妻に結婚を申し込む手紙を書かせ、下僕を銭塘に行かせ、結婚の取り決めをしてくるように命じた。

一方仙花はといえば、周生と別れてからというもの、すっかりやつれてしまい病床に臥していた。夫人も娘の病の原因が周生と別れたことにあることをわかっていた。娘の希望を叶えてあげたくても、周生はすでにこの地を立ち去ったのでなすすべがなかった。ちょうどその時に夫人宅に張老人の妻からの手紙が届いたので、家じゅうの者みなが大変喜んだ。仙花も無理を押して床から起き上がり、髪をくしけずり化粧をして身なりを整えると以前の姿に戻ったようだった。そして結婚の日取りはこの年の九月ということになった。周生は毎日浦口に行き、下僕の帰りを今か今かと待っていた。十日足らずで、下僕が帰り、縁談がまとまったことを伝えた。また仙花からの手紙を周生に渡した。周生は手紙を開けてみると、お粉《しろい》の香りと涙の跡があって、仙花がどれほど哀しみ、またどれだけ自分を怨んでいたのかがよくわかった。その手紙にはこのように書いてあった。

　薄命な私、仙花は沐浴し、心身を清め、周生あなたさまにお手紙を差し上げます。私はもともと体が弱く、長い間深窓で暮らしてきました。いつも青春が早く過ぎてしまうことを愁い、鏡を覆い容姿の衰えるのを惜しんでいました。たとえあなたと結ばれたいと思っていても、実際お会いすると恥ずかしくなりました。道端の柳を見れば、春情は抑えがたく、木の枝の鶯の鳴き声を聞けば、明け方に見た夢がまだ覚めず朦朧《もうろう》とした気分になりました。ある日の朝、美しい蝶が心を伝え、鶴が道を案内しました。かの『詩経』に「東方の月よ、美しいあの人が門の内にいる」とうたわれたように、東の空に月が昇ると、まさしく素敵なあなたさまが門の前にいらっしゃいました。あなたはすでに垣根を越え私の所に来たというのに、どうして私があなたを拒むことができるでしょうか。仙薬の玄霜を全部搗いても、そびえたつ天上世界に登れず、鏡を半分に分け再会を約束したけれども、夫婦の縁を結ぶことができませんでした。どうして喜ばしい日々は永遠に続かず、固く誓った約束でもすぐに破れてしまうのでしょうか。あなたを愛すれば愛するほど、わが身を悲しまずにいられませんでした。あなたが去り、春が訪れたけれど、あなたからの消息はありません。門を閉ざしても、部屋は明るくしてあなたを待っていました。何度寝返りをうっても眠られず、これほどまでに憔悴してしまったのはあなたのせいです。錦の帳の中は空っぽで、昼はひっそり静まりかえり、銀燭の灯りが消えると、夜はしんしんと更けていきます。たった一日身を誤ったがために、百年の恋情に苦しむことになりました。散る花が頬に当たり、片割れ月を眺めているとさらに悲しくなります。胸は張り裂けんばかりで、あなたのもとへ飛んでいきたくても翼はありません。こうなることを早く知っていたら、死んだほうがましだったでしょう。ところが今、結婚を掌る月下老人から手紙が届き、後はその日を待つだけです。しかし、一人ぼっちで嘆いていたので、病気がなかなか治らず、花のような顔は色艶を失い、雲のような髪も光彩がなくなりました。あなたさまがこのような姿を見ましたら、以前のように愛してくれないのではないかと心配です。それより恐ろしいことは、ささやかな気持ちを表すことができないまま、死んでしまうことです。そうなったら恨みは窮まるところがありません。もし、朝にあなたに会い、ひと言でも私の真心を伝えることができるならば、夕べに墓に入ることになったとしても、私は怨みません。あなたさまは雲の彼方の遠く離れたところにいるので、使いを頻繁に送ることもできません。首を長くして遠くを見ていると、骨は折れ、魂は消えてしまいそうです。湖州の地は辺鄙なところで、熱病を発しやすいところです。どうかお身体に気をつけてくださいませ。言いたいことは言葉に尽くせませんが、帰る鴻に手紙を持たせて飛び去らせます。

　月日、仙花が申し上げます。

【15】周生は手紙を読み終わると、まるで夢から覚めたばかりのようでもあり、また、酔いから醒めたようでもあり、悲しみと喜びが入り混じった気持ちだった。結婚を約束した九月までを指折り数えてみると、まだ遠く、期日を早めてもらおうと張老人に頼み、再び使いを送った。仙花への手紙に次のような返事を書いた。

芳卿さま

私とあなたは前生、現生、後生と三生にわたり、深い縁で結ばれているので、千里も遠く離れた所からもあなたの手紙をもらいました。何につけてもあなたを思い懐かしむ気持ちは一時も忘れたことはありません。昔、玉のように立派なあなたの邸に身を投じ、瓊林《けいりん》のような美しい庭であなたの跡を追い、ひとたびあなたに対する恋心が生じると、その気持ちを我慢することができず、花に囲まれて約束を交わし、月の下で契りを結びました。ひたすら私のことを思ってくださり、その時の誓いは未だに清らかに耳に残っています。それを思うと、この世であなたの恩に報いることは本当にむずかしいです。世間の好事は、神も妬みます。まさか一夜の別れが、何年も会えない悲しみになるとは思いもしませんでした。互いにはるか遠くに離れ、山川に遮られて、私はたった一人天の果てに来て、どれほど悲しみに沈んだことでしょう。雁は呉国の雲の中で鳴き、猿は楚国の山々で啼いています。他郷での独り寝は、灯りさえも寂しく感じられます。人は木石ではないので、悲しまずにはおられません。ああ、芳卿さま、あなたも離別の悲しみをおわかりでしょう。古《いにしえ》の人は「一日会わないその時間はまるで三年のように感じる」といいました。この言葉どおりなら、ひと月は九十年になります。もし、秋を待って、結婚することになるとしたら、あなたは私を荒山の枯草の中に探すことになるでしょう。あなたを思う私のこの気持ちは限りがなく、言葉に尽くすことができません。手紙を前にして、涙にむせぶばかりです。もうこれ以上の言葉が見つかりません。

月日、某が申し上げます。

手紙はすでに書き終わったが、まだ送れずにいた。

【16】たまたまその時に朝鮮が倭軍に追い詰められ、至急明に兵を要請した。明の皇帝は、朝鮮が明朝に至誠を尽くし仕えているので、朝鮮を救わないわけにいかなかった。また、朝鮮が倭軍に破られれば、国境地域の鴨緑江《アムノクカン》より西では安心して眠れない。まして国の存亡に関わることは王者の務めである。皇帝は提督李如松《りじょしょう》に命じて、軍を率いて倭賊を討たせた。行人司の行人、薛藩《せつはん》は朝鮮から帰ると、奏上した。

「北方の人は異民族の侵入をよく防ぎますし、南方の人は倭の侵入をよく防ぎます。今回の戦は南方の兵でなければ防げません。」

そこで浙江省と湖南省の各地から兵士を急いで召集した。

遊撃将軍の姓某は、以前から周生の名前を知っていたので、周生を書記の任務に就かせた。周生は辞退したが受け入れられず、仕方なく引き受けた。朝鮮に着いて安州《アンジュ》の百祥楼《ペクサンル》に登った時、七言の詩を作った。詩の全篇は忘れてしまったが、ただ、結尾四句だけは覚えている。次のとおりである。

愁來獨登江上樓　愁いに捕らわれて、独りで江上の楼に登る
樓外青山多幾許　楼外の青山の何と多いことか
也能遮我望鄉眼　山々は望郷の眼を遮《さえぎ》るが

不肯隔斷愁來路　愁いの来る路を断つことはできない

明くる万暦二十一年（一五九三）の春、明軍が倭賊を大破し、慶尚道《キョンサンド》まで撃退した。周生は仙花のことを思うあまり、重い病気になり、明軍の南下にもついて行くことができず、松都《ソンド》に留まった。私、権汝章《クォンヨジャン》はたまたま用事があり、松都に行ったが、そこの駅舎で周生と出会った。言葉が通じないので、筆談を交わし会話した。周生は私が詩文に通じているのを喜んで、大変親切に接してくれた。私は周生に病の理由を聞いたが、ただ愁いに沈むだけで答えてはくれなかった。

この日は雨に降り籠められ、客舎から出られなかったので、周生と夜通し話をした。周生は、「踏沙行」一首を作り、私に見せた。その詞には次のようにあった。

隻影無憑　離懐誰吐
歸鴻暗暗連江樹
旅窓殘燈已驚心
可堪更聽黄昏雨

孤影はたよる所もなく、離別の胸中は、いったい誰に吐露しようか
帰る鴻はひっそりと水辺の樹林に連なる
客舎の窓の微《かす》かな灯りにさえ心は驚く
ましてや黄昏の雨音をどうして平気に聞けるだろうか

閬苑雲微　瀛州海阻
玉樓珠箔今何許
孤蹤願作水上萍
一夜流向呉江去

閬苑《ろうえん》は雲の彼方にかすみ、瀛州《えいしゅう》は海にはばまれ
玉の楼閣や真珠の簾の部屋はどこにあるのだろう
孤独な我が身よ、願わくは浮草になって
一晩で呉江に向かって流れてほしい

私はその詞の意味が気になり、どういう事情があるか、聞かせてほしいと熱心に頼んだ。周生はついにその経緯を話してくれたが、それが今まで記した内容である。

また袋の中から一巻の書物を出して見せてくれた。その書物の名は『花間集』と言った。周生と仙花、徘桃との唱和詩が百余首、また友人たちが詠んだ詞は、十余篇入っていた。周生は、私の前で涙を流しながら、私にも詩を書くようにしきりに求めた。私は元稹の会真詩三十律韻に倣って、『花間集』の巻頭に書きしるして贈った。それから周生に慰めの言葉をかけてやった。

「一人前の男子が憂うべきことは、功名を成し遂げられないことのみであります。世の中に美しい婦人はほかにもいます。さらに今朝鮮はすでに戦争が終わって、明軍は帰ろうとしています。赤壁の戦いの時に東風が吹き、すべてがうまくいったように、あなたにも東風が味方になるでしょう。東風のおかげで呉の喬氏の美人姉妹が敵に奪われることがなかったように、あなたの愛する女性もきっとご無事で、心配しなくても大丈夫です。」

次の朝、泣きながら別れた。周生は何度もお礼を言った。

「私の身の上話は笑い事にすぎません。人に伝えるほどのものでもありません。」

その時周生は二十七歳だったが、光り輝く顔かたちで、まるで絵を見ているようだった。

万暦二十一年五月に無言子《ムオンジャ》権汝章が記した。

原文・書き下し・語釈

【原文1】

生名檜、字直卿、號梅川。世居錢塘。父爲蜀州別駕、因家于蜀。生少時、*聰鋭能詩、年十八、入太學、爲儕輩所推仰。生亦自負不淺。在太學數歳、連擧不第。乃喟然嘆曰「人生在世間、如輕*塵栖弱草耳。胡乃爲名韁所繫、*汨没塵土中、以送吾生乎。」自是、遂絶意科擧之業。倒篋、中有錢百千。以其半買舟、往來江湖間、以其半市雜貨。時取贏以自給。朝呉暮楚。唯意所適。

一日、繫舟*岳陽城外、歩入城中、訪所善羅生。羅生亦俊逸之士也。見生甚喜、置酒相歡。頗不覺沉醉、比及還舟、則日已昏黑。俄而、月上。生放舟中流、倚困睡。舟自爲風力所送。其往如箭。及覺、則鍾鳴烟寺、月在西矣。但見両兩岸、碧樹葱蘢、*曉色蒼茫。樹陰中、時有紗籠銀燭、隱暎於朱欄翠箔之間。問之、乃錢塘也。口占一絶曰、

岳陽城外倚蘭槳　　半夜風吹入醉鄉
杜宇數聲春月曉　　忽驚身已在錢塘

〈校異〉＊聰鋭…底本「聰銃」。＊塵…底本「微塵」。＊汨没…底本「汨汨」。＊岳陽城…底本「岳陽樓」。以下「岳陽樓」は「岳陽城」に改めた。樓は城の誤字。＊曉色蒼茫…底本「□□蒼茫」。

【書き下し1】

生、名は檜、字《あざな》は直卿、号は梅川なり。世《よよ》に銭塘に居り。父、蜀州の別駕《べつが》と為り、因て蜀に家す。生、少時より聡鋭にして詩を能《よ》くし、年十八にして太学に入り、儕輩の推仰する所と為る。生も亦た自負すること浅からず。太学に在ること数歳、連《しき》りに挙するも不第す。乃ち喟然《ぎぜん》として嘆じて曰く、「人の生まれて世に在

る間は、軽塵の弱草に栖《す》むがごときのみ。胡《なん》ぞ乃ち名韁《めいきやう》の繋《つな》ぐ所と為り、塵土の中に汨没《こつぼつ》し、以て吾が生を送らんや」と。是れより、遂に科挙の業を絶意す。篋《はこ》を倒せば、中に銭百千有り。其の半ばを以て舟を買い、江湖の間を往来し、其の半ばを以て雑貨を市《あきな》う。時に嬴《えい》を取り、以て自給す。朝は呉に暮は楚なり。唯だ意に適《かな》う所なり。

一日、舟を岳陽城の外に繋ぎ、歩みて城中に入り、善き所の羅生を訪ぬ。羅生も、亦た俊逸の士なり。生を見るや甚だ喜び、酒を置き相歓す。頗《すこぶ》る不覚沈酔し、比《ころ》に及びて舟に還れば、則ち日は已に昏黒《こんこく》なり。俄《には》かにして月上る。生、舟を中流に放ち、倚りて困睡す。舟、自ずから風力の送る所と為る。其れ往くこと箭《や》のごとし。覚むるに及べば、則ち鍾、烟寺に鳴り、月は西に在り。但両岸を見れば、碧樹葱蘢《へきじゆそうろう》、暁色蒼茫《ぎょうしょくそうぼう》たり。樹陰の中に、時に紗籠・銀燭有り、朱欄翠箔の間に隠暎す。之を問えば、乃ち銭塘なり。一絶を口占《くせん》して曰く、

岳陽城の外、蘭槳《らんしょう》に倚り　半夜風吹き　酔郷に入る
杜宇の数声　春月の暁　忽ち驚けば身は已に銭塘に在り

【語釈1】　○生　男性を呼称する言葉。先生の略称や後輩や弟子などの年下、または自己の謙称として用いられる。○銭塘　かつて中国の浙江省杭州市に存在した村。明清代までは杭州府に属していた。崔溥《チェブ》（一四五四～一五〇四）が中国に漂流し朝鮮に帰るまでの記録『漂海録』によれば、杭州は江南地域を代表する大変繋栄したところであった。権韠の『石洲集』には杭州銭塘の人・妻鳳鳴を見送る際に書いた詩がある（巻三「送妻鳳鳴還杭州銭塘県」）。○蜀州　現在の四川省、特に成都付近。○別駕　官名。漢代、刺史が巡察する際に随行する補佐官。刺史とは別の乗り物に乗って行くことから別駕と言われた。○太学　中国古代からあった官吏養成のための最高学府。○儕輩　同じ仲間。○推仰　あがめ慕うこと。○人生在世間、如軽塵栖

弱草耳　人生のはかなさのたとえ。『芸文類聚』巻六に所引の李康「遊山序」に「蓋し人の天地の間に生まるや、流電の戸牖《こゆう》を過ぎ、軽塵の弱草に栖むがごとし」とある。○名韁　名声に束縛されること。○汩没　水が速く流れる様子。○塵土　けがれた世の中。俗世。○嬴　満ちてあり余る。利益。○朝呉暮楚　呉は今の江蘇省地域、楚は今の湖南省と湖北省地域。晁補之《ちょうほし》「北渚亭賦」にある語句「朝秦暮楚」に拠っている。「北渚亭賦」では戦国時代、朝は中国の西部の秦国に、暮れには南部の楚国にいるということから、しっかりした主義主張がないことや、拠点を持たずにふらふら流浪するたとえとして用いられるが、ここではわざと銭塘に近い「呉」に変更したか。○鍾鳴烟寺　瀟湘八景の一つである「烟寺晩鐘」のイメージと重なる。「烟寺晩鐘」は夕霧に煙る湖南省の清涼寺から鐘が聞こえる夜の風景であるが、ここでは早朝の風景描写に変えている。○碧樹葱蘢　碧樹は青々しく茂った常緑樹、葱蘢は草木。草木が密生した様子。○曉色　明け方の空の色。○蒼茫　青々として、はてしなく広い様子。○紗籠　紗製の燈籠。○朱欄翠箔　赤い手すりと青い簾。○口占　詩や文書を書きしるさず口から伝えること。○蘭槳　木蘭でできた舟を漕ぐ道具。かい。○醉郷　唐代の王績「醉郷記」から、酒を飲んだ時の心地よい気分を別天地にたとえた語。

【原文2】

及朝、登岸、訪舊里親故、半已凋零。生吟嘯徘徊*、不忍去也。

有妓徘桃者。生少時所與同戲者也。以才色獨步於錢塘。人呼之爲徘娘。引生歸其家、相對甚款。生贈詩曰、

天涯芳草幾沾衣　萬里歸來事事非
依舊杜秋聲價在　小樓珠箔捲斜暉

徘桃大驚曰、「郎君有才如此、非久屈於人者、一何泛梗飄蓬若此哉。」因問。「娶未。」曰、「未也。」桃笑曰、「願

郎君不必還舟、可寓在妾家。妾當爲君、求得一佳耦也。」蓋桃意屬生矣。生亦見桃、姿妍態艶。心中甚醉、笑而謝曰、「不敢望也。」團欒之中、日已晩矣。

桃令少叉鬟、引生就別室。生見壁間有絶句一首。詞意甚新、問於叉鬟、叉鬟答曰、「主娘所作也。」詩曰、

琵琶莫奏相思曲　曲到高時更斷魂
花影滿簾人寂寂　春來＊消却幾黄昏

〈校異〉＊徘徊…底本「徘佪」。以下同じ。＊消却…底本「鎖却」。

【書き下し2】

朝に及び、岸に登り、旧里の親故を訪ぬれば、半ば已に凋零《ちょうれい》す。生、吟嘯《ぎんしょう》し徘徊して、去るに忍びざるなり。

妓に徘桃なる者有り。生、少時より与《とも》に同《とも》に戯るる所の者なり。才色を以て銭塘に独歩す。人、之を呼びて徘娘と為す。生を引き、其の家に帰り、相い対《むか》うと甚だ款《かん》す。生、詩を贈りて曰く

天涯芳草幾たびか衣を沾《うるお》す　万里帰来すれば、事事非たり
依旧として杜秋の声価在り　小楼の珠箔を捲《ま》けば斜暉あり

徘桃大いに驚いて曰く、「郎君才有ること此のごとし。久しく人に屈する者に非ざるに、一《まこと》に何ぞ泛梗飄蓬《はんこうひょうほう》すること此のごときや」と。因りて問う。「娶ること未だしや」と。曰く、「未だなり」と。桃笑いて曰く、「願わくは郎君必ずしも舟に還らず、妾家に寓在《ぐうざい》すべし。妾当《まさ》に君が為に、求めて一佳耦《かぐう》を得べきなり」と。蓋し桃の意、生に属せり。生も、亦た桃を見れば、姿妍態艶たり。心中甚だ酔い、笑いて謝して曰く、「敢えて望まざるなり」と。団欒の中、日已に晩《くれ》たり。

桃、少叉鬟《しゃかん》をして、生を引き別室に就かしむ。生、壁間を見れば絶句一首有り。詞の意甚だ新たなり。叉

鬟に問えば、叉鬟答えて曰く「主《あるじ》の娘の作る所なり」と。詩に曰く、

　琵琶奏する莫かれ 相思曲　　曲高時に到れば更に断魂す
　花影は簾に満つるも人は寂寂たり　　春来たれども消却す　幾たびの黄昏《こうこん》

【語釈2】○親故　親類と旧友。○凋零　衰え落ちぶれること。○吟嘯　詩歌をうたうこと。○款　心からもてなす。○天涯芳草　蘇軾の蝶恋歌「花褪残紅青杏小」に「天涯何処にか芳草無からん」とある。蘇軾の詞では世の中どこにでも芳草のような美的対象はあるのだという。しかし、周生のこの詩では、故郷を遠く離れると芳草のような佳人に出逢うことができず、涙したが、故郷に戻ると徘桃の名声はそのままだと、徘桃にそれとなく気があることをほのめかす詩になっている。○杜秋　杜秋娘《としゅうじょう》。唐代の女流詩人。金陵（現在の江蘇省南京市）の妓女。美貌と詩才に恵まれ、十五歳の時に鎮海節度使《ちんかいせつどし》である李錡《りき》の妾となる。李錡の死後は後宮に入り憲宗に寵愛され妃となった。憲宗と死別した後は穆宗《ぼくそう》の命で皇子漳汪《しょうおう》の守り役を任されたが、政変で皇子が廃せられた為、平民に降下させられ故郷に帰った。李錡と生活していた時期に作られた「金縷の衣」はよく知られている。ここでは徘桃をたとえる。○斜暉　斜めにさす夕日の光。○泛梗飄蓬　泛梗は水に浮かぶ木、飄蓬は風に吹かれて飛ぶヨモギのことで、当てもなくさまよう様子をたとえる言葉。○詞　韻文の一種。詩の変体で、もと曲調をともない、一句の文字数が長短不揃いの句が混ざっているので、長短句ともいう。唐代に起こり、宋代に隆盛した。○叉鬟　髪を結った若い下女。○相思曲　古楽府の曲名。男女が互いを恋い慕う歌。

【原文3】
生既悦其色。又見其詩、情迷意惑、萬念倶灰。心欲次韻、以試桃意、而凝思苦吟、竟莫能成。而夜已深矣。

月色滿地、花影扶踈。徘徊間、忽聞門外人語馬嘶之聲。良久乃止。生心頗疑之、未覺其由。見桃所在室、不甚遠。紗窓影裡、紅燭熒煌。生潛往窺、見桃獨坐、舒綵雲牋、草蝶戀花詞。只就前帖、未就後帖。生忽啓窓曰、「主人之詞、客可足乎。」桃佯怒曰、「狂客胡乃至此。」生曰、「*客本非狂、主人使客狂耳。」桃方微笑、令生足成其詞、曰、

小院沉沉春意閙　月在花枝　寶鴨香烟裊
窓裡玉人愁欲老　遙遙斷夢迷芳草
誤入蓬瀛十二島　誰識樊川　却得尋*芳草
睡起忽聞枝上鳥　翠簾無影朱欄曉

詞罷、桃自起、以藥玉舡、酌瑞霞酒、勸生。生意不在酒。固辭不飲。

桃知生意、乃悽然自叙曰、「妾之先世、乃豪族也。祖某提擧泉州市舶司、因有罪免爲庶人。自此、子孫貧困、不能振起。妾早失父母、見養於人、以至于今。雖欲*守淨自潔、名已在於妓籍。不得已、强與人為宴樂。每居閑處、獨未嘗不看花掩泣、對月消魂。今見郎君、風儀秀朗、才思俊逸。妾雖陋質、願薦枕席、永奉巾櫛。望郎君、他日立身、早登要路、拔妾於妓籍之中。使不忝先人之名、則賤妾之願畢矣。後雖棄妾、終身不見、感恩不暇。其敢怨乎。」言訖、淚下如雨。

〈校異〉＊客本非狂…底本は「客本非狂耳」。＊芳草…底本は「芳早」。＊守淨…底本は「守静」。

【書き下し3】

生、既に其の色を悦ぶ。又其の詩を見れば、情迷い意惑い、万念倶《すべ》て灰となる。心に次韻し、以て桃の意を試さんと欲して、凝思し苦吟するも、竟《つい》に能く成すこと莫し。而して夜已に深し。月色地に満ち、花影扶踈《ふそ》

たり。徘徊する間、忽ち門の外に人語、馬嘶《ばせい》の声を聞く。良久《ややひさ》しくして乃ち止む。生の心、頗ぶる之を疑うも、未だ其の由を覚《さと》らず。桃の室に在る所を見れば、甚だしくは遠からず。紗窓の影の裡《うら》、紅燭熒煌《けいこう》たり。生、潜かに往き窺う。桃を見れば独り坐し、綵雲牋《さいうんせん》を舒《の》べ、蝶恋花の詞を草す。只だ前帖に就き、未だ後帖に就かず。生、忽ち窓を啓《ひら》きて曰く、「主人の詞、客足すべきか」と。桃、佯《いつわ》り怒りて曰く、「狂客胡ぞ乃ち此に至るか」と。生曰く、「客、本より狂うに非ず、主人、客をして狂わしむるのみ」と。桃、方《まさ》に微《かす》かに笑いて、生をして足して其の詞を成さしむ。曰く、

小院沈沈として春意閙《さわが》し　月は花枝に在り　宝鴨《ほうおう》の香烟裊《じょう》たり
窓裡の玉人　愁いに老いんとし　遙遙として夢を断ち芳草に迷う

誤りて蓬瀛《ほうえい》の十二島に入り　誰か樊川《はんせん》が却って芳草を尋ね得たるを識らん
睡《ねむり》より起き忽ちに聞く　枝上の鳥　翠簾に影無く朱欄暁《あきら》かなり

詞を罷《や》め、桃自ら起ち、薬玉舡《やくぎょくこう》を以て瑞霞酒《ずいかしゅ》を酌し生に勧む。生の意、酒に在らず。固く辞し飲まず。桃、生の意を知り、乃ち悽然《せいぜん》と自ら叙して曰く、「妾の先世は乃ち豪族なり。祖の某は提挙泉州市舶司《ていきょせんしゅうしはくし》となるも、罪有るに因り免ぜられて庶人と為る。此れより子孫貧困し、振起すること能《あた》わず。妾、早く父母を失い、人に養われ以て今に至る。浄を守り自ら潔くせんと欲すと雖も、名已に妓籍に在り。已むを得ず強いて人と宴楽を為す。毎《つね》に閑処に居り、独り未だ嘗て花を看、掩泣《えんきゅう》し、月に対《むか》いて消魂せずんばあらず。今、郎君を見れば、風儀秀朗、才思俊逸たり。妾、陋質《ろうしつ》と雖も、願わくは枕席を薦め、永らく巾櫛《きんしつ》を奉らんことを。望むらくは、郎君、他日立身し、早く要路に登り、妾を妓籍の中より抜かんことを。使《も》し先人の名を忝《はずかし》めざれば、則ち賤妾の願い畢《お》わらん。後に妾を棄て、終身見《まみ》えずと雖も、感恩するに暇《いとま》あらず。其れ敢えて怨ま

んや」と。言訖《お》わりて、涙下《くだ》ること雨のごとし。

【語釈3】　○次韻　他人の詩と同じ韻字を同じ順序に用いて詩を作ること。○扶踈　木の枝が広がりしげるさま。扶疎と同意。○綵雲牋　高級で品質の良い紙。○舒　ひろげる。○蝶戀花　詞牌の名。双調六十字、仄韻からなる。先掲の蘇軾や欧陽修の「蝶恋歌」はよく知られており、本作品にも引用がある（【語釈2】「天涯芳草」、【語釈14】「門掩黄昏」参照）。○沉沉　静まりかえっているさま。○寶鴨　香炉のこと。○裊　しなやか。たおやか。やわらか。○蓬瀛　蓬莱山と瀛州山のことを指す。ともに東海の中にあり、神仙が住むと言われる山。○樊川　唐代の詩人杜牧《とぼく》を指す。字は牧之。長安出身。杜甫を「老杜」に呼んだのに対して杜牧を「小杜」と呼んだ。妓楼が大好きなハンサムな才子として知られている。ここでは周生が自分のことを比喩して用いている。○藥玉舡　玉でできた高級のさかずきのこと。○提擧泉州市舶司　中国で船舶と貿易を担当した官庁。八世紀唐代中期広州に始まり、明代まで存続した。宋代に入り、広州、泉州、明州、杭州、秀州、密州（高麗貿易）などに市舶港が開かれたが、その長官を提挙市舶司という。泉州は現在の福建省付近に存在した州。南宋、元代には海外貿易港として繁栄した。○陋質　いやしい性質。○奉巾櫛　巾櫛は手ぬぐいと櫛のことで、妻が夫の世話をすることの象徴。○要路　重要な地位。要職。

【原文4】

生大憾其言、就抱其腰、引其袖拭涙曰、「此男兒分内事也。汝雖不言、我豈無情者哉。」桃收涙改容曰、「詩不云乎、『女也不爽、士貳其行。』郎君不見李益・霍*小玉之事乎。郎君若不我遐棄、願立盟辭。」仍出魯縞一尺、授生。生卽揮*筆之曰、

青山不老　綠水長存

子不我信　明月在天

書畢、桃心封血緘、藏之裙帶中。是夜、賦高唐、二人＊相得之樂、雖金生之於翠翠、魏郎之於娉娉、未足喩也。

明日、生方詰夜來人語馬嘶之故。桃云、「此去里許、有朱門面水家。乃故＊丞相盧某宅也。丞相已没、夫人獨居。只有一男一女。皆未婚嫁。日以歌舞爲事。昨夜遣騎邀妾。妾以郎君之故、辭以疾也。」自此、生為桃所惑、謝絶人事、日與桃調琴瀝酒、相與戲謔而已。

〈校異〉＊霍小玉…底本「郭小玉」。＊揮筆…底本は「揮筆書」。＊相得之樂…底本は「相得之好」。＊丞相…底本は「承相」。以下「承相」は「丞相」に改めた。

【書き下し4】

生、其の言に大憾し、就《ちかづ》きて其の腰を抱き、其の袖を引き涙を拭きて曰く、「此れ男児の分内の事なり。汝、言わずと雖も、我、豈に情無からんや」と。桃、涙を収め容《かたち》を改めて曰く、「詩に云ずや、『女や爽《たが》わざるに、士は其の行いを二つにす』と。郎君見ずや、李益と霍小玉の事を。郎君、若し我を遐棄《かき》せずんば、願わくは盟辞を立てんことを」と。

仍ち魯の縞《しろぎぬ》一尺を出し、生に授く。生、即ち之に揮筆して曰く、

青山は老いず　　緑水は長らく存す
子　我信ぜずは　　明月天に在らん

書し畢わりて、桃、心封血緘《しんぷうけっかん》し、これを裙帯《くんたい》の中に蔵す。是の夜、高唐を賦し、二人の相得の楽、金生の翠翠における、魏郎の娉娉におけると雖も、未だ喩うるに足らざるなり。

明くる日、生、方《まさ》に夜来《やらい》の人語、馬嘶《ばせい》の故を詰《と》う。桃云く、「此を去ること里許《りばか》り、朱門の水に面する家有り。

乃ち故丞相盧某《なにがし》の宅なり。丞相已に没し、夫人独り居す。只だ一男一女有り。皆未だ婚嫁せず。日《ひび》歌舞を以て事と為す。昨夜騎を遣わし妾を邀《むか》う。妾、郎君の故を以て、辞するに疾を以てす」と。此れより、生、桃の惑わす所と為り、人事を謝絶し、日《ひび》桃と与《とも》に、琴を調べ酒を灑《そそ》ぎ、相い与《とも》に戯謔《ぎぎゃく》するのみ。

【語釈４】　○分内事　本分のうち。当然為すべき義務あること。○詩不云乎、女也不爽、士貳其行　『詩経』衛風「氓」にある句。この詩は女性が素性の分からない男性と結婚したが、結局捨てられて、その男性を責めて怨む内容である。○李益・霍小玉之事　李益は実在した中唐期の詩人で、唐代伝奇『霍小玉伝《かくしょうぎょくでん》』の主人公。李益は若いころ、遊女の霍小玉と将来を誓うが、母親に勧められるままに盧氏と結婚する。裏切られた霍小玉は傷心のあまり病床につき男の薄情を恨みながら世を去る。その後霍小玉の怨恨により李益は不幸な結婚生活を送り最期を遂げるという内容。この話の結構を徘桃の話は利用する。○遐棄　遠ざけて見捨てること。○高唐　周生と徘桃との逢瀬を指す。宋玉の「高唐賦」の序では楚の懐王が夢の中で巫山《ふざん》の神女と出会い契りを結んだことを述べている（『文選』巻十九）。○相得之樂　とても気が合い楽しいこと。○金生之於翠翠　金生と翠翠は明代瞿佑《くゆう》の『剪燈新話《せんとうしんわ》』「翠翠伝」の男女主人公。○魏郎之於娉娉　魏郎と娉娉《へいへい》。明代李禎《りてい》の『剪燈餘話《せんとうよわ》』「賈雲華還魂記《かうんかかんこんき》」の男女主人公。

【原文５】

一日近午、忽聞有人叩門云、「徘娘在否。」桃令兒出應、乃丞相家蒼頭也。致夫人之辭曰、「老婦今欲設小酌。非娘莫可與娯。故敢送鞍馬。勿以為勞也。」桃顧謂生曰、「再辱貴人之命、其敢不承。」即粧梳改服而出。生付囑曰、「幸莫經夜。」　送之出門、言「勿經夜」者三四。桃上馬而去。人輕如鷰、馬飛如龍。迷花暎柳、冉冉而去。生不能定情、隨後趕去。出湧金門、左轉而至垂虹橋。果見甲第連雲。眞所謂面水朱門也。雕欄曲檻、

半隠於綠楊紅杏之間、鳳笙龍管之聲、縹緲然、如在半空。時時樂止、則笑語琅然出諸外。生彷徨橋上、乃作古風一篇、題于柱曰、

柳外平湖湖上樓　翠甍碧瓦照青春
香風吹送笑語聲　隔花不見樓中人
却羨花間雙鸞子　任情飛入珠簾裡
徘徊不忍踏歸路　落照纖波添客愁

彷徨間、漸見夕陽斂紅、暝靄凝碧。俄有女娘數隊、自朱門騎馬而出。金鞍玉勒、光彩照人。生以爲桃也。卽投身於路傍、空店中窺之、閲盡數十輩、而桃不出。生心中大疑、還至橋頭、則已不辨牛馬矣。乃直入朱門、了不見一人。又至樓下、亦不見一人。徘徊間、月色微明、見樓北有蓮池、池上雜花葱籠。花間細路屈曲。生緣路潛行、花盡處有堂。由階而西折數十步、遙見葡萄架下有屋。小而極麗。紗窓半啓、華燭高燒、燭影下、紅裙翠衫、隱隱然往來、如在畫圖中。

【書き下し5】

一日午近く、忽ち人有りて門を叩くを聞く、云く、「徘娘在りや否や」と。桃、児をして出で応ぜしむ。乃ち丞相の家の蒼頭《そうとう》なり。夫人の辞を致《つた》えて曰く、「老婦、今小酌を設けんと欲す。娘に非ざれば与に娯しむべきこと莫し。故に敢えて鞍馬《あんば》を送る。以て労となすこと勿かれ」と。桃、顧みて生に謂いて曰く、「再び貴人の命を辱《かたじけな》くせば、其れ敢えて承けざらんや」と。即ち粧梳《しょうそ》し服を改め出づ。生、付囑《ふぞく》して曰く、「幸《ねが》わくは夜を経ること莫かれ」と。之を送りて門を出で、「夜を経ること勿かれ」と言うこと三四なり。桃、馬に上りて去る。人の軽きこと燕のごとく、馬の飛ぶこと龍のごとし。花に迷い柳を暎《うつ》し、冉々《ぜんぜん》として去る。生、情を定むること能わず、後を随《したが》い趕《はし》り去る。湧金門《ゆうきんもん》を出で、左転すれば垂虹橋《すいこうきょう》に至る。果たして甲第《こうだい》の雲

に連なるを見る。真に謂う所の水に面する朱門なり。雕欄曲檻《ちょうらんきょくかん》、半ば緑楊と紅杏の間に隠る。鳳笙龍管《ほうしょうりゅうかん》の声、縹緲《ひょうびょう》然として、半ばは空に在るがごとし。時時楽止み、則ち笑語琅然《ろうぜん》として外に出づ。生、橋の上を彷徨《ほうこう》し、乃ち古風一篇を作りて、柱に題《しる》して曰く、

　柳の外、平湖、湖上の楼　翠甍碧瓦《すいぼうへきが》に青春を照らす
　香風吹き送る笑語の声　花に隔たれ楼中の人を見ず
　却って羨む花間の双燕子　情に任せ珠簾の裡《うち》に飛び入るを
　徘徊して帰路を踏むに忍びず　落照の繊波《せんぱ》、客愁に添う

彷徨の間、漸く夕陽斂紅《せきようれんこう》、瞑靄凝碧《めいあいぎょうへき》なるを見る。俄《にわか》に女郎の数隊有り、朱門より馬に騎《の》りて出づ。金の鞍、玉の勒《くつわ》、光彩、人を照らす。生、以為《おも》えらく桃なりと。即ち身を路傍に投げ、空店の中に之を窺う。数十輩を閲し尽くせども、桃出でず。生、心中に大いに疑い、還りて橋頭に至れば、則ち已に牛馬を弁ぜざるなり。乃ち直ちに朱門に入るも、了《つい》に一人も見ず。又、楼下に至るも、亦た一人も見ず。徘徊の間、月色微《かす》かに明《あかる》く、楼の北を見れば亦た蓮の池有り。池の上《ほとり》、雑花葱籠《ざっかそうろう》なり。花の間、細き路を屈曲す。生、路に縁《よ》りて潜かに行くに、花尽くる所に堂有り。階より西に折るること数十歩、遙かに葡萄架の下を見れば屋有り。小にして極《いみじ》く麗《うるわ》し。紗窓半ば啓《ひら》き、華燭高焼し、燭影の下、紅裙翠衫《こうくんすいさん》、隠隠然と往来し、画図の中に在るがごとし。

【語釈5】○蒼頭　しもべ、下男。○老婦　年を取った女性、また、その自称。ここでは丞相夫人が自分を謙遜して言っている。○粧梳　化粧して髪をとかすこと。身支度。○冉冉　しだいに進んでいくさま。また、徐々に侵していくさま。○湧金門　杭州の西側にあった城門の名前。権韠の『石洲集』巻三「送妻鳳鳴還杭州銭塘県」に「雲霞霊隠寺　花月湧金門」の句が見え、銭塘周辺に関する情報を朝鮮に来ていた明の軍人か

ら聞いていたことがわかる。(【語釈1】「銭塘」参照) ○垂虹橋　宋・慶暦八(一〇四八)年に立てられた橋で、北宋の蘇舜欽《そしゅんきん》の詩や南宋の朱敦儒《しゅとんじゅ》の詩などにもよく詠まれた。杭州市の北の江蘇省呉江東に位置する。ここでは銭塘の湧金門の左側にあると描かれているが、実際の場所とは異なる。銭塘の西湖周辺にあった跨虹橋の誤りか。○甲第　大邸宅。○鳳笙　笙の美称。○龍管　朝鮮初期宮中で使用されていた管楽器の一つ。現在は伝わらない。○縹緲　かすかで、はっきりしないさま。○琅然　玉の鳴るような美しい音。○古風　古風詩のこと。古体詩、古詩ともいう。○纖波　細い波。○翠衫　翡翠色の単衣の上着。

【原文6】

生匿身而往、屏息而窺、金屏彩褥、奪人眼睛。夫人衣紫羅衫、斜倚白玉案而坐。年近五十、而從容。顧眄之際、綽有餘姸。有少女、年可十四五。坐于夫人之側。雲鬟緣鬢、醉臉微紅、明眸斜眄、若流波之映秋月。巧笑生渦、若春花之含曉露。桃坐於其間。不啻若鴟梟之於鳳凰、沙礫之於珠璣也。生魂飛雲外、心在半空、幾欲狂叫突入者數次。酒一行、桃欲辭歸。夫人挽留甚固、而桃請益懇。夫人曰、「娘子平日不曾如此。何遽邁邁若是。豈有情人之約乎。」桃斂衽避席而對曰、「夫人下問、妾敢不以實對。」遂將與生結緣事、細說一遍。夫人未及一言、小女微笑、流目視桃曰、「何不早言。幾誤了一宵佳會也。」夫人亦笑而許歸。

【書き下し6】

生、身を匿《かく》して往き、屏息して窺う。金屏彩褥《きんびょうさいじょく》、人の眼睛を奪う。夫人は紫の羅衫《らさん》を衣《き》、斜めに白玉の案に倚りて坐す。年五十に近くして、従容《しょうよう》たり。顧眄《こべん》する際、綽《しゃく》として余姸《よけん》有り。少女有り、年十四五可《ばか》りなり。夫人の側に座す。雲鬟縁鬢《うんびんえんかん》、酔臉微《すいれんかす》かに紅く、明眸《めいぼう》斜めに眄《べん》ぜば、流波の秋月を映すがごとし。巧笑《こうしょう》は渦を生じ、春花の暁露を含むがごとし。桃、其の間に座す。啻《ただ》に鴟梟《しきょう》の鳳凰における、沙礫《されき》の珠璣《しゅき》におけるがごときのみならず。生の魂、雲外に飛び、心は半ば空に在り、幾《あやう》く狂い叫び突入せんと欲すること数次なり。酒、一行《めぐり》し、桃、辞し帰らんと欲す。夫人、挽留すること甚だ固く、而して桃、請益《しょうやく》すること懇《ねんごろ》なり。夫人曰く、「娘子、平日曽《かつ》ては此《か》くのごときはあらず。何ぞ遽《にわ》かに邁邁《まいまい》すること是くのごときか。豈に情人の約有るか」と。桃、衽《えり》を斂《おさ》め席を避け対《こた》えて曰く、「夫人下問せば、妾敢えて実を以て対えざらんや」と。遂に将に生と結縁せんとする事、一遍を細説す。夫人未だ一言に及ばざるに、小女微笑し、流目して桃を視て曰く、「何ぞ早く言わざるや。幾《あや》うく一宵の佳会を誤了するなり」と。夫人も亦た笑いて帰ることを許す。

【語釈6】　○屏息　息を殺してじっとしているさま。○従容　落ち着いて、ゆったりした様子。○顧眄　振り返って見ること。横目で見ること。○綽有餘妍　あふれるばかりに美しいさま。『本事詩』「情感」の、いわゆる「人面桃花」の条に「妖姿媚態、綽として余妍有り」とある。○明眸　美しい目。○雲鬟緑鬢　黒髪の美称。○鴟梟　フクロウの異名。○沙礫　沙や小石。○珠璣　真珠や宝玉。珠玉。○請益　許しを請うこと。○邁邁　去り行くさま。○斂衽　えりをただす。

【原文7】

生趨出、先至桃家。擁衾佯睡。鼻息如雷。桃追至。見生臥睡、以手扶起曰、「郎君方做何夢耶。」生應口朗吟曰、

　夢入瑤臺彩雲裡　九華帳裏見仙娥

桃不悦、詰之曰、「所謂仙娥者、是何人也。」生無言可答、即繼吟曰、

　覺來却喜仙娥在　奈此滿堂花月何

仍撫桃背曰、「爾非我仙娥乎。」桃笑曰、「然則郎君豈非妾仙郎乎。」自此、相以仙郎仙娥呼之。
生問其晩來之故。桃曰、「宴罷後、夫人令他妓皆歸、獨留妾、於其少女仙花之室、更設小酌。以此差遲耳。」生細細仍問、則曰。「仙花字芳卿、年纔三五。姿皃雅麗、殆非塵世間人。又工詞曲、巧於刺繡。非賤妾所敢望也。昨日新製風入松詞、欲被管絃。以妾知音律、故留與度曲耳。」生曰、「其詞可得聞乎。」桃朗吟一篇曰、

玉窓花暖日遲遲　院靜簾垂
沙頭彩鴨倚斜照　羨一雙對浴春池
柳外輕烟漠漠　烟中細柳絲絲

又、

美人睡起倚欄時　翠臉愁眉
鷰雛細語鶯聲老　恨韶華夢裡都衰
却把瑤琴輕弄　曲中幽怨誰知

毎誦了一句、生暗暗稱奇。乃紿桃曰、「此詞曲盡閨裏春懷。非蘇若蘭織錦手、未易到也。雖然未及吾仙娥、雕花刻玉之才也。」生自見仙花之後、向桃之情淺薄。雖應酬之際、勉爲笑歡。一心則惟仙花是念。

【書き下し7】

生、趨《はし》り出で、先ず桃の家に至る。衾を擁《よう》して佯睡《ようすい》す。鼻息雷のごとし。桃、追いて至る。生の臥睡《がすい》するを見、手を以て扶起して曰く、「郎君、方に何の夢を做《な》すか」と。生、応《ただ》ちに口ずから朗吟して曰く、

夢に瑤台《ようだい》の彩雲の裡《うち》に入り　九華帳の裏《うち》に仙娥《せんが》を見る

桃、悦ばず、之を詰《と》いて曰く、「所謂《いわゆる》仙娥は、是れ何人ぞや」と。
生、答うべき言無く、即ち継吟して曰く、

覚め来りて却って仙娥の在るを喜ぶ　此の満堂の花月を奈何《いかん》せん

仍りて桃の背を撫して曰く、「爾《なんじ》我が仙娥に非ずや」と。桃、笑いて曰く、「然れば則ち郎君豈に妾の仙郎に非ずや」と。此れより、相《あ》い仙郎仙娥を以て之を呼ぶなり。

生、其の晩来の故を問う。桃、曰く、「宴罷《や》みて後、夫人他妓をして皆帰らしめ、独り妾を留め、其の少女仙花の室にて、更に小酌を設く。此れを以て差《やや》遅れるのみ」と。生、細細仍《さいさいしきり》に問えば、則ち曰く、「仙花、字は芳卿、年纔《わず》か三五なり。姿皃《しぼう》雅麗、殆ど塵世間の人に非ず。又詞曲を工《たくみ》にし、刺繍に巧みなり。賤妾の敢えて望む所に非ざるなり。昨日新たに風入松の詞を製し、管絃を被《こうむ》らんと欲す。妾の音律を知るを以て、故に留まり与に曲に度《ととの》うるのみ」と。生、曰く、「其の詞、聞くことを得べきか」と。桃、一篇を朗吟し曰く、

玉窓の花暖かくして日遅遅《ちち》たり　院静まり簾垂る
沙頭の彩鴨《さいおう》、斜照に倚り　一双対して春池に浴するを羨む
柳外の軽烟漠漠たり　烟中の細柳糸糸なり

又、

美人睡起し欄に倚る時　翠臉愁眉《すいけんしゅうび》なり
燕雛《えんすう》細語、鶯声老いたり　韶華《しょうか》の夢裡《むり》に都《すべ》て衰うるを恨む
却って瑤琴《ようきん》を把《と》り軽弄するも　曲中の幽怨誰か知るや

一句誦了《しょうりょう》する毎《ごと》に、生、暗暗と奇なるを称《たた》う。乃ち桃を詒《あざむ》きて曰く、「此の詞曲、閨裏《けいり》の春懐を尽くす。蘇若蘭の織錦《しょくきん》の手に非ずんば、未だ到るに易からざるなり。然りと雖も未だ吾仙娥の雕花刻玉《ちょうかこくぎょく》の才に及ばざるなり」と。生、仙花を見るよりの後、桃に向ける情、浅薄なり。応酬の際、勉めて笑歓を為すと雖も、

一心に則ち惟だ仙花、是を念《おも》う。

【語釈7】 ○伴睡　寝たふりをする。たぬき寝入り。○瑤臺　玉のうてな、また神仙の居処。ここでは丞相夫人の屋敷を指す。○九華帳　花模様のついた美しいとばり。白居易の「長恨歌」に「漢家の天子の使《つかい》なりと道《い》うを聞く　九華帳裏夢魂驚く」とある。○仙娥　仙女。ここでは丞相夫人の娘仙花をたとえている。○風入松　詞牌の名。雙調七十二、七十三、七十四、七十六字から構成される。平韻。仙花作の風入松は七十四字。朝鮮初期の学者である成俔《ソンヒョン》の『慵齋叢話《ようさいそうわ》』には「風入松」に関する逸話や、士人が琴を習う際には必ず「風入松」を先に習ったという話があり、当時かなり流行っていたことが窺える。また、『剪燈餘話』「賈雲華還魂記」にも「風入松」という詞が出ている。○度曲　曲譜に合わせて歌う。○彩鴨　繁殖期を迎えた鴨。鴨は繁殖期を迎えると、雌雄ともに体色が鮮やかになる。○鶯聲老　鶯は繁殖期の準備のため春に鳴く。夏に鳴く鶯の鳴き声を老鶯という。ここでは仙花が恋人にめぐり会えない自分の境遇をたとえている。○恨韶華夢裡都衰　仙花が恋人もなく独りで寂しい思いをしていることを指す。「韶華」は素晴らしい青春時代の意。○閨裏　婦女の部屋。閨中。○蘇若蘭織錦　蘇若蘭《そじゃくらん》は前秦時代の女性。名は蕙。若蘭は字。文章をつづるのを得意とし、回文詩をよく書いた。夫である竇滔《とうとう》には若蘭の他に趙陽台という寵姫がいた。竇滔が秦州刺史となり、趙陽台とともに砂漠の地にうつされた時、若蘭は夫を思い、織錦に回文旋図の詩、およそ八百余字をつくって夫に贈り、感動した竇滔は若蘭を再び迎え入れた故事による（『文苑英華』巻八三三「蘇氏織錦廻文記」、『詩話総亀』巻四一など）。○雕花刻玉之才　作詩の才能。

【原文8】

一日、夫人呼少子國英、命之曰、「汝年十二。尚未就學、他日成人、何以自立。聞徘桃夫婿周生、乃能文之士也。汝往請學、可乎。」夫人家法甚嚴、國英不敢違命。卽日、挾冊就生。生心中暗喜曰、「*吾事諧矣。」再三謙讓而後教之。

一日、俟桃不在家、從容謂國英曰、「爾往來受業、甚是苦勞。爾家若有別舍、吾移寓于爾家、則爾無往來之勞、吾之教專矣。」國英拜謝曰、「不敢請、固所願也。」歸白于夫人、卽日延生。

桃自外歸、大驚曰、「仙郎殆有私乎。奈何棄妾而適他。」生曰、「聞丞相家藏書三萬軸、而夫人不欲以先公舊物、妄自出入。吾欲往讀人間所未見書耳。」桃曰、「郎君之勤業、妾之福也。」

生移寓于丞相家。晝則與國英同住、夜則門闥甚嚴、無計可施。輾轉浹旬、忽自念曰、「始吾來此、本圖仙花。*今芳春已過、奇遇未成。俟河之清、人壽幾何。不如昏夜唐突。*事成則爲卿、不成則見烹、可也。」

〈校異〉＊吾事諧矣…底本は「吾事偕矣」。＊今芳春已過…底本は「今芳春已老」。＊事成則爲卿…底本は「事成則爲慶」。

【書き下し8】

一日、夫人、少子国英を呼びて、之に命じて曰く、「汝の年十二なり。尚《なお》未だ学に就かず、他日成人するに、何を以てか自立せん。徘桃の夫婿《ふせい》の周生、乃ち能文の士なるを聞く。汝往き学を請う、可なるかな」と。夫人家の法、甚だ厳なれば、国英、敢えて命を違えず。即日、冊を挟《わきばさ》みて生に就く。生、心中に暗に喜びて曰く、「吾事諧《かな》えり」と。再三謙譲して後、之を教う。

一日、桃の家に在らざるを俟《ま》ち、従容として国英に曰く、「爾《なんじ》受業に往来すること、甚だ是れ苦労なり。爾の家に若し別舎有り、吾移りて爾の家に寓《よ》らば、則ち爾往来の労無く、吾教うることを専《もっぱ》らにせん」と。国英拝謝して曰く、「敢えて請わざれども、固《もと》より願う所なり」と。帰りて夫人に白《もう》し、即日生を延《まね》く。

桃、外より帰りて、大いに驚きて曰く、「仙郎殆ど私《し》有るか。奈何《いかん》ぞ妾を棄て他に適《ゆ》くか」と。生曰く、「丞相家の蔵書三万軸なるを聞く。而して夫人先公の旧物を以て妄《みだ》りに自ら出入するを欲せず。吾往きて人間《じんかん》未だ見《あらわ》れざる所の書を読まんと欲するのみ」と。桃曰く、「郎君の勤業、妾の福なり」と。

生、移りて丞相家に寓《よ》る。昼は則ち国英と同住し、夜は則ち門闥《もんたつ》甚だ厳なれば、計の施すべき無し。輾轉《てんてん》すること浹旬《しょうじゅん》、忽《たちま》ち自ら念じて曰く、「始め吾の此に来たるは、本より仙花を図るなり。今、芳春已に過ぎるも、奇遇未だ成らず。河の清《す》むを俟《ま》つも、人寿、幾何《いくばく》ぞ。昏夜《こんや》唐突に如《し》かず。事成れば則ち卿と為し、成らざれば則ち烹《に》らるるも、可なり」と。

【語釈8】　○寓　仮に泊まる。○殆　おそらく。○私　秘密。隠しごと。○軸　巻物や掛け軸などを数えるのに用いる。○闥　とびら。○浹旬　十日間。○俟河之清　『春秋左氏伝』襄公八年に「子駟曰く、周詩に之れ有りて曰く、河の清むを俟つも、人寿幾何ぞ」とある。何もしないで、事態が好転することをいくら待っても無駄であるというたとえ。「河」は黄河のこと。黄河は土砂の運搬量が多く常に濁っており、水が澄むのをひたすら待っても実現の見込みがないという意味。○事成則爲卿、不成則見烹　『史記』伍子胥列伝には「事成らば卿と為らん、成らずして亨《に》らる、固より其れ職なり」とある。

【原文9】

是夜無月。生踰墻數重、方至仙花之室。回廊曲檻、簾幕重重。良久諦視、并無人跡。但見仙花、明燭理曲。

生伏於楹間、聽其所爲。仙花理曲、細吟*蘇子瞻賀新郎詞曰、

　簾外誰來推繡戸　　*枉教人夢斷瑤臺曲

　　又却是　　風敲竹

生卽於簾下、微吟曰

莫言風敲竹　　眞箇玉人來

仙花佯若不聞、滅燭就寢。生入與同枕。仙花稚年弱質、未堪情事。微雲濕雨、柳態花嬌、芳啼軟語、淺笑輕嚬。生蜂貪蝶戀、意迷情融、不覺近曉。忽聞流鶯睍睆、啼在檻外花梢。生驚起出戸。則池舘悄然。曙氣曚曨矣。

仙花送生出門。却閉而入曰、「此後勿得再來。機事一泄、死生可念。」生堙塞胸中、哽咽趨進而答曰、「纔成好事、一何相待之薄耶。」仙花笑曰、「前言戲之耳。將子無怒、昏以爲期。」生諾諾連聲而去。

仙花還室、作早夏聞曉鶯一絶、題於窓上曰、

漠漠輕*陰雨後天　　綠楊如畫草如烟*
春愁不共春歸去　　又逐曉鶯來枕邊

〈校異〉＊蘇子瞻賀新郎…底本は「蘇惹蘭賀新娘」。＊枉教人夢斷瑤臺曲…底本は「枉教人斷夢瑤臺」。蘇軾の「賀新郎」には「枉教人夢斷瑤臺曲」とあるのに拠る。＊輕陰…底本は「輕烟」。＊烟…底本は「筵」。

【書き下し9】

是の夜月無し。生、墻《しょう》数重を踰《こ》え、方《まさ》に仙花の室に至る。回廊曲檻《かいろうきょくかん》、簾幕重重《れんばくちょうちょう》なり。良久しく諦視《ていし》するも、并《なら》びに人跡も無し。但だ仙花のみ、燭を明るくし理曲するを見る。生、楹間《えいかん》に伏し、其の為る所を聴く。仙花、理曲し、蘇子瞻《そしせん》の賀新郎の詞を細吟し曰く、

簾外　誰か来《きた》って繍戸《しゅうこ》を推《うご》かせる　　枉《ま》げて人を教《し》て夢は瑤台の曲に断えしめぬ
又却って是れ　　風の竹を敲《う》つなりき

生、簾下に即《つ》きて、微吟し曰く、

風、竹を敲《う》つと言う莫かれ、真箇《しんこ》に玉人来たる

仙花、佯《いつわ》りて聞かざるがごとくして、燭を滅し就寝す。生、入り与に同枕す。仙花、稚年弱質にして、未だ情事に堪えず。微雲湿雨《びうんしつう》、柳態花嬌《りゅうたいかきょう》、芳啼軟語《ほうていなんご》、浅笑軽嚬《せんしょうけいひん》なり。生、蜂貪蝶恋《ほうどんちょうれん》し、意迷い情融《と》き、暁近づくを覚えず。忽ち聞く流鶯睍睆《りゅうおうけんかん》たりて、啼きて楹外《えいがい》の花梢《かしょう》に在るを。生、驚起し戸を出る。則ち池館悄然《しょうぜん》とし、曙気曚曨《もうろう》たり。

仙花、生を送り門を出づ。却って閉して入りて曰く、「此の後再来を得ること勿かれ。機事《きじ》一たび泄《も》るれば、死生念ずべし」と。生、胸中堙塞《いんそく》し、哽咽《こういん》し趨《はし》り進みて答えて曰く、「纔《わず》かに好事成すを、一《いつ》に何ぞ相待することの薄きや」と。仙花笑いて曰く、「前言、戯なるのみ。将《こ》う子よ怒《いか》る無かれ。昏を以て期と為せ」と。生、諾諾連声《だくだくれんせい》し去る。

仙花室に還り、「早夏に暁鶯を聞く」の一絶を作り、窓上に題して曰く、

漠漠たる軽陰　雨後の天　　緑楊　画のごとく　草　烟のごとし
春愁　春の帰去すると共にせず　　又逐《お》って暁鶯の枕　辺《まくらもと》に来たる

【語釈9】○理曲　楽曲を演奏する。○蘇子瞻　蘇軾《そしょく》。子瞻《しせん》は字。北宋の文学者、書家、政治家。東坡居士《とうばこじ》と号したので、蘇東坡《そとうば》とも呼ばれる。父蘇洵《そじゅん》と弟蘇轍《そてつ》と共に「古文」の唐宋八大家の一人。○繡戸　美しく飾った扉。多くは婦人の部屋を指す。○瑤臺曲　神仙が住んでいる所。○眞箇玉人來　真箇は本当に、まさにの意。元稹の『鶯鶯伝』には鶯鶯が「月を待つ西廂の下、風を迎えて戸、半ば開く。牆を払って、花影動き、疑うらくは是れ玉人来たるかと」と、母親の目を盗んで張生の訪れを待っているが、ここでは、鶯鶯のこの歌を踏まえて、周生が自分をまさにその若者だと言っている。元稹は唐代の詩人、文人。字は微之《びし》。白居易と文学交流を深めたことでもよく知られている。○柳態　細くしなやかな様子。○嚬　顔をしかめる。

○蜂貪蝶戀　男女が放蕩にふける意の「蜂狂蝶乱」に通じる表現か。金末元初の道士・丘長春《きゅうちょうしゅん》（諱は處機）の『磻溪集《ばんけいしゅう》』（巻四）に「色身は元限り有るも　情欲は浩きこと涯《はて》無し　癡れること蜂の蜜を貪るがごとく狂うこと蝶の花を恋うるがごとし」とある。「蜂貪」は仏典に用例が散見され、一例として、『華厳経』第三十四に「如蜂貪好蜜」と見える。また陸游の「蝸廬」には「孤蝶は衣を惜しんで晴に粉を曝し、稺蜂《ちほう》は蜜を貪りて晩に花を争う」とあるが、『周生伝』本文のような男女の愛欲の表現ではない。○流鶯　なめらかな鶯の鳴き声。「流」は鳴き声や音声がなめらかなさま。○睍睆　鳥の美しい鳴き声。○楹　はしら。○曚曨　薄暗くはっきりしないさま。○機事　秘密の事柄。○哽咽　悲しみ極まり、むせび泣く。○一　なんと。意外なこと。○諾諾　「はいはい」と言って、相手の言葉に逆らわない様子。○暁鶯　明け方に鳴く鶯。ここでは仙花が暁鶯に自分の愁いを込めて詠っている。○漠漠　雲・霧などがあたり一面にたれこめて、薄暗いさま。○輕陰　薄雲。

【原文10】

後夜、生又至。忽聞墻底樹陰中、戞然有曳履聲。恐爲人所覺、便欲反走。曳履者、却以青梅子擲之、正中生背。生狼狽無所逃避、投伏叢篁之中。曳履者、低聲語曰、「張郎無恐、鶯鶯在此。」生*方知爲仙花之所誤。乃起抱腰曰、「*何欺人若是。」仙花笑曰、「豈敢欺郎。郎自慟耳。」生曰、「偸香盗玉、烏得不慟。」便携手入室。見窓上絶句、指其尾曰、「佳人有甚愁、而出言若是耶。」花悄然曰、「女子一身、與愁俱生。未相見、願相見、既相見、恐相離。女子之身、安往無愁哉。況郎君犯折檀之譏、妾受行露之辱、一朝不幸、情跡敗露、則不容於親戚、見賤於郷黨。雖欲與郎君執手偕老、那可得乎。今日之事、比如雲間月葉中花、縱得一時之好、其奈未久何。」言訖、涙下、珠恨玉怨、殆不自堪。生收涙慰之曰、「丈夫豈不能取一女子乎。我當終修媒約之信、以禮迎子。子休煩惱。」仙花收涙謝曰、「必如郎言、桃夭灼灼、縱乏宜家之德、采*蘩祁祁、庶殫奉祭之誠。」自出香奩中小粧鏡、分爲二端。一以自藏、一以授生曰、「留待洞房華燭之夜、再合可也。」又以紈扇、贈生曰、「二物雖微、足表心曲。幸念乘鸞之女、莫貽秋風之怨。縱失姮娥之影、須憐明月之暉。」自此、昏聚曉散、無夕不會。

〈校異〉＊生方知爲仙花之所誤…底本「生方知仙花之所誤」。＊何欺人若是…底本「一何欺人若是」。＊采蘩祁祁…底本「采蘋祈祈」。

【書き下し10】

後の夜、生、又至る。忽ち墻底樹陰の中、戛然《かつぜん》と履《くつ》を曳く声有るを聞く。人の覚《さと》る所と為るを恐れ、便ち反《かえ》って走らんと欲す。履を曳く者、却って青梅子を以て之を擲《なげう》ち、生の背に正中す。生、狼狽し逃避する所無く、叢篁《そうこう》の中に投げ伏す。履を曳く者、低声に語りて曰く、「張郎恐るる無かれ、鶯鶯《おうおう》此に在り」と。生、方に仙花の誤る所と為るを知り、乃ち起ち腰を抱きて曰く、「何ぞ人を欺くこと是くのごときか」と。仙花、笑いて曰く、「豈に敢えて郎を欺かんや。郎、自ら愡《おび》えるのみ」と。生曰く、「偸香盗玉《ちゅうこうとうぎょく》、烏《いずく》んぞ愡えざるを得んや」と。便ち手を携えて室に入る。窓上の絶句を見て、其の尾を指して曰く、「佳人、甚《なん》の愁い有りて、而して言を出すこと是くのごときか」と。仙花、悄然《しょうぜん》と曰く、「女子の一身、愁いと倶《とも》に生ず。未だ相見《そうけん》せずんば、相見を願い、既に相見せば、相い離るるを恐る。女子の身、安《いず》くに往けば愁い無からんや。況んや郎君、折檀の譏《き》を犯し、妾、行露の辱を受く。一朝不幸にして、情跡敗露せば、則ち親戚容《ゆる》さず、郷党に賤しめらる。郎君と手を執り偕老せんと欲すと雖も、那《なん》ぞ得べけんや。今日の事、比ぶれば雲間の月、葉中の花のごとし。縦《たと》い一時の好を得るとも、其れ未だ久しからざるを奈何《いかん》せん」と。言訖《おわ》りて、涙下る。珠恨玉怨《しゅこんぎょくえん》に、殆《ほとん》ど自ら堪えざるなり。生、涙を収め之を慰めて曰く、「丈夫《じょうぶ》、豈に一女子を取ること能わざらんや。

我当《まさ》に終に媒約の信を修め、礼を以て子を迎うべし。子、煩悩を休《や》めよ」と。仙花、涙を収め謝りて曰く、「必ずや郎の言のごとくならば、桃夭灼灼、縦い宜家の徳乏しくとも、采蘩祁祁《さいはんきき》し、庶《こいねが》わくは奉祭の誠を殫《つ》くさんことを」と。自ら香奩《こうれん》の中の小粧鏡を出し、分かちて二端と為す。一を以て自ら蔵し、一を以て生に授けて曰く、「留めて洞房華燭《どうぼうかしょく》の夜を待ち、再び合わすべきなり」と。又紈扇《がんせん》を以て、生に贈りて曰く、「二物微《かす》かなると雖も、心曲を表すに足る。幸いに乗鸞《じょうらん》の女を念じ、秋風の怨を貽《のこ》すこと莫かれ。縦《たと》い姮娥《こうが》の影失えども、須《すべか》らく明月の暉《ひか》りを憐れむべし」と。此れより、昏《くれ》に聚《あつ》まり暁に散ること、夕として会わざるは無し。

【語釈10】　○戞然　堅い物が触れ合う音。○青梅子　梅の実のこと。西湖の周辺には梅の木がたくさん植えてあり、北宋の詩人・林逋の「山園小梅」詩は有名。この西湖梅は八房の梅のことで、一つの花に四～七の実がなるが、熟さないうちに落ちる。仙花は庭に落ちていた西湖梅の青い実を周生に投げた。李白の「長干の行《うた》」は幼馴染同士で結婚した女性が行商に出た夫を恋しがる詩だが、この詩に「妾が髪初めて額を覆い、花を折りて門前に劇《たわ》むる。郎は竹馬に騎りて来り、牀を遶《めぐ》りて青梅を弄す」とある。「青梅を弄す」からは青梅を投げて戯れる様子が連想される。○叢篁　竹やぶ。○鶯鶯　『鶯鶯伝』の女主人公の名前。男主人公は張生。作者元稹の親しい友人である張生の話という体裁を取っている。○偸香盗玉　男性と女性が密かに肉体関係を結ぶこと。晋の賈充《かじゅう》の娘が、賈充が皇帝から下賜された香木を美男子の韓寿に贈り、韓寿は賈充の娘と私通した。後に賈充は韓寿の身から漂う香木の香りに気づき、二人が通じていることに気づいたという話が『晋書』賈充伝に見える。○携　手をひく。ひきつれる。○折檀之譏　『詩経』鄭風「将仲子」にある「将《ねが》わくは仲子よ　我が園を踰《こ》ゆること無かれ　我が樹《う》えし檀を折る無かれ　豈に敢えて之を愛《おし》しまんや」から来た語。「将仲子」では、女性が親や兄弟の反対と村人の目を意識して男性からの誘いを断るという内容だが、ここではよその家の娘と私通する罪を犯したというたとえとして使われている。○行露之辱　『詩経』

召南「行露」にある「厭浥《ゆうゆう》たる行露　豈に夙夜《しゅくや》せざらんや　行《みち》に露多きを謂《おも》えばなり」から来た語。ここでは仙花が結婚の前に周生と関係を結んだことを指す。○偕老　夫婦が年をとるまで仲睦まじく連れ添うこと。○丈夫　一人前の男子。○桃夭灼灼、縦乏宜家之徳　『詩経』召南「桃夭」の「桃の夭夭《ようよう》たる　灼灼《しゃくしゃく》たり　其の華《はな》　之の子于《ここ》に帰《とつ》ぐ　其の室家に宜しからん」による表現。「桃夭」も「灼灼」も嫁ぐ前の若い娘のたとえ。ここでは仙花が自分自身を指している。「宜家」は嫁ぎ先の家でも良好な関係を築くことを言う。○采蘩祁祁　『詩経』召南「采蘩」に「于以《ここ》に蘩《よもぎ》を采る　澗《たに》の中に　于以に之を用いん　公侯の宮に　被の僮僮《どうどう》たる　夙夜に公にあり　被の祁祁《きき》たる　薄《いささ》か言《ここ》に還帰す」とある。「采蘩」はよもぎを取ること、「祁祁」はゆるやかなさま。「采蘩」詩は夫人がよもぎを取り、主人の宗廟の祭祀を奉ずることを讃する内容。ここでは仙花が周生に嫁に行き、誠心誠意に周家の祖先を祀るという気持ちを表す。○香奩　化粧道具を入れる箱。○鏡、分爲二端　『本事詩』「情感」の「乃ち一鏡を破り、各其の半を執る」による。いわゆる「破鏡重円」に基づく。『本事詩』の「破鏡重円」の大まかな内容は以下の通り。南朝・陳の徐徳言は陳と隋との戦乱に落ちいり国が破れたら、妻と一緒に居られなくなると思い、妻に「君の才能と美貌からすると、隋の権力者に連れて行かれるだろう。夫婦の縁が切れていなければ、これを再会の時の証としよう」と言い、鏡を割り半分を渡した。そして「後日の正月十五日にあなたが持っている半分の鏡を売り出しなさい。もし私が生きていたらその日に尋ねて行くから」と約束した。陳は隋に敗れ、徐徳言の妻は隋の楊素に連れて行かれた。生き残った徐徳言は正月十五日に街に鏡を捜しに行くと、半欠の鏡を売っている人がいた。自分が持っている半欠の鏡を出して合わせては、鏡の裏面に一首「鏡と人と倶に去り　鏡は帰るも人は帰らず　復する無し嫦娥《じょうが》影　空しく留む明月の輝」を書きつけた。徐徳言の妻はその詩を見ると涕泣し食事もできなかった。楊素は事情を知ると二人を再会させた。徐徳言とその妻は楊素の配慮で終生共に暮らせた（【語釈10】「失姮娥之影、須憐明月之暉」参照）。〇洞房華燭　新婚初夜、夫婦の部屋に輝いているともしび。〇紈扇　白い練り絹張りの扇子。前漢の成帝の寵愛を受けたが、趙飛燕姉妹に逐われ長信宮に身を避けた班婕妤《はんしょうよ》の「怨歌行」に、「新たに齊《せい》の紈素《がんそ》を裂《さ》けば、皎潔《こうけつ》にして霜雪のごとし。裁ちて合歓の扇と為せば、団々として明月に似たり。君の懐袖に出入し、動搖して微風をば発す。常に恐る秋節の至り、涼風の炎熱を奪わんことを、篋笥の中に棄捐せらるれば、恩情も中道に絶えなん」（『文選』巻二十七）とあり、成帝が持っている白い練り絹の紈素で作られた扇を自分にたとえて、秋になると捨てられる扇のように成帝の寵愛が絶えてしまったことを怨んだ詩。〇幸念乗鸞之女、莫貽秋風之怨　江淹「班婕妤詠扇」による。内容は以下の通り。

紈扇圓月のごとし　機中の素より出づ　画き作す秦王の女　鸞に乗りて煙霧に向かうを　彩色は世の重んずる所　新たなりと雖も故きに代わらず　竊かに愁う涼風の至りて　我が玉階の樹を吹かんことを　君子の恩の未だ畢らざるに　零落して中路に在らん（『文選』巻三十一）

この詩は班婕妤の「怨歌行」に擬する詩で、乗鸞の女が描かれた美しい扇であっても秋の到来とともに捨てられてゆくことに、自己の姿を見る女性の悲哀をこめている。「乗鸞之女」は秦の穆公《ぼくこう》の娘・弄玉《ろうぎょく》のことで、簫《しょう》の名手である蕭史《しょうし》と結婚して簫を習い、その音色は鳳声のようであった。ある日それぞれ弄玉は鳳凰に、蕭史は龍に乗って昇天したという（『列仙伝』、『太平広記』巻四「蕭史」所引『神仙伝拾遺』）。「鸞」は鳳凰の一種。〇失姮娥之影、須憐明月之暉　「姮（嫦）娥」は月に住むという女神の名。夫である羿《げい》が西王母からもらった仙薬を、姮娥が盗んで食べ仙人になり月に逃げたという。「失姮娥之影」は仙花と周生との別れを意味する。明月は鏡のたとえ。（【語釈10】「鏡、分爲二端」参照）。

【原文11】

一日、生自念不見徘桃、恐桃見怪。乃往桃家不歸。仙花夜至生舘、潛發生藏囊、得桃寄生詩數幅。不勝恚妬、取案上筆墨、塗抹如鴉。自製*眼兒媚一闋、書于翠綃。投之囊中而去。詞曰、

窓外䟽螢滅復流　斜月在高樓
一階竹韻　滿簾梧影　夜靜人愁
此時蕩子無消息　何處得閑遊
也應不戀　離情脉脉　坐數更籌

明日、生還。仙花了無妬恨之色。又不言發囊之事。盖欲令生自愧。而生曠然無他念。

一日、夫人設宴、召見*徘桃、稱周郎之學行。且謝教子之勤、令桃傳致意於生。生是夜爲盃勺所困、矇不省事。桃獨坐無寐。偶發藏囊、見其詞爲墨汁所昏。心頗疑之。又得眼兒眉詞、知仙花所爲。乃大怒、取其詞、納諸袖中。又封其囊口如舊。坐而待朝。

生酒醒、桃徐問曰、「郎君久於此而不歸、何也。」曰、「國英時未卒業故也。」桃曰、「教妾之弟、*不可不盡力也。」生赧赧然回頸發赤曰、「是何言歟。」桃良久不言、生惶惶失措、以面掩地。桃乃出其詞、投之生前曰、「踰墻相從、鑽穴相窺、豈君子所可爲哉。我將白于夫人。」便引身起、生悅惘抱腰、以實告之。且叩頭哀乞曰、「仙娥與我、永結芳盟、何忍置人於死地。」桃意方回曰、「郎君便可與妾同歸。不然則郎既背約、妾豈守盟。」生不得已托以他故、復歸桃家。自覺仙花之事、不復稱生爲仙郎者。盖心不平也。生篤念仙花、日漸憔悴。托病不起者再旬。


〈校異〉＊眼兒媚…底本「恨兒唱」。「眉」は「媚」の誤字。以下「恨兒唱」は「眼兒媚」に改めた。＊徘桃…底本「排桃」。＊不可不盡力也…底本「不用不盡力也」。

【書き下し11】

一日、生自ら徘桃を見ざるを念じ、桃に怪しまるるを恐る。乃ち桃の家に往きて帰らず。仙花夜生の舘に至り、潜かに生の蔵嚢《ぞうのう》を発《ひら》き、桃の生に寄する詩数幅を得る。恚妬《しと》に勝《た》えずして、案上の筆墨を取り、塗抹《とまつ》すること鴉《からす》のごとし。自ら眼兒媚《がんじび》一闋《けつ》を製し、翠綃《すいしょう》に書す。之を嚢中《のうちゅう》に投じて去る。詞に曰く、

窓外の疏蛍《そけい》　滅し復た流れ　斜月は高楼に在り
一階に竹韻あり　簾には梧影満つ　夜静かにして人愁う
此の時蕩子《とうし》消息無く　何処《いずく》に閑遊を得るか
也《ま》た応《まさ》に恋《こ》わざるべし　離情脈脈たり　坐して更に籌《ちゅう》を数う

明日、生、還る。仙花、了《つい》に妬恨《とこん》の色無し。又嚢《のう》を発《ひら》く事を言わず。蓋《けだ》し生をして自ら愧《は》じしめんと欲す。而るに生曠然《こうぜん》として他念無し。

一日、夫人宴を設け、徘桃を召見し、周郎の学行を称《たた》う。且つ教子の勤を謝し、桃をして生に致意を伝えしむ。生、是の夜、盃勺《はいしゃく》の、困《くる》しむ所と為り、矇《もう》として事を省みず。桃、独坐し寐《ね》ること無し。偶《たまたま》蔵嚢を発き、其の詞の墨汁の昏する所と為るを見る。心頗《すこぶ》る之を疑う。又眼兒媚の詞を得て、仙花の為す所と知る。乃ち大いに怒りて、其の詞を取り、諸《これ》を袖中に納む。又其の嚢口を封じ旧のごとくす。坐して朝を待つ。生、酒醒め、桃、徐《おもむ》ろに問いて曰く、「郎君久しく此に帰らざるは、何ぞや」と。曰く、「国英時に未だ卒業せざる故なり」と。桃曰く「妾の弟を教うること、力を尽くさざるべからざるなり」と。生、赧赧《たんたん》然として頸《くび》を回《めぐ》らし発赤し曰く、「是れ何の言か」と。桃、良久《やや》しく言わず。生、惶惶《こうこう》と失措《しっそ》し、面《おも》を以て地を掩《おお》うなり。桃、乃ち其の詞を出し、之を生の前に投じて曰く、「墻《かき》を踰《こ》え相従い、穴を鑽《き》り相窺うこと、豈に君子

の為すべき所ならんや。我将に夫人に白《もう》さんとす」と。便ち身を引き起《た》てば、生、怳惘《きょうもう》として腰を抱き、実を以て之を告ぐ。且つ頭を叩き哀乞《あいこつ》して曰く、「仙娥と我と、永結芳盟《えいけつほうめい》す。何ぞ人を死地に置くに忍びんや」と。桃、意を方に回《めぐ》らして曰く、「郎君便ち妾と帰を同じうすべし。然らずんば則ち郎、既に背約し、妾豈に盟《ちかい》を守らんや」と。生、已むを得ず托するに他故《たこ》を以てし、復た桃の家に帰る。仙花の事を覚えてより、復た生を称するに仙郎と為さざるは、蓋し心平らかならざるなり。生、篤《あつ》く仙花を念じ、日に漸《ようや》く憔悴す。病に托し起《た》たざること再旬なり。

【語釈11】　○恚妬　怒りと妬み。○眼兒眉　詞牌名。双調、四十八字。前段五句、三平韻、後段五句、両平韻で構成される。○一闋　話や謡いもの、詞曲などのまとまった一区切り。○疏蛍　まばらに飛び交う蛍。○籌　数を数える竹や象牙の棒。かずとり。○學行　学業と品行。○致意　相手にわかってもらう。○盃杓　さかずきと、酒をくむひしゃく。○赧　顔が赤くなる。○失措　何をして良いかわからず、とりみだすこと。○踰墻相從、鑽穴相窺　男女が密かに情を通じること。「踰牆」は垣根を越えること。「鑽穴」は細長い穴をあけること。踰牆鑽隙と同じ。『孟子』滕文公篇下に「父母の命、媒妁の言を待たずして、穴隙を鑽《き》って相窺い、牆《かき》を踰《こ》えて相従わば、則ち父母、国人皆之を賤しまん」とある。○怳惘　気が抜けてぼうっとするさま。○他故　他の理由。○再旬　二十日間。

【原文12】

俄而、國英病死。生具祭物、往奠于柩前。仙花亦因生致病、起居須人。忽聞生至、力疾強起、淡粧素服、獨立於簾内。生奠罷、遙見仙花、流目送情而出。低回顧眄之間、已杳然無所覩矣。

後數月、桃得疾不起。將死。枕生膝、含涙而言曰、「妾以葑菲之下体、依松栢之餘陰、豈*料芳韮未歇、鶗鴂先鳴。今與郎君、便永訣矣。羅綺管絃、從此畢矣。*夙昔之願、已缺然矣。但願妾死之後、郎君娶仙花爲配、埋我骨於郎君往來之路側、則雖死之日、猶生之年也。」言訖、氣塞。良久復甦、開眼視生曰、「周郎、周郎、珍重、珍重。」連聲數次而逝。

〈校異〉＊豈料芳韮未歇…底本「豈料芳盟未歇」。＊夙昔之願…底本「昔之宿縁」。

【書き下し12】

俄かにして、国英病死す。生、祭物を具《そな》え、往きて柩前《きゅうぜん》に奠《てん》す。仙花も亦た生に因りて病に致り、起居するも人を須《もと》む。忽ち生の至るを聞き、力疾《りょくしつ》し強いて起き、淡粧素服し、独り簾内に立つ。生、奠罷《や》みて、遥かに仙花を見ては、流目して情を送りて出づ。低回顧眄《こべん》の間、已に杳然《ようぜん》と覩《み》る所無し。

後《のち》数月、桃、疾を得て、起きず。将に死なんとす。生の膝を枕にし、涙を含み言いて曰く、「妾、葑菲《ほうび》の下体を以て、松栢の余陰に依るも、豈に料《はか》らんや、芳韮《ほうきゅう》未だ歇《つ》きずして鶗鴂《ていけつ》先に鳴くを。今郎君と、便ち永訣せん。羅綺管絃、此れより畢わる。夙昔《しゅくせき》の願、已に缺然たり。但だ願わくは妾の死の後、郎君仙花を娶り配と為し、我が骨を郎君の往来する路の側に埋めば、則ち死するの日と雖も、猶お生くるの年がごとし」と。言訖りて、気塞がる。良久しくして復た甦り、眼を開き生を視て曰く、「周郎、周郎、珍重、珍重」と。連声数次たりて逝く。

【語釈12】　○奠　神仏に酒食などの供え物を捧げる儀式。○力疾　病気をおして無理する。○素服　白地の喪服。○杳然　遥かに遠いさま。○葑菲之下体　『詩経』邶風の「谷風」の「葑を采り菲を采る　下體《かたい》を以てする無かれ　徳音の違う莫くんば　爾と死を同じうせん」による表現。「谷風」は夫に捨てられた女性が夫を怨む詩だが、この句は詩の前句であり、何をするにしても仲良くまじめに働き、死ぬときも夫婦一緒に死にたいという内容で終わる。後句はそのような夫が心変わりして捨てられたという内容。ここでは周生と一心になって何をすることも一緒だったことを指す。○松栢之餘陰　松栢は常緑樹で、一年じゅう葉の色が変わらないところから節を守って変えないことのたとえとして用いられる。ここでは徘桃自身が周生の変わらない心を信じ、それを頼りに生きてきたことをいう。○豈料芳韮未歇、鶗鴂先鳴　「芳韮」は芳しい香りがする花草、「歇」は枯れる。「鶗鴂」はほととぎす。ほととぎすが鳴く頃花が枯れるという。『楚辞』「離騒」に「恐らくは鵜鴂《ていけい》の先ず鳴きて　夫《か》の百草をして之が為に芳しからざらしめんことを」とある。ここでは徘桃が青春の盛りに早く死ぬ自分の境遇を比喩したもの。○永訣　死別する。○夙昔　昔から今まで。○缺然　欠如。○則雖死之日、猶生之年也　望みが実現したならば、たとえ死んでも悔いは無い。『三国志』呉書・孫登伝に「願わくは陛下意を留めて聴采せよ。臣死するの日と雖も、猶生くるの年なり」とある。『鶯鶯伝』にも鶯鶯が張生に送った手紙に同様の表現が見られる。

【原文13】

生大慟、乃葬于湖上大路傍。從其所願。祭之以文曰、

某*年月日、梅川居士、以蕉黄荔丹之奠、祭于*徘娘之靈。嗚呼、惟靈、花精艶麗、月態輕盈。舞學章臺之柳、風簸綠錦、色奪幽谷之蘭、露濕紅英。回文則*蘇若蘭詎能獨歩。艶色則賈雲華難可爭名。名雖編於妓*籍、志則存於幽貞。某也、蕩情風中之絮、孤蹤水上之萍。言采沫鄕之唐、贈之以相好。不負東門之柳、副之以不忘。月出皎兮、雲窓夜靜、結芳盟兮、花院春晴。一椀瓊漿、幾曲鸞笙。豈意時移事往、樂極哀生。翡翠之衾未暖、鴛鴦之夢先驚、雲消歡意、雨散恩情。屬目而羅裙變色、接耳而玉佩無聲。一尺魯縞、尚有餘香、朱絃綠綺、虚在銀床。藍橋舊宅、付之紅娘。嗚呼、佳人難得、德音不忘。玉貌花容、宛在目傍。天長地久、此恨茫茫。他鄕失侶、誰賴誰憑。復理舊楫、再就來程。湖海濶遠、乾坤崢嶸。孤帆萬里、

去去何依。他年一見、浩蕩難期。山有歸雲、江有回潮、娘之去矣、一何寂寥。致祭者酒、陳情者文。臨風一奠、庶格芳魂。尚饗。

祭罷、與叉鬟別曰、「汝等好守家舍。我他日得志、必來收汝。」叉鬟泣曰、「兒輩仰主娘如母、主娘視兒輩如女。兒輩*薄命、主娘早沒。所恃以慰此心者、惟有郎君。今郎君又去、兒輩何依。」*號哭不已。生再三慰撫、揮涙登舟。不忍發棹。

是夕、宿于垂虹橋、望見仙花之院。銀燈絳燭、*明滅林裏。生念佳期之已邁、嗟後會之無緣。口占長相思一闋曰、

花滿烟　柳滿烟　*音信初憑春色傳　綠窓深處眠
好因緣　*惡因緣　曉院銀釭已惘然　歸帆雲樹邊

生達曉沉吟。欲去則與仙花永隔、欲留則徘桃・國英已死、無所聊賴。百爾所思、未得其一。平明、不得已開舡進棹。仙花之院、徘桃之塚、看看漸遠、山回江轉、忽已隔矣。

〈校異〉＊某年月日…底本「維年月日」。＊徘娘…底本「排娘」。＊蘇若蘭…底本「蘇惹蘭」。＊妓籍…底本「楽籍」。＊薄命…底本「命薄」。＊號哭不已…底本「呼哭不已」。＊明滅林裏…底本「明滅村裡」。＊音信…底本「暗信」。＊惡因緣…底本「是惡因緣」。長相思は主に双調三十六字からなるため、「是」の一字がない方が形式に当てはまる。

【書き下し13】

生、大いに慟《なげ》き、乃ち湖上大路の傍に葬る。其の願う所に従うなり。之を祭るに文を以て曰く、

某年月日、梅川居士、蕉黄《しょうこう》、茘丹《れいたん》の奠を以て、徘娘の霊に祭る。嗚呼、惟れ霊。花精艶麗、月態軽盈《けいえい》なり。舞は章台の柳に学び、風は緑錦を皷《あお》る。色は幽谷の蘭を奪い、露は紅英を湿《うるほ》す。回文は則ち蘇若蘭、詎《なん》

ぞ能く独歩せんや。艶色は則ち賈雲華、名を争うべくは難し。名は妓籍に編ずると雖も、志は則ち幽貞に存す。某《われ》也、蕩情は風中の絮《わた》のごとく、孤蹤《こしょう》は水上の萍《うきくさ》のごとし。言は、沫郷《まいきょう》の唐を采《と》る、之を贈りて以て相好む。東門の柳に負《そむ》かず、之に副《そ》いて以て忘れず。月出でて皎《こう》たり、雲窓の夜静かなり、芳盟を結び、花院の春晴れる。一椀の瓊漿《けいしょう》、幾曲の鸞笙。豈に意《おも》わんや時移り事往き、楽しみ極まりて哀しみ生ずるを。翡翠の衾は未だ暖まらず、鴛鴦《えんおう》の夢は先づ驚く、歓意雲消し、恩情雨散す。属目すれば羅裙は変色し、耳を接するも玉佩《ぎょくはい》に声無し。一尺の魯縞、尚お余香有るも、朱絃、緑綺、虚しく銀床に在り。藍橋《らんきょう》の旧宅、之を紅娘に付す。嗚呼、佳人得難く、徳音忘れず。玉貌花容、宛《あた》かも目の傍に在り。天長地久にして、此の恨み茫茫たり。他郷に侶《とも》を失い、誰に頼り誰をか憑《たの》まん。復た旧楫《きゅうしゅう》を理《おさ》め、再び来たる程《みち》に就く。湖海濶遠にして、乾坤崢嶸《そうこう》たり。孤帆万里、去去として何くに依らんや。他年一見することも、浩蕩として期し難し。山に帰雲有り、江に回潮有れども、娘之《ゆ》き去り、一に何ぞ寂寥たらんや。致祭するは酒、陳情するは文なり。風に臨みて一たび奠せば、庶《こひねが》わくは芳魂の格《きた》らんことを。

尚饗。

祭り罷りて、叉鬟と別れて曰く、「汝等好く家舎を守れ。我、他日志を得ば、必ず来たりて汝を収めん」と。叉鬟泣きて曰く、「児輩、主娘を仰ぐこと母のごとく、主娘、児輩を視ること女《むすめ》のごとし。児輩薄命にして、主娘早く没す。恃《たの》むところを以て此の心を慰むもの、惟だ郎君有るのみ。今郎君又去らば、児輩何に依らんや」と。号哭して已まず。生、再三慰撫し、涙を揮《ふる》いて舟に登る。棹を発するに忍びず。

是の夕べ、垂虹橋に宿し、仙花の院を望見す。銀燈絳燭《ぎんとうこうしょく》、林裏に明滅す。生、佳期の已邁を念じ、後会の無縁を嗟《なげ》く。長相思一闋を口占して曰く、

花に烟満ち　柳に烟満つ　　音信　初めて春色に憑《よ》り伝わらんや　緑窓深処に眠る

好因縁か　悪因縁か　暁院の銀釭 已に惘然たり　雲樹の邊に帰帆す

生、暁に達《とお》り沈吟す。去らんと欲せば則ち仙花と永隔し、留まらんと欲せば則ち徘桃・国英已に死し、聊頼《りょうらい》する所無し。百爾《ひゃくじ》思う所、未だ其一を得ず。平明、已むを得ず舡《ふね》を開き棹を進む。仙花の院、徘桃の塚、看看《かんかん》として漸く遠ざかり、山回江転し、忽ち已に隔つ。

【語釈13】　○梅川　周生の号。冒頭参照。○居士　学問がありながら仕官せず野にある読書人。処士。○蕉黄茘丹　蕉黄は芭蕉の黄色の実（バナナ）。茘丹は茘子の赤い実で、供物としてよく用いられる。○輕盈　女性の軽く、なよやかなさま。○章臺之柳　美人の形容。唐代の伝奇小説『柳氏伝』には韓翊が李生の愛妾である柳氏を李生から譲り受けたが、柳氏を「章臺の柳」と、たとえて詠んだ詩がある。章台は長安の西南部にあった宮殿の名で、その下に花柳街があり、繁華街であったところから、にぎやかな街、遊郭を意味する。○簸　ふるい動かす。○奪　圧倒する。まさる。○紅英　紅色の花。○回文　横、縦の二十九字、総八四一字を碁盤のように刺繍したもので、始めから読んでも終わりから読んでも体を成し、意味が通じる漢詩体。蘇若蘭の回文から始まったと言われる。（【語釈7】「蘇若蘭」参照）唐代の則天武后の『織錦回文記』によれば、回文からは二百余首の詩を詠むことができるという。○賈雲華　雲華は『剪燈餘話』「賈雲華還魂記」の女主人公娉娉の字。○某　われ。対話や手紙の中で、自分を謙遜していう。○言采沬郷之唐　『詩経』鄘風「桑中」の「爰に唐を采る　沬の郷に」による。唐は木に巻きつく、つる性の植物。ネナシカズラ。沬は村の名。男女の密会の詩。○東門之柳　『詩経』陳風「東門之楊」の「東門の楊　其の葉牂牂たり　昏以て期と為し　明星煌煌たり」による。「東門之楊」は女性が男性と会う約束をした場所。ここでは周生が自分は約束を忘れずに守ったという例えとして用いている。○副　一致する。かなう。○月出皎兮　『詩経』陳風「月出」の初句。皎は月の光が白くて清らかなさま。明月と美女を詠じた詩。○瓊漿　美酒。○矚目　注目する。目を向ける。○羅裙　薄物の裳。○藍橋　陝西省藍田県にある地。『太平広記』巻五十「裴航」によると、唐代の裴航という秀才の青年が詩を詠んだら、樊夫人が「藍橋の神仙窟で雲英を見る」という返礼の詩を詠み、その返歌通りに仙女である雲英と出会い結婚したという。ここでは徘桃が住んでいたところをたとえている。○紅娘　唐代の伝奇小説『鶯鶯伝』の女主人公鶯鶯の下女の名。ここでは徘桃の下女を指す。○佳人難得　『漢書』李夫人伝に「寧ぞ傾城と傾国を知らざらん　佳人は再びは得難し」とある。これは李夫人の兄である李延年が武帝に献じた歌。李夫人は歌舞に巧みで漢の武帝の寵愛を受けたが早くに亡くなった。武帝はその死を悼み、反魂香を焚いて魂を呼び寄せようとした。○徳音　思いやりのある言葉や良い評判。○天長地久　白居易「長恨歌」に「天長地久時有りて尽くとも、此の恨み綿綿として尽くる期無し」とある。この祭文には「長恨歌」に詠まれている語句（「鴛鴦」「翡翠衾」「玉容」など）が所々に散見される。○乾坤　天地。世の中。○崢嶸　人生の険しさ。○浩蕩　広々として大きいさま。○帰雲　夕方山へ戻っていく雲。古代中国では、雲は山から出て、夕刻に山も帰ると考えられていた。『文選』巻十「西征賦」に「清風の飂戻《りょうれい》たるを吐き、帰雲の鬱蓊《うつおう》たるを納《い》る」とある。○尚饗　追悼文の末尾に用いられる語。こいねがわくはうけよ。○絳　濃い赤色。○已邁　すでに過ぎること。○長相思　詞牌名。双調、三十六字。前後段各四句。男女や朋友との別れの情をうたう。○釭　灯り。○聊頼　安心して頼ること。○百爾所思　『詩経』鄘風「載馳」に「百爾の思う所も　我の之く所に如かず」とある。許の穆夫人が衛国が戦乱で滅びることを嘆き、大夫、君子らがどんなに考えをめぐらしても自分が馬を馳せて行ったほうがよいのだろうという内容の詩。○平明　明け方。○看看　みるみるうちに。

【原文14】

生之母族張老者、湖州巨富也。素以睦族稱。生試往依焉、張老待之甚厚。生身雖安逸、念仙花之情、久而彌篤。轉展之間、已及春月。實萬曆二十年壬辰也。張老見生、容皃憔悴。怪而問之、生不敢隱諱、*以實告之。張老曰、「*汝有心事、何不早言。*老妻與盧丞相同姓、累世通家。老當爲汝圖之。」明日、張老令妻修書、送蒼頭、專往錢塘、議王謝之親。

仙花自別生後、支離在床、綠憔紅悴。夫人亦知爲周郎所祟。欲成其志、生已去矣。無可奈何。忽得盧氏書、*合家驚喜、仙花亦强起梳洗、*恰如平昔。乃以是年九月、*爲結縭之期。生日往浦口、悵望蒼頭之還。未及一旬、蒼頭已還、傳其定婚之意。又以仙花私書授生。生發書視之、粉香淚痕、哀怨可想。其書曰、

薄命妾仙花、沐髮淸齋、上書于周郎足下。

妾本弱質、養在深閨。每念韶華之易邁、掩鏡自惜。縱懷*行露之芳心、對人生羞。見陌頭之楊、則春情駘蕩、聞枝上之鶯、則曉思朦朧。一朝、彩蝶傳情、仙禽引路、東方之月、*姝子在闥、子既踰垣、我敢愛檀。玄霜擣盡、不上崎嶇之玉京。明月中分、*空成契濶之深盟。那圖好事難常、佳期易阻。心乎愛矣、躬自悼矣。人去春來、魚沉鴈斷。雨打梨花、門掩黃昏。千回萬轉、憔悴因郎。錦帳空兮、晝寂寂。銀缸滅兮、夜沉沉。*一日誤身、百年含情。殘花打腮、片月凝眸。三魂已散、八翼莫飛。早知如此、不如無生。今則月老有信、星期可待。而單居悄悄、疾病沉綿。花顏減彩、雲鬟無光。郎雖見之、不復前日之恩情矣。但所恐者、微情未吐、溘先朝露、九重泉路、私恨無窮。朝見郎君、一訴衷情、則夕閉幽房、無所怨矣。雲山千里、*信使難頻。引頸遙望、骨折魂消。湖州地偏、瘴氣侵人、努力自愛、千萬珍重。千萬情緒、不敢言盡、分付歸鴻、帶將飛去。

月日、仙花白。

〈校異〉＊以實告之…底本「告之以實」。＊汝有心事…底本「汝有心思」。＊老妻與盧丞相同姓…底本「老妻與盧丞相」。＊合家…底本「闔家」。＊恰如平昔…底本「有若平昔」。＊爲結縭之期…底本「牢定結縭之期」。＊行露之芳心…底本「行雲之芳心」。＊姝子在闉…底本「娘子在闉」。＊空成契濶之深盟…底本「共成契濶之深盟」。＊一日誤身…底本「一自誤身」。＊信使難頻…底本「信旣難憑」。

【書き下し14】

生の母族の張老は、湖州の巨富なり。素《もと》より族を睦まじくするを以て称す。生、試みに往きて依る。張老、之を待すること甚だ厚し。生、身は安逸と雖も、仙花を念《おも》うの情、久しくして弥《いよいよ》篤し。転展の間、已に春月に及ぶ。実《こ》れ万暦二十年壬辰《じんしん》なり。張老、生を見れば、容皃憔悴す。怪しみて之を問う。生、敢えて隠諱《いんき》せず、実を以て之に告ぐ。張老曰く、「汝心事《しんじ》有るに、何ぞ早く言わざるや。老妻と盧丞相とは同姓、累世の通家なり。老、当に汝の為、之を図らんとす」と。明日、張老、妻をして修書し、蒼頭を送り、専ら銭塘に往きて、王謝の親を議《はか》らしむ。

仙花、生と別れてより後、支離し床に在りて、緑憔紅悴す。夫人も亦た周郎の祟《たた》る所と為るを知る。其の志を成さんと欲せども、生、已に去れり。奈何《いかん》ともすべき無し。忽ち盧氏の書を得て、合家驚喜す。仙花も亦た強いて起き梳洗《そせん》し、恰《あたか》も平昔のごとし。乃ち是の年九月を以て、結縭《けつり》の期と為す。

生、日《ひび》に浦口に往き、蒼頭の還りを悵望す。未だ一旬及ばずして、蒼頭已に還り、其の定婚の意を伝う。又仙花の私書を以て生に授《さづ》く。生、書を発《ひら》き之を視る。粉香涙痕ありて、哀怨想うべし。其の書に曰く、

薄命の妾仙花、沐髪清斎し、周郎足下に上書す。

妾本《もともと》弱質にして、養われて深閨に在り。韶華の邁《ゆ》き易きを念《おも》う毎に、鏡を掩い自ら惜しむ。縦い行露

の芳心を懐《いだ》けども、人と対せば羞生ず。陌頭《はくとう》の楊を見れば、則ち春情駘蕩《たいとう》し、枝上の鶯を聞けば、則ち暁思朦朧たり。一朝、彩蝶情を伝い、仙禽路を引き、東方の月、姝《しゅ》たる子、闥《たつ》に在り。子、既に垣を踰《こ》え、我敢えて檀を愛せんや。玄霜を擣《つ》き尽くせども、崎嶇《きく》の玉京に上らず。明月中分すれども、契闊《けいかつ》の深盟成るを空しくす。那《なん》ぞ好事の常し難く、佳期の阻《はば》み易きを図らんや。心に愛すれば、躬自ら悼む。人去りて春来たれども、魚は沈み鴈は断つ。雨、梨花を打てども、門、黄昏を掩《さえぎ》る。千回万転し、憔悴すること、郎に因る。錦帳空しく、昼は寂寂たり。銀缸《ぎんこう》滅し、夜は沈沈たり。一日身を誤り、百年情を含む。残花腮《あぎと》を打ち、片月眸《ひとみ》を凝らす。三魂已に散り、八翼飛ぶこと莫し。早く此くのごときを知れば、生きること無きに如かず。今則ち月老より信あり、星期待つべし。而れども単居《たんこ》、悄悄《しょうしょう》と、疾病沈綿たり。花顔、彩を減し、雲鬢《うんびん》光を無くす。郎、之を見ると雖も、復た前日の恩情あらざらん。但だ恐るる所は、微情未だ吐かずして、溘《たちま》ち先に朝露となり、九重《きゅうちょう》の泉路、私恨、窮まること無し。朝に郎君を見、一《ひと》たび衷情《ちゅうじょう》を訴《うった》えば、則ち夕に幽房に閉ざさるとも、怨む所無し。雲山千里、信使頻《しき》りにし難し。頸《くび》を引き遥望せば、骨折魂消す。湖州の地偏にして、瘴気《しょうき》人を侵す。努力自愛し、千万珍重せよ、千万の情緒、敢えて言尽きず、帰鴻に分付《ぶんぷ》し、帯び将《も》て飛び去らしむ。

　月日、仙花白す。

【語釈14】　○湖州　浙江省北部、太湖南岸。○待　もてなす。接待する。○安逸　何もせずぶらぶら暮らすこと。○轉展　寝返りをうつ。○萬曆二十年壬辰　一五九二年。万暦は明の第十四代皇帝・神宗の年号（一五七二年〜一六二〇年）。○心事　心に望むこと。思い煩うこと。○通家　昔から親しく交際している家。または、婚姻によって親類になった家。ここでは前者の意。○盧氏書　張老人の妻の手紙を指す。○王謝之親　婚姻関係を結んだ家同士が仲睦まじいこと。王謝は晋の王垣之と謝安のこと。両家は晋代から南朝に至るまで婚姻関係を結んでいたことから来た語。ここでは結婚の話。○支離　やつれる。衰え疲れる。○梳洗　髪をとかし、顔を洗う。化粧する。○平昔　普通であるさま。常であるさま。○結縭　女性が嫁に行くときに母親が自ら縭《り》（飾りのついた腰帯）を結んであげること。『詩経』豳風「東山」に「親《おや》其の縭《り》を結ぶ」とある。○足下　二人称。貴殿。目下が目上、または同等の相手を呼ぶときの敬称。○養在深閨　白居易「長恨歌」に「養われて深閨に在り人未だ識らず」とある。○韶華　素晴らしい時期。青春時代。○易邁　すぐに過ぎること。○行露之芳心　「行露」については【語釈10】「行露之辱」を参照。「芳心」は女性の思い。○陌頭　道のほとり。○駘蕩　春ののどかなさま。ゆったりしたさま。○仙禽　仙界の霊鳥。鶴。○東方之月　『詩経』斉風「東方之日」の「東方の月よ　彼の姝たる者は子　我が闥に在り」による表現。「姝」は器量がうつくしい。○愛檀　「檀」は香木の名。ここでは貞操を守るという意味。○玄霜　仙薬の一つ。『太平広記』巻五十「裴航」によると、裴航が玄霜を全部搗《つ》いたことで、仙女である雲英と結婚し仙界に登ったという。（【語釈12】「藍橋」参照）○崎嶇　そびえたつ険しいさま。○玉京　玉皇上帝が住むところ。○明月中分　「明月」はここでは鏡を指す。「中分」は半分に分ける。仙花が鏡の半分を周生に渡したことを指す。○契潤之深盟　夫婦の縁を結ぶこと。契潤は恋しく思う。○心乎愛矣　躬自悼矣　「心乎愛矣」は『詩経』魚藻之什「隰桑」に「心に愛す　遐《なん》ぞ謂《つ》げざらんや　中心之を蔵す　何の日か之を忘れん」とある。「躬自悼矣」は同書・衛風「氓」に「言既に遂げたり　暴に至る　兄弟知らず　咥《き》として其れ笑う　静かに言《ここ》に之を思えば　躬自ら悼む」とある。○魚沉鴈斷　音信不通になること。「魚雁」は手紙を魚の腹中に入れたりや雁の足に結んで届けたことから、手紙のことを指す。○雨打梨花　『西廂記』に「雨、梨花を打ち、深く門を閉ざす」とある。○門掩黄昏　北宋の詩人欧陽修の「蝶恋花」に「雨、横ざまにして風狂ふ三月の暮、門は黄昏《たそがれ》を掩《さえぎ》れど、計る無し春を留め住《お》くを」とある。雨風の強い三月の末でも、邸宅の門内を明るくして、宵闇《よいやみ》の迫り来るのを防ぎ明るくして、出ていってしまった恋人を待つことを詠っている。○腮　頬の下の部分。○三魂已散、八翼莫飛　『剪燈新話《せんとうしんわ》』の「翠翠伝」に「高天を望みて八翼飛ぶ莫く、故国を思いて三魂屢《しばしば》散ず」とある。「三魂」は人にあるとされる三つの霊魂で、道教では、台光と爽霊と幽精の三つを称す。「八翼」については『晋書』陶侃伝に「又夢に八翼生じ、飛びて天に上る。天門九重を見、已に其の八に登る。唯だ一門のみ入るを得ず。閽者杖を以て之を撃ち、因りて地に墜ち、其の左翼を折る」とある。○月老　月下老人のこと。縁結びの神。○星期　結婚の期日。○沉綿　病気がなかなか治らないこと。○吐　あらわす。○朝露　はかないもののたとえ。ここでは早く死ぬことを意味する。○泉路　人が死後にいくところ。あの世。○衷情　嘘偽りのない真心。○幽房　墓穴。お墓。幽室と同じ意味。○信使　使いの人。○偏　辺鄙なさま。○瘴氣　中国南部・西南部の山川に生じる熱病を起こさせるという毒気。○分付　命令する。

【原文15】

生讀罷、如夢初回、似醉方醒、且悲且喜。而屈指九月、猶以爲遠、欲改定其期、乃請於張老、再遣蒼頭。而又以私答仙花之書曰、

　芳卿足下。

三生縁重、千里書來、感物懷人、能不依依。昔者、投身玉院、托跡瓊林、春心一發、*雨意難禁、花間結約、月下成縁、猥蒙顧念、信誓琅琅、自念此生、難報深恩。*人間好事、造物多猜、那知一夜之別、竟作經年之悲。*相去敻絶、山川脩阻、匹馬天涯、幾番惆悵。鴈叫呉雲、猿啼楚岫、旅館獨眠、孤燭悄悄、人非木石、能不悲哉。嗟乎、芳卿、別離傷懷、子所知也。古人云、一日不見、如三秋兮。以此推之、則一月便是九十年矣。若待高秋、以定佳期、則求我於荒山衰草之間。情不可極、言不可盡。臨楮嗚咽、*夫復

何言。

月日、某白。

書既倶未傳。

〈校異〉＊雨意難禁…底本「兩意難禁」。＊人間有事…底本「人間有事」。＊相去敻絶…底本「相拒敻絶」。
＊夫復何言、月日、某白…底本「知復何言」。

生、読み罷み、夢初めて回《かえ》るごとく、酔い方《まさ》に醒むるに似て、且つ悲しみ、且つ喜ぶ。而して指を屈すること九月、猶お以て遠しと為し、改めて其の期を定めんと欲す。乃ち張老に請い、再び蒼頭を遣わす。而して又仙花の書に私に答えて曰く、

【書き下し15】

芳卿足下

三生《さんしょう》の縁重く、千里 書来たりて、物に感じ人を懐《おも》うこと、能《なん》ぞ依依たらざらんや。昔は、身を玉院に投じ、跡を瓊林《けいりん》に托す。春心一たび発し、雨意禁じ難く、花間にて結約し、月下にて成縁す。猥《みだ》りに顧念《こねん》を蒙り、信誓琅琅《ろうろう》たり。自ら念《おも》うに此の生、深恩に報い難し。人間の好事、造物多く猜《ねた》み、那《なん》ぞ知らんや一夜の別れ、竟に経年の悲と作るを。相い去ること敻絶《けいぜつ》、山川脩阻《しゅうそ》し、匹馬天涯、幾番《いくたび》か惆悵《ちゅうちょう》せん。鴈は呉雲に叫《な》き、猿は楚岫《しゅう》に啼く。旅館に独り眠り、孤燭悄悄たり。人、木石に非ざれば、能く悲しまざらんや。嗟乎、芳卿、別離の傷懐、子、知る所なり。古人云わく、「一日見《あ》わざるは、三秋のごとし」と。此れを以て之を推せば、則ち一月便ち是れ九十年なり。若し高秋を待ち、以て佳期を定むれば、則ち我を荒山の衰草の間に求めよ。情、極むべからずして、言、尽くすべからず。臨楮《りんちょ》し嗚咽す。夫れ復た何をか言わん。

月日、某白す。

書既に倶《そな》われど未だ伝えず。

【語釈15】○初　やっと～したばかり。○芳卿　仙花の字。○三生　前生、現生、後生のこと。○依依　離れがたいさま。恋い慕うさま。○瓊林　宋代開封に作られた美しい庭園。皇帝が科挙に及第した人を呼び、瓊林で宴を催した。ここでは丞相宅の庭を指す。○雨意　ここでは男女が逢瀬を楽しむ気持ちを表す。○猥　かたじけなくも。顧念　きづかう。気にかける。○信誓　真心からの誓い。誠意のある誓い。○琅琅　明るくてはっきりしたさま。○猜　そねむ。ねたむ。○脩　空間的に距離があるさま。○匹馬　一人のたとえ。○天涯　非常に遠いところ。○猿啼楚峀　「猿啼」は猿の鳴き声。悲しい鳴き声の象徴。「峀」は連なった山々。○悄悄　憂いに沈むさま。○人非木石　白居易の新楽府「李夫人」に「人木石に非ざれば皆情有り」とある。○一日不見、如三秋兮　『詩経』王風「采葛」に「彼《か》の蕭を采らん　一日《いちじつ》見《あ》わざれば　三秋のごとし」とある。○高秋　空が高く晴れ渡る秋。○衰草之間　枯れた草の間。ここではお墓の中をたとえた言葉。○楮　紙。手紙。

【原文16】

會朝鮮爲倭賊所迫、請兵於天朝甚急。帝*以朝鮮至誠事大、不可不救。且朝鮮破、則鴨江以西、必不得安枕而臥矣。況存亡繼絶、王者之事也。

特命提督李如松、率*軍討賊。而行人司行人薛藩、回自朝鮮、奏曰、「北方之人、善禦虜、南方之人、善禦倭。今日之役、非南兵則不可」。於是、浙湖諸郡、發兵甚急。

遊撃將軍姓某、素知生名。引以爲書記之任。生辭不獲已、至朝鮮。登安州百祥樓、作七言古風。失其全篇。

惟記結尾四句。詩曰、

　愁來獨登江上樓　　樓外青山多幾許
　也能遮我望鄕眼　　不肯隔斷愁來路

明年癸巳春、天兵大破倭賊、追至慶尚道。生置念仙花、遂成沉痼。不能從軍南下。留在松都。余適以事往、遇生於舘驛之中。而語言不同、以書通情。生以余解文、待之頗厚。余詢其致病之由、愀然不答。是日、爲雨所拘。因與生張燈夜話、生作踏沙行一闋示余、其詞曰、

　隻影無憑　離懷誰吐　*歸鴻暗暗連江樹
　旅窓殘燈已驚心　可堪更聽黃昏雨

　閬苑雲微　瀛州海阻　玉樓珠箔今何許
　孤蹤願作水上萍　一夜流向吳江去

余異其詞意、懇問不已。生乃自叙首尾如此。又自囊中、出示一卷書。名曰花間集。生與仙花俳桃、唱和詩百餘首、儕輩詠其詞者、又十餘篇。生爲余墮淚、求余詩甚切、余效元稹會*眞詩三十律韻、題其卷端以贈之。又從而慰之曰、「丈夫所憂者、功名未就耳。天下豈無美婦人乎。況今三韓已定、六師將還、東風已與周郞便矣。莫慮喬氏之鎖於他人之院也。」明朝泣別、生再三稱謝曰、「可笑之事、不必傳之也。」時生年二十七、眉宇*烱然。望之如畫。

癸巳仲夏、無言子權汝章記。

〈校異〉＊帝以朝鮮以至誠事大…底本「帝以朝鮮以至誠事大」。＊率軍討賊…底本「帥師討賊」。＊歸鴻

…底本「歸魂」。＊會眞詩…底本「眞率詩」。＊烱然…底本「泂然」。

【書き下し16】

会《たまたま》朝鮮、倭賊の迫る所となり、兵を天朝に請うこと甚だ急なり。帝、朝鮮の至誠事大なるを以て、救わざるべからず。且《も》し朝鮮破らるれば、則ち鴨江以西は、必ず安らかに枕して臥すを得ず。況んや存亡継絶は、王者の事なり。

特に提督李如松《りじょしょう》に命じ、軍を率いて賊を討たしむ。而して行人司の行人薛藩《せつはん》、朝鮮より回《かえ》りて奏して曰く、「北方の人、善く虜を禦《ふせ》ぎ、南方の人、善く倭を禦ぐ。今日《こんにち》の役、南兵に非ざれば則ち可ならず」と。是に於いて、浙湖諸郡、兵を発すること甚だ急なり。

遊撃将軍姓某は、素より生の名を知る。引きて以て書記の任と為す。生、辞せども已むを獲ずして、朝鮮に至る。安州の百祥楼に登り、七言古風を作る。其の全篇を失う。惟、結尾四句のみを記す。詩曰く、

愁い来《きた》らば独り江上の楼に登る　楼外青山多きこと幾許《いくばく》ぞ
也《ま》た能く我が望郷の眼を遮れども　愁来の路を隔断するを肯《がえん》ぜず

明年癸巳《きし》の春、天兵、大いに倭賊を破り、追いて慶尚道に至る。生、仙花を置念し、遂に沈痼《ちんこ》に成る。従軍して南下すること能わず。留まりて松都に在り。余適《たまたま》事を以て往き、生に舘駅の中に遇う。而るに語言不同なれば、書を以て情を通ず。生、余の文を解するを以て、これを待すること頗《すこぶ》る厚し。余、其の致病の由を詢《と》うも、愀然《しょうぜん》と答えず。

是の日、雨の拘《と》らうる所と為る。因りて生と燈を張り、夜話す。生、踏沙行一闋《けつ》を作り、余に示す。其の詞に曰く、

隻影《せきえい》、憑るところ無し、離懐誰にか吐かん、帰鴻暗暗と江樹に連なる

旅窓残燈に已に驚心す、堪うるべけんや更に黄昏の雨を聴くを
閬苑《ろうえん》は雲微にして、瀛州《えいしゅう》の海に阻《はば》まれ、玉楼珠箔は今何許《いずこ》
孤蹤《こしょう》、願わくは水上の萍《うきくさ》と作《な》り、一夜流れ呉江に向かい去らん

余、其の詞意を異《あやし》み、懇《ねんご》ろに問うこと已《や》まず。生、乃ち自ら首尾を叙《の》ぶること此くのごとし。又、囊中《のうちゅう》より、一巻の書を出し示す。名付けて花間集と曰う。生と仙花・徘桃と唱和する詩百余首、儕輩其の詞を詠ずる者は、又十余篇なり。生、余の為に涙を墮《お》とし、余に詩を求むること甚だ切なり。余、元稹の会真詩三十律韻に效《なら》い、其の巻端に題し以て之を贈る。又従《よ》りて之を慰めて曰く、「丈夫《じょうぶ》の憂うる所は、功名未だ就かざるのみ。天下豈に美婦人無からんや。況《いわん》や今三韓已《すで》に定まり、六師《りくし》将に還らんとす。東風已に周郎の与《ため》に便す。喬氏の他人の院に鎖《とざ》さるるを慮《おもんぱか》ること莫かれ」と。

明朝泣別す。生、再三称謝して曰く、「可笑の事、必ずしも之を伝えざるなり」と。

時に生の年、二十七、眉宇《びう》烱然《けいぜん》なり。之を望めば画のごとし。

癸巳仲夏、無言子権汝章記す。

【語釈16】　○鴨江　鴨緑江《アムノクカン》のこと。朝鮮と明の国境周辺の川。○存亡継絶　亡びたものの後胤を保存し、絶えたものの後を継がせる。○提督　司令官。○李如松　実在人物。生没は一五四九年～一五九八年。明代の武将で、平壌城《ピョンヤンソン》に拠る小西行長の軍を追撃したが、碧蹄館《ピョクチェグァン》の戦いで小早川隆景、立花宗茂らの軍に敗れた。○行人司　明代、皇帝の命を伝え、冊封や諸侯国との外交関連業務を司る官署。行人は行人司の役職の一つで、外国の使臣を接待する仕事を担当した。○薛藩　明朝外交官で、壬辰倭乱《じんしんわらん》（文禄の役）の際に明軍が参戦すべきだと帝に報告していた。○遊撃将軍　武職の名。○安州　平安南道《ピョンアンナムド》の西北にある村。○百祥楼

安州にある有名な楼閣。関西八景の一つ。○沉痼　なかなか治らない重い病。○松都　現在の開城《ケソン》。○湫然　愁いに沈む様子。○踏沙行　詞牌名。双調、五十八字、前後段各五句、三仄で構成される。○隻影　ただ一つの影。孤影。○瀛州　仙人の住むという海の中の山。東方海上にあるという三神山の一。○玉樓珠箔　「珠箔」は真珠で飾った美しい簾。ここでは仙花が住んでいる家を指す。○呉江　江蘇省と浙江省の間にある太湖の支流の中で一番大きい河。○花間集　中国五代十国、九四〇年頃に編纂された最初の詞選集の名。ここでは主人公の周生が徘桃、仙花との唱和詩、詞を集めたものに名付けたもの。○元稹　唐代の文学家。生没は七七九～八三一。主要作品に『鶯鶯伝』がある。○會眞詩　『鶯鶯伝』の主人公の張生が鶯鶯に書いた詩。作品の後半には張生の「會眞詩三十韻」に和する体制で、作者元稹が詩を作った。○題　書きしるす。○巻端　巻頭。○六師　天子が統率した六個の軍。六軍。○東風　唐代の詩人杜牧の「赤壁」の「東風、周郎の与に便ならずんば、銅雀春深くして二喬を鎖さん」による。孫権・劉備連合軍が曹操軍を破った赤壁の戦いで、呉の孫権軍の最高司令である周瑜や蜀の諸葛亮が望んだように東風が吹かなかったら、呉の喬玄の大喬・小喬美人姉妹は魏の宮殿である銅雀台に捕らえられ、曹操の慰みものにされていただろう、という内容。姉の大喬は孫策に、妹の小喬は周瑜と結婚した。「周郎」は周瑜と周生を掛けている。○烱然　光り輝くさま。○仲夏　夏三か月の中の月。陰暦の五月。○無言子權汝章　無言子は権韠の号、汝章は字。

憑虚子訪花録

千葉仁美

作品解説

憑虚子《ピンホジャ》は本作品の主人公の名前、「訪花」の「花」は女性を象徴し、美しい女性に出会う意味である。憑虚子とは変わった名前であるが、冒頭の文章にあるように、どこの誰か分からないので、仮に友人たちが付けたということであるが、字義は「虚に憑る」、すなわち架空の人物であることを示している。「子」は敬称、憑虚先生という程度の呼び名である。

この名前は中国の後漢時代の張衡『西京賦』『東京賦』の登場人物、憑虚公子に由来すると考えられる。憑虚公子は気位が高く態度は横柄だが、学識があると自負していたので、安処先生に向かって雄弁に前漢の都、西京・長安を賛美し、後漢の都、東京・洛陽について多々批判した（『西京賦』）。だが、安処先生が、洛陽の美点を挙げ、逆に憑虚公子の独りよがりをきびしく批判すると、自分の不明を恥じ詫びる（『東京賦』）。

『憑虚子訪花録《ひょうきょしほうかろく》』（빙허자방화록《ビンホジャバンファロク》）の時代設定は本文中に崇禎乙亥《すうていおつがい》年とあるのを始めとして、丙子《へいし》年、己卯《きぼう》年とあるので、一六三五年から一六三九年に相当する。この時期、一六三六年十二月に朝鮮は清（後金）の侵略を受け、翌年二月まで抗戦するが、江華島《カンファド》の陥落によって降伏した。首都漢陽《ハニャン》をはじめ被害は甚大で、一六三七年十二月には二人の王子が人質として清（後金）に連行された。こうした時代が小説の時代設定と

重なっている。

粗筋は次のようである。作者の住んでいる同じ里に憑虚子という眉目秀麗で、詩や酒を好み、立身出世などに関心を持たない青年がいた。詩文が得意であったので、仲間のリーダー的存在であった。友人が科挙の受験を勧めても、人生ははかなく無常であり、国家に献身した偉人たちも報いられることなく、不遇、悲惨な生涯に終わった例が数えきれないと熱弁をふるい、美人と酒と音楽と詩を友にして過ごすのが幸せというものだというのが持論であった。

丙子《へいし》の年（一六三六）、清が朝鮮に侵攻してきたので、憑虚子は嶺東《ヨンドン》（太白《テベク》山脈大関嶺《テグァルリョン》の東側）の隆中《ユンジュン》（江原道襄陽《カンウォンドヤンヤン》）に難を避けた。そこに都から李春茂《イチュンム》と朴時碓《パクシデ》という二人が戦乱を避けて逃れてきた。ある日、朴時碓の家で酒宴をしていたところ、憑虚子は窓の隙間から美少女の姿を見て、一目で恋いこがれ、憔悴《しょうすい》してついには病の床に臥す。李春茂と朴時碓が見舞いに来た時、春茂は憑虚子の病が時碓の妹の梅英《メヨン》への恋によるものだと察する。春茂は事情を時碓に話して、時碓を説得して、計略を立てて憑虚子を梅英に逢わせてやる。二人は相思相愛の仲になり、親には内緒の密会を重ねる。しかし、戦乱の時とて、梅英の父が急に通訳官として国王に随行して瀋陽に行くことになり、梅英は母と一緒に都に呼びもどされる。梅英は玉の指輪を、憑虚子は斑竹の扇をそれぞれ形見の品として交換し別れるが、憑虚子はまたしても病の床に臥した。その時、憑虚子の名声を慕っていた映山紅《ヨンサノン》という妓女に慰められて、憑虚子は元気になる。一方梅英は憑虚子と別れて以降、愁い嘆き、恨みの余りに衰弱して亡くなった。

それから三年後のこと、憑虚子は梅英のためにと学問にはげみ、郷里から推薦されて、科挙の殿試（国王臨席の試験）のために上京した。都に着くとすぐに朴時碓の家を訪ねたが、梅英の死を知らされ、さらに梅英の遺書を見せられ悲嘆にくれる。そこで梅英のために祭文を作り哭礼をした。するとその夜ふけ、梅英の霊が現れて二人は抱き合って悲しみ嘆いた。梅英の霊は別れに際して自分のために「憑虚子の妾の墓」という石碑を建ててくれるようにと言い終ると、姿を消した。

『憑虚子訪花録』の特色について簡単に触れる。男女が愛し合うものの離別し、女性が悲しみのうちに恨みを残して亡くなるが、男性が祭文を捧げると、女性の霊が現れるという形式は、愛情伝奇小説の常套的な型である。『憑虚子訪花録』はそうした定石どおりの型に則る作品である。そこで典拠とされた先行作品の一つに、唐代伝奇『鶯鶯伝』がある。憑虚子と梅英が別れる時に、「玉の指輪」と「斑竹の扇」を交換するが、これは『鶯鶯伝』で鶯鶯が恋人の張生と別れる時に、張生に「玉環一枚」と「文竹茶碾子一枚」を贈る場面に拠る。また梅英の死後、憑虚子が祭文を作って祀ると、梅英の霊が現れるところは、『剪燈餘話』巻五、「賈雲華還魂記」に拠る。魏鵬を恋しながら結婚できなかった賈雲華は悲嘆のあまりに亡くなるが、魏鵬が祭文を作って祀りをすると、その後に雲華の霊が現れる。こうした話型は、古くは白居易『李夫人』では漢の武帝が李夫人の死を悲しんだ時、方士（修験者）が反魂香を焚いて祈ると、李夫人の魂が降ってきたと詠う。『憑虚子訪花録』は唐代以来の愛情伝奇小説の正統に位置付けられる。

こうした中国古典文学の典拠、引用が数多いことは「語釈」欄に指摘したところであるが、これは本作品の特色であるとともに、他の作品にも見られる特色である。衒学的でもあるが、啓蒙的教育的な意味を有したものと考えられる。

『憑虚子訪花録』の作者は不明であるが、成立は作品中に『周生伝』の周生に言及する点などから見て、十八世紀前半から半ばにかけて書かれたものと推定されている。

『憑虚子訪花録』は孤本であって、他に写本等がないようである。本訳注が底本とした『校勘本韓國漢文小説　傳奇小説』の当該「作品解題」によれば、本作品はパク・ノチュン氏が、『憑虚子訪花録』『白雲仙翫春結縁録』『相思洞記』を収める合冊本を活字化して紹介したことで知られるようになった。ただし原本は公開されず、後に金起東氏等が校訂した本文があるだけという。本作品は韓国においても現代語訳がないようであり、日本語訳は最初の現代語訳である。

【参考文献】

・박《パク》노《ノ》춘《チュン》 活字化本：「〈憑虚子訪花録〉〈白雲仙翫春結縁録〉略考」『한《ハン》메《メ》・金永驥先生古稀記念論文集』螢雪出版社、一九七一年
・金起東等校訂本：『古典漢文小説選』教学研究社、一九八四年
・권《クォン》도《ト》경《ギョン》 「『憑虚子訪花録』研究」『民族文化研究』第三十六号、高麗大学校民族文化研究所、二〇〇二年六月
・千葉仁美「『憑虚子訪花録』の紹介―男女主人公の可変・不変性―」『古代学研究所紀要』二十六号、明治大学日本古代学研究所、二〇一八年六月

（千葉仁美・日向一雅）

現代語訳

【1】私の住んでいる同じ里に滞在している一人の青年がいたが、どこから来た人物なのか、また姓や字《あざな》や名前を知る者がいなかったという。人々はこの人物を名づけて憑虚子《ピンホジャ》と呼んだ。彼は肌が美しく眉目秀麗で、とりわけ詩と酒を好み、官職に就く名誉や金銭には関心を持たず、詩文では第一人者とされ、酒席では決まって進んで盃を交わし、幾年も過ごしていた。

崇禎乙亥《すうていおつがい》の年（一六三五年）のこと、国家に慶事があって、大規模な科挙別科が設けられるという御触れが全国数千里にわたって通達され、発奮して受験に赴かない者はいなかった。しかし、憑虚子だけはひとり変わらず気ままに詩を吟じ酒を楽しんでいた。ある友人が彼に受験を勧めると、憑虚子は不快そうに、「旧友は旧友をよく理解しているはずなのに、私の旧友が私のことを理解してくれないのは、どういったわけだろうね。」と言った。

友人が言う。「あなたは年少の時からよく学問し、大人になってそれを実践しようとするのだから、国王が広く才能ある人物を求めている今こそ、あなたの持っている磨いた懐刀のような才能を試す時ではないか。玉堂（弘文館《ホンムングァン》）に登ることも、金馬門《クムマムン》に入ることも、思いのままになるだろう。国王にお仕えし民に恩恵をもたらすことは、あなたの本分だ。どうして国の重鎮にもなれる才能を持ちながら、草木の腐るように才能を無駄にしようとするのか。」

【2】憑虚子は顔をしかめて答えず、遂に絶句を一首詠んだ

名利虚心客
風流痼疾人
有吟酬歳月
無夢耐楓宸

私は名利に関心のない客
風流に取りつかれた人だ
歳月に応えて詩をつくるだけで
出仕したいという願いはない

友人が重ねて言う。「ああ、幼い頃から刻苦勉励して学問に励んできたというのに、若さを恃んで酒楼の妓女を愛し、家門の名声や家業の伝統を捨て、一時のわずかな歓びを追い求めるとは。秋風が吹けば緑の蘭も芳香をなくすように、あなたの才能が枯れてしまい、行き先を失うことを恐れているのだ。あの阮籍が行き詰まり、楊朱が別れ道で涙を流したようなことになるだろう。なんと惜しいことか。」

憑虚子が言う。「ああ、天地は万物の宿であり、時間は永遠の旅人だ。人間は天地と時間との間に存在するが、人生は限りがあり、不老不死の薬はなく、火打石の火のようにはかない。百年後には私は生きてはいないし、累々と重なる墓は賢人と愚人との区別もつかず、薄暗い黄泉路では貴賤の魂の違いを知る術《すべ》もない。一つの青山に、二つながらの荒れた丘があり、聖人の伯夷・叔斉《しゅくせい》と盗人の盗跖《とうせき》とが、その善悪に関わらず亡んだように、どのような人生を送ってもいずれは泉下の人となるだけだ。」

憑虚子がわざと歎くふりをして重ねて言う。

「生前に一杯の酒を知らなくても、詩人の言葉は真実だ。まして人心はくるくると移り変わり、世の中は険しく、官界は汚れて、戦乱には幾度となく驚かされる。忠臣や有能な輔佐官でも安寧だった者は少ない。浙江の激流の逆巻くところに、屍を革袋に包まれ揚子江に流された伍子胥は無実だったし、汨羅《べきら》の川の水底で魚腹の中の魂となった屈原は悲惨だった。無双の国士と呼ばれた韓信は、やるべき仕事が多ければ多いほど能力を発揮する有能な人物で、その功績は一世にとどろいたが、三族を処刑の憂き目にあわせた。韓愈の書いた「仏骨を論ずる一表」はその一字一字に鉄鉞《てつえつ》のような重みがあり、朝に朝廷に奏上されたが、夕には千里の彼方へ左遷させられた。古今に指折り数えてみれば、この類の例は限りがない。だから、古人はこのような例を、『蘭は香りがあることによって焚かれる』と言い、『魚のくさるのは餌を貪るから』と言ったが、その通りだ。どうして流水のように移ろいやすい仕事と、浮雲のように儚《はかな》い富貴のために、山に入り怒れる虎の鬚《ひげ》を抜き、海に浮かんで眠れる龍の珠を探すような危険な真似をして、すすんで朝露のように儚い人生を賭けられようか。男児に生まれて、思いのままに楽しむことを大事にしている時に、山下の春風を争うものがいるだろうか。江山の明月を奪おうとするものがあるだろうか。左に陽城の美人を並べ、右には洞庭の春波を眺めながら酒を汲み、気の向くままに管絃を奏で、風月を愛でて吟詠し、そうして人生を終える、これもまたよいものではないか。」

友人は感服して、後に人に話した。「憑虚子は本当の達士である。」

【3】不幸にも、丙子《へいし》の年（一六三六）の冬、狂風が大地を捲《まく》り、胡の侵略によって雲のごとく乱れ、国中の八道が生臭い蛮族（後金族）の塵に汚されたが、大関嶺《テグアルリョン》の東の地域はやや安全であった。憑虚子は都から隆中《ユンジュン》に移り仮住まいしていたが、そこに戦乱を避けて疎開してきた李春茂《イチュンム》と、その年下の従兄弟・朴時碓《パクシデ》と、三人いっしょに詩や酒に興じていた。春茂と時碓は市井の者であったから、身分は憑虚子より低かったが、容姿容貌とも美しく、よく冗談を言い、友情はすこぶる緊密であって、仲間として酒を飲み心地よく過ごした。

年が改まり、春も半ばを過ぎようとするころ、山は西も東も花が錦のように咲き誇り、渓は北も南も柳の新芽が糸のように垂れた。

　憑虚子が二人に言う。「風景の美しさには違いがないが、山河には違いがある。周伯仁が新亭で嘆息したのも、まったくその通りで、人の心情の自然になせるところだ。一壺の酒を求めて、都から遠く離れた憂いを晴らそうではないか。」

　二人の客人が答える。「まさに先生のお言葉のとおり。我々もまったく同じ気持ちです。」

　そこで財布を空っぽにして村中の酒を買い、莫蓙《ござ》にともに座り、酒を注ぎあった。遠くを眺めると、鴛鴦が水中に戯れており、近くを見ると、胡蝶が花の下に仲良く飛び交っている。春の光がいっぱいに満ちて、しみじみとものあわれを感じた。

　憑虚子がひっそりと言った。

「何代にもわたって戦乱のない、我が国のようなところは他になかった。しかし今や宗廟の歴代先王の位牌は都から失われ、天下の万民は遺民となってしまった。私も世の果てに落ちぶれてさすらい、都の便りは戦乱のために途絶えた。松峴歌児や竹前夫人のうち、玉のように美しい者は死んでしまい、瓦のようにつまらない者が生き残ってしまうのだろうか。」

　憑虚子が心中を吐露してこのことに及ぶと、思わず何とも言えずさびしい気分になった。春茂と時碓の二人もまた、涙を流して酒に酔い、楽しむ気持ちもなくなりお開きとなった。ここにいう松峴歌児と竹前夫人とは、かの洛浦仙（洛川の女神）と楚雲台（巫山《ふざん》の女神）のことである。ともにその名によって憑虚子の仲間たちをとりこにし、憑虚子も常日頃から情けをかけていた者たちであるが、いずれもこの戦乱のために散り散りになり、その生死をも知ることができなかった。それゆえ憑虚子は心の中では恋い慕い、いとおしく思う気持ちがやまなかったという。

憑虚子も宿泊先の家に帰った。しかし、心身ともに疲れ切って、眠ろうとしても眠られなかった。夢現の間に、一人の人物が現れたようで、梅の盆栽を持って憑虚子の側に置いて言う。「どうかこれを、貴方様の伴となさいませ。」

【4】その言葉が終わらないうちに、突然すさまじい風が吹き、梅の花は霰のように散り落ちてしまった。感嘆して目が覚め、どういうことかと解釈してみた。

「いつか見た古人の伝記に、文章や歌について触れて、花の美しいものはこれを女に例え、女の美しいものはこれを花に例えるとあった。花は女で、女は花なのだ。梅の盆栽を得たことはまことに好い徴なのだが、落花の兆しは、はて何に応じるというのか。」

　その朝、憑虚子のもとへ春茂が訪ねて来たので、この夢についてあれこれ議論していると、時碓の使用人がやって来た。

「たまたまお祖父様がいらっしゃって、お酒を土産に置いていかれました。ですので、お二人をお迎えして、ともに盃を交わしたいとの仰せです。」

　憑虚子は春茂と連れ立って時碓の家を訪ね、しばらく酒を酌み交わしていたが、宴も酣《たけなわ》となったころ、春茂と賭け囲碁をはじめた。すると突然、緑の上着に紅の裳を着た娘の姿が窓と壁の間に見え隠れした。憑虚子が二人に気づかれないようにその姿を目で追うと、美少女の細い手が穴窓からちらりと見えた。その心を牽かれる美しさは、まことに国一番といってよい。憑虚子はすっかり魂を奪われて、碁に集中できなくなり、心ここに在らずといった様子で数局負けつづけ、衣服を質にして酒を買い、痛飲して帰った。

　にわかに月明かりが差して、憑虚子は初めて酔いから醒めたように思ったが、部屋に人はなく、一晩中寝返りをうって、もの思いに悶々として過ごした。そこで七言律詩を壁に書きつけて、もの思いを晴らそうとした。

偶然雲雨過空堂　偶然にも巫山《ふざん》の神女が姿を変えたという雲雨が人けのない部屋を過ぎてゆく
不必巫山是斷腸　腸《はらわた》を断たれるほどの辛さは巫山だけにかぎったものではない
獨夜沈吟終未夢　ひとり夜あなたを思っていても、夢にあなたは現れない
風流肯落楚襄王　風流では巫山の神女と契りを交わした楚の襄王にも負けないものを

これ以後来る日も来る日も娘を思って忘れることができず、寝ようとしても寝られず、食事をとることも忘れてしまった。心は思い悩み、顔色は痩せ衰え、以前の風貌や豪気はすっかり失われてしまった。

【5】時碓の家に、名を春仙《チュンソン》という下女が居た。たまたま錦を買う用事があって、憑虚子の家の前を通り過ぎるのを、彼は会釈して招き入れ、世間話などした後で訊ねた。

「以前おまえの家で緑の上着に紅の裳を着ていた人を見かけたのだが、一体どういう人で、あのように美しいのだろうか。」

春仙が答える。「それは私の家のお嬢さまで、お名前は梅英《メヨン》、号を花月《ファウォル》というお方です。」

憑虚子が言う。「年齢はいくつなのか。」

答えて言う。「今年で十五歳になります。どうしてそんなことをおたずねになるのですか。」

憑虚子が言う。「偶然その方を見かけたので、どんな人なのか知りたくて聞いたのだ。」

春仙はかすかに笑って去った。

【6】暫くして時碓と春茂が見舞いにやってきたので、憑虚子は病をおして床を離れ、ひととおりの挨拶を短く述べると、疲れてまた臥せってしまった。春茂が怪訝に思って訳を問うた。

「貴方さまは日ごろ世俗のことに頓着せず、思いのままに過ごし、何とも豪気な方ですのに、今、どうしてそんなに疲れきっておいでなのですか。」

憑虚子はくらくらとした様子で言う。

「ここ四五日の間、何かと思い悩むことが多く、煩悶したり、気持ちが暗くふさぎ込んだりといった症状が加わるばかりで減ずることがない。このようなことが続けば、死んでしまうに違いない。人生こうなってしまっては、自分を憐れむほかはない。」

春茂は察しのよい人物である。憑虚子の詩を見、この言葉を聞いて、その病気の原因がどういったものかを悟り、跪いて言う。

「気候が体に適さず、体調を崩されて、このように悪寒を召されたのです。そんなに心配するには及びません。この症状を完全に治すには、蔘蘇《じんそ》の薬に限ります。」

憑虚子が微笑んで言う。「そうだ。しかし、そのとおりだろうか。君のいうところの名薬は、たぶん役に立たないのではないかな。」

答える。「そうであれば、貴方さまの患っている原因は、きっと知られましょう。あの古生のはかりごとのように、茅山《ぼうざん》の薬者をお望みなのではありませんか。」

憑虚子が言う。「その通りだ。」

春茂が言う。「そうだとすれば、神女か仙女のことでしょうか。神女や仙女は憧れても甲斐はなく、手の届かないものです。貴方さまはどうしてそのように望むのですか。」

答える。「いやいや。思う人の家は近いが、その人は遠いということだ。」

春茂が言う。「詳しく聞かせてくださいますか。」

【7】憑虚子は喘ぎ喘ぎ、再三言おうとして、しばしば時碓を見やった。春茂はそれではっきり事情を察した。

「そういうことでしたか。そういうことでしたら、私にできることはありません。貴方さまのために、私にはどうしようもありません。」

憑虚子が言う。「私に考えがあるのだ。どうか断らないでくれ。彼に親しいものは、君をおいておらず、言葉が達者なのも、君に及ぶものはいない。その計画を話そうというのに、君を頼らないものがいるだろうか。私は今このように疲れきっていて、思いが叶えば生きられるが、叶わなければ死ぬだろう。生きるか死ぬかの際には、人はあれこれ思いを巡らすものだ。君がもしここですっぱりと断るなら、私はとても堪えられそうもない。君が私を殺すのではないが、私は君によって死ぬことになるのだ。人を苛むような話しぶりも、人を殺す罪にごくごく近いと思わないか。」

春茂が言う。「人は当事者になると惑うというのは、どうも本当のことのようですね。立派な御仁がどうしたことか、まるで女子供のような有様ではありませんか。もし他人がこのように肝の小さいさまであったなら、貴方さまはきっと腹を抱えて大笑いなさっていることでしょう。」

こうして春茂は言葉巧みに話して、憑虚子の気持ちを宥めようとしたが、憑虚子は不満なようすで納得しなかった。ついにはふらついて目をまわし呻き声をあげるのであった。見かねて、春茂が膝をついて座り、顔を伏せて諭した。

「こういったことは急いでどうなるものでもありません。貴方さまはゆったりと構えていて、それからしかるべく計画を立てるのがよいでしょう。幸いなことに、昨夜の夢は吉兆のようですから、ひとまずそれでよしといたしましょう。むやみに悲しんで、大切な御身を顧みず、お体を壊すことのありませんように。誠の心は天をも感応せしむるもの、ましてや貴方さまの思い焦がれるこの人に通じないはずがありますまい。」

【8】春茂と時碓の二人は、憑虚子を慰めると帰路についた。帰り道で少し休憩した時、時碓が尋ねた。「さっきの話はこまごま入り組んでいて何が何やら分からなかった。詳しく話してくれませんか。」

春茂が言う。「おまえも一緒に聞いていただろう。どうして私に聞くんだ。」

時碓が言う。「色ごとのことだろうと思いましたが、私はそれがどういう意味なのか分からないので、横で聞いているだけでした。」

春茂が言う。「話さなくても分かるだろう。」

時碓はまだ理解できず、春茂が隠し立てするのを恨めしく思っているふうだった。

春茂が言う。「私を恨むというのか。それならば包み隠さず話してやろう。」

時碓はこのとき初めて事情を悟って、憮然《ぶぜん》として春茂に問うた。

「どうしようもないというのは、私の妹、花月のことを言っていたのですか。」

春茂が言う。「そのとおり。どうして事情を理解するのにこんなにかかったのだ。」

【9】時碓が怒って言う。

「花月は花柳界の女ではない。どうして色狂いの男が追い回してよいものか。ましてゆったりと構えていて、それから計画を立てるのがよいと言って、あの方の思いを断ち切ってくれなかったのはどうしてなのか。」

しまいには怒って立ちあがった。


春茂が言う。「まあ、座って、お聞きなさい。私がおまえにはっきりと話してやろう。まったくおまえは子供のようで、短慮なのだから。試しに今日の世の中を見てみよう。いったい何が長く存続しているだろうか。京城《キョンソン》は陥落し、江都もすべて敵の手に落ちた。最近聞くところによれば、名門貴族の若妻や娘たちは、ある者は自ら駱駝にまたがり、ある者はその手で自ら駿馬に鞭をあてて逃げたが、美しい女は絨毯《じゅうたん》の車に乗せられ、そうでない者は粗末な皮袋に入れられて、連行されたということだ。まったく堪えがたい辱しめを受けたのだ。婚約をしたものでさえ、なおこのようなありさまなのだから、他に何を言えばよいのか。この土地を見れば、険しい地形とはいっても、金城湯池《きんじょうとうち》のように堅固で侵略されにくい所ではない。だから心配して言うのだ。『鳥の飛ぶは鳥の飛ぶなり、人の性は人の性なり』と言うではないか。突然敵が東に向かって素早く攻め込んで来たら、誰が防ぐことができよう。誰がこれを阻止できよう。敵に襲われて、鳥や魚が驚いて逃げ出すような日に直面して、たとえ敵の捕虜となるのを免れたとしても、戦乱が激しくなり、逃げだしている最中に、どこかの馬の骨にでも捕まって貞節を失ってしまってからでは、どうしようもないのだ。そういうわけで早く二人を一緒にするのがよいというのだ。」


【10】時碓はその言葉にすこしばかり怒りの色をゆるめて言う。

「兄さんの言うことにも一理あるようです。しかし、結婚というものは、礼が何より大事です。父上が不在ではあるものの、母上の思い通りにはできないでしょう。あの方に嫁入りしようにも、だれが仲人を務めるのですか。」

春茂が言う。「いや、そうではない。君は古人の言葉を知らないのか。「女子の嫁するや、母これを命ず」と。太平な世でさえ、婚姻の礼はこの通りなのだ。ましてや今は戦乱の世の中で一家は離れ離れ、臨機応変でなければなるまい。礼儀にこだわって意固地になり、後悔することのないようにするのがよい。」

時碓は言う。「人が生涯を託す婚約をするのは、相手の熱心な望みがあるからです。妹の一生の苦楽はすべて一人に掛かっている。あの方は放蕩もので働きもせず、将来貧しく暮らすことになるのを、兄としてどうして心配しないでいられましょう。この点で賛成できません。」

春茂が言う。「ああ、何を言っているのだ。あの方ほどの立派な人物が、どうしていつまでも貧しい暮らしをするものか。あの方は今まだ雲を得た龍ではないが、隠居しているわけでもない。いずれは官職に就くだろう。あの方が結婚しようとすれば、誰が捨てておくものか。家の支えになるだろうあの男子を誰が捨てるものか。あの朱買臣《しゅばいしん》を軽んじた愚かな女の了見のように、あの方を軽んじてはならない。」

時碓が言う。「ちょうど家に帰るところですから、母がどういう考えか探ってみます。」

春茂がこれを止めて言う。

「はかりごとには万全を期して当たろう。軽々しく行動しないのがよい。あの方は鬱々としているけれども、きっと考えがあるはずだ。」

【11】翌日、二人が一緒に憑虚子のもとへ行くと、憑虚子の病はいよいよ重くなり、二人をじっと見つめるばかりで、口もきかず、眼には涙が満ちていた。春茂はかわいそうに思って、手をとって助け起こして言う。

「人は木石ではないので、心を動かされずにはいられません。私は覚悟を決めました。貴方さまには何か考えがあるのではありませんか。もし教えてくれるのなら、貴方さまの言うとおりにいたします。」

昨日の夕べの話を憑虚子に話すと、憑虚子は喜んで時碓に向き直って言う。

「君たちがこのように話してくれて、私は生き返ったようだ。君がもしこの話をもらしたならば、私はきっとあの世の人になってしまうだろう。」

時碓が言う。「どういうことですか。」

憑虚子が言う。「昔から計略をめぐらして、夫人を欺くということを達成したものはいないのだ。」

時碓が言う。「それならば、どうするおつもりですか。」

憑虚子が言う。「私は、司馬長卿《しばちょうけい》の故事にならおうと思っている。長卿が琴の音に託して卓文君を誘ったように、花月に寄せる思いを訴えようということだ。」

時碓はこれを聞いて顔色を変えた。

「壁に穴を穿《うが》ち、垣を踏み越えて、親の了解なく駆け落ちするようなことをすれば、父母のみならず国中の人々に蔑まれます。どうして不義を働くことを私が許せるでしょうか。」

憑虚子が言う。「ああ。君の言うことは間違っている。昔の教えに、『忠臣は二君に事《つか》えず、烈女は二夫を更《か》えず。』と言うが、しかし、始めは婚礼の作法に適わなかったとしても、最後までその夫ひとりに貞節を守れば、それは称賛されるべきものとなり、貞節でないと誰が言えようか。だから、昔の書物に『尺を枉げて尋を直くす。』というように、これも一つの道というものだ。」

【12】時碓が言う。

「商売をするでもない立派な方が、仲人も立てずに自分で配偶者を求める道理がありましょうか。花月は正しくおごそかな性格で、道理を曲げることのない凛とした娘です。そんなやり方で望みを叶えようとなさるのなら、目的を達せられないのみか、かえって騒ぎになることでしょう。」

憑虚子が笑って言う。「お二人とも、私のために彼女の人となりを話してみてくれ。そうすればうまくいくか、断られるか分かるだろう。」

春茂が言う。「顔かたちのしとやかさも、落ち着いた態度も、もう貴方は目にしたのでしょうから、これ以上言葉を費やす必要はないでしょう。梅英は深窓に生まれ、深窓に成長して、物静かで奥ゆかしいさまは士族の女子と変わりません。それだけでなく、詩詞にたくみで、音楽にも精通し、他の女性の中から探そうとしても得難いすばらしい女性です。」

憑虚子が言う。「梅英が奥ゆかしいと言っても、人には心があり、心には欲がある。それは彼女とて同じだ。年のころ十六といえば、人生の春に当たる。女性がもの思いをするのもこの頃のことだ。好男子の誘いがあれば、どうして気持ちが緩まないことがあろうか。まして詞にたくみな者であれば、必ず人の文才を慕い、音楽に優れた者であれば、人の心を推し量るもの。魏郎が雲華に、周生が芳卿にそうしたように、みなこの方法を使うものなのだ。」

【13】そこで憑虚子はよい詩を作って、梅英の気持ちを試すとともに、自分の文才を示そうとした。苦心して七言律詩をつくり、雲霞《うんか》模様の紙に松雪風の楷書で書いた。

寂寞深閨貯玉人　　寂しく深窓に育てられた玉のように美しい人

不知虚負幾年春　虚しく幾年の春を過ごしてきたことか
新粧滿眼頻看鏡　新しく化粧をして頻りに鏡の自分を見つめても
好事關心懶來痕　どこへ嫁ぐのかは気にはかかり、きっと物思いをして涙の痕ができるばかり
蜀肆何時親滌器　蜀の店で卓文君が器を洗うように、私たち二人がともに暮らすのはいつのことか
楚堂今日謾傷神　楚の懐王が巫山の神女に出逢ったように、あなたに会いたくて、私は心を痛めている
若爲化得寒蟾影　もし貴女の為に寒月の月光になれるのなら
流照天涯弱水津　この世の果ての弱水の渡し場を照らし、二人を隔てる河を渡りましょう

書き終ると、憑虚子は春茂にこれを預けて言う。「よくよく言葉を尽くしておいた。ことの成否は、君たちにかかっているよ。」

時碓と春茂はこれを袖の中にしまって帰った。

この時、梅英は明るい灯火のもと机に向かって、朱墨をすっていた。杜牧《とぼく》の詩文に点を付けて、ひそかに感嘆して口ずさんでいた。「ああ、なんて素敵なお方なのかしら。」

二人は窓を開けて入って言う。「花月、考え事をしているようではないか。どうして杜牧の作をそんなに慕うのだろうか。我々のよく知るお方だが、この人もまた杜牧に変わらぬ方だ。その昔の杜牧を恋い慕うより、今の世の杜牧を観る方が勝っていよう。」

梅英が言う。「杜牧さまがどうして容易《たやす》く見つけられましょう。杜牧さまより以前に杜牧さまはなく、杜牧さまの後にも杜牧さまはいませんわ。ああ、杜牧さまは二人とないお方です。」

【14】春茂が言う。

「私が聞くところでは、才能は時代を選ばないというが、この言葉はどういう意味だろうか。私が思うに、英雄豪傑は世の中にいくらでも隠れているものだ。」

そう言って憑虚子の詩を出して、梅英に渡して言う。

「この方は今の時代の杜牧ではないだろうか。」

梅英は憑虚子の詩を読み終わると、わずかに嘲笑するように言う。

「杜牧さまが酔って楊州を過ぎるとき、女たちの投げ込んだ橘の香が車に満ち、洛陽では春風の中、ひと目見たさに女たちの美しい簾はことごとく捲き上げられたということです。このようなことは、求めても得ることは簡単ではありませんわ。どうして杜牧さまと比べることができましょうか。」

春茂が言う。「杜牧が通ったところは楊州だけではない。橘の香が車に満ちたと言われたのは、女がいたから橘は投げられたのだ。今湾岸に来て、こういう女がいなければ、英雄であっても武勇を示すことはできまい。もしこの方が楊州を通過したら、必ず洞庭湖の春色はすべて車上に移ること、間違いない。」

梅英が言う。「大げさですこと。私にはとても信じられませんわ。ただその言葉遣いはとても目新しく、筆勢は豪快で、関東一の男性であるとはいえるでしょう。」

【15】春茂が言う。「もしそうなら、詩をお返しすることだ。山の隈にいる虎を退治しようと車を降りた憑婦のように、この機会にその得意の筆を揮ってみてはどうだろうか。君が詩を見せなければ、花の姿を玉に刻み、人を驚かせ、鬼をも泣かせるような才の持ち主だという噂は、単なる風流人の間の噂話の種にすぎなくなってしまうことだろう。」

梅英が言う。「私の耳は淫らな音は聞き入れませんわ。私が受け取ったものは猥雑な音だけなのに、どうしてこれに返事をしなければなりませんの。」

春茂が言う。「詩に高尚な趣を込めることで、詩人は教化するものだ。どうして即興の試作をもって淫らなものだと決めつけるのか。」

梅英が言う。「詩は性情を詠うもの、淫蕩でなくしてこのようにできるものでしょうか。古来、このような類の方がこのような詩を作って、女性のひそかな思いを探り、終には愛を手にするというようなことは、絶えることなくあったのですよ。貴方はどうして、そんな計略を用いるような方にこだわっておられるのですか。今しばらく私の意見を受け入れて、二度と繰り返さないでくださいませ。」

梅英の憑虚子を拒否する言葉は大変慎み深く凛として秋霜のようにきびしかった。春茂はあえてひと言も言わずに、この場は退いたのだった。

【16】春茂と時碓の二人は翌朝、憑虚子を訪ね、失敗したことを告げて、その時の問答をこと細かく話して聞かせた。憑虚子はますます梅英の行動を気高いものに思い、その節操に感服して言う。

「これを染めようとして、色をつけることができようか。これを研ごうとして、削ることができようか。とても私の想いは叶いそうもない。ああ、私は死んでしまうだろう。天命は力を失った。君たちが私を生かそうとしてくれるのなら、各々策を述べてくれ。私が取捨しよう。」

春茂が時碓に言う。「君には何か策があるか。」

時碓が言う。「もう失敗しているのですよ。今さらどんな策があるというのですか。」

春茂が言う。「お前にないのなら、私に一策がある。明後日は、ちょうど三月三日です。以前耳にしたのだが、母上は隣の奥方と、花見に出かける計画を立てていて、夜は同い年の人の集いに出かけるようです。きっと夜中までかかって、お酒を飲んで帰ってくるでしょう。しかし、花月はお嬢様ですから、ひとりだけ家に残るというのです。そこで私が一計を用いて、家の後の庭園に花月を連れて行きますから、貴方さまは機会をうかがって、だしぬけに花月に会うのがよいでしょう。もし成就すればおおもうけ、もし失敗したら逃げれば、何の妨げもありません。」

憑虚子が言う。「なるほど最後の機会ということか。必ず成功するとは限らないけれど、因縁があってもう一度顔を合わせたなら、きっと助けになるだろう。」

互いに堅く約束して、二人を送り出した。

【17】憑虚子は一方では信じ一方では疑い、横になったり起き上がったり、しばしば日がどれほど傾いたかを見て、今か今かと夜になるのを待ち望んだ。一日が過ぎるのが三年を過ごすような気持ちだった。その日、よい時分になったところで梅英の家へ行くと、果たして二人は門の前にいて、憑虚子を待っていた。憑虚子が来たのを見つけると、花の叢の中に隠れさせ、家に入って梅英に嘘をついて言う。

「今夜は月の光が微《かす》かで、花は大いに茂り、庭の景色が本当に素晴らしい。三人で一緒に散歩をすれば、この心地よい日にふさわしいことをしたと満足できるだろう。」

梅英が言う。「ちょうど裁縫にも飽きて、この美しい春を愛でようと思っていたところでした。今お二人とご一緒できますことは、まさに我が意を得たりというところですわ。どうして楽しまないことがありましょうか。」

梅英は豊かな髪を櫛けずって簪《かんざし》で整え、翡翠《ひすい》の羽に金糸の衣を着て、表着は天竺の細かな文様の衫、その下には紅色の襦袢《じゅばん》、川蜀錦の裙《くん》を着ていた。その美しい容姿と衣裳はこの世の人とは思えないほどであった。たおやかに歩をすすめて埃《ほこり》も立てず、袖裾《そですそ》をさばけば、またとない香りは遠く憑虚子のところにまで届くほど。憑虚子は魂が雲の彼方に飛び、心は上の空で、何度か叫びながら梅英のもとに行こうと思ったが、その都度なんとか思いとどまった。

【18】こうして周りには誰もおらず、全てのものがしんと静まりかえった庭を、梅英は花や柳を愛でながら、だんだんと庭の奥に進んで行った。赤い唇から美しい白い歯がのぞき、玉のような清らかな笑い声が響いた。この情景は奥ゆかしい趣で満ちていた。

春茂はしばらくの間ためらっていたが、梅英に言った。「偶然にもこのようなよい夜を過ごせて、本当にすばらしいことだ。それぞれ詩を詠んでこの風流な遊びを記し留めようではないか。」

こう言ってまず自分が詠んだ。

密葉微風起　　茂った葉に微《かす》かな風が吹き

時碓がこれに続ける。

疎枝杜宇啼　　疎《まば》らな枝にほととぎすが啼く

梅英がそれに続ける。

含情愁獨立　　もの思いをし愁いて独りで立っている

憑虚子が進み出て吟ずる。

花月使人愁　　花月がわたしを愁いにさそう

梅英はこの声を聞き驚き怪しんで、ためらい逃げようとしたが、とうとう憑虚子につかまってしまった。春茂と時碓を捜したが、すでに二人の姿はなかった。梅英は自分がだまされたということに気がついて、恨み怒り、憑虚子を横目に睨《にら》みながら、声を低くして責め立てた。

「この狂人、狂人。どうして貴方はこんなことを。」

憑虚子が言う。「私ははじめから狂っていたのではありません、貴方が私を狂わせたのです。」

【19】梅英は怒って言う。

「あなたの服装を見るに、儒者のようではありませんか。わたしの聞いたところによれば、儒者の道は、礼に適わなければ視ることも動くこともしないといいます。暗い夜に垣根を踏みこえて女子に会うのは、これは礼に適っているでしょうか。礼によって自分を律することができないどころか、わたくしまで非礼に巻き込むとは。儒者の道は、このようなものなのですか。ああ、なんと悲しむべきこと。この世に士として生まれ、大きな志を抱きながら、いっときの欲望に勝てずに、大切な人生を損なうとは。わたくしは賤しい身で、もともと惜しむには足らない女ゆえ、貴方様が不義に陥ることこそが惜しまれます。どうかお帰りになり、良いお方をお見つけなさいませ。立派なお方なのですから、女性を選びとることもできないことがありましょうか。」

憑虚子は袂を挙げて立ち、恨めしげな様子で言う。

「貴方に言われなくても、分からないわけはありません。貴方も私の容姿を見て、昔のままでいられるでしょうか。貴方に出会いお話もできずにいたときから、貴方を思いながら、会えないことを思い悩んで久しく経ちました。眼はあなたを探して枯れるほど、腸は愁いのあまり断たれるほどでした。千年に一度黄河が澄むのを待つためには、人の寿命はいくらあればよいのでしょうか。恋のために死んでしまいそうなのに、どうして礼義にかかずらわっている暇がありましょうか。貴方はどうか私を憐れに思って、心にかけ、私を愛して、この夕べを無駄にしないでください。」

梅英は憑虚子から逃れられないことを悟って、花の下に座り、美しい手で涙を払って言う。

「この身は女と生まれて、家の門から外へ出ることもありませんでしたのに、このように道に外れたことになってしまいました。肘をつかまれて逃げ去ることもできず、私の節操はもう破られて、礼節も失われてしまいました。このようなやり方で私を末永く妻になさろうとするのは、桑畑の男女の密会のようなもの、まったく結婚の礼に外れています。このようなことで百年の長き契りになるでしょうか。どうか私のはかない身を憐れんで誓いを立ててくださいませ。」

憑虚子は大いに喜んで言う。「よいでしょう、よいでしょう。お嬢さんの言うとおりにいたします。」

さらに、誓いを立てて言う。「生きてはともに老い、死んでは同じ墓に入りましょう。この誓いを破ることはありません。」

【20】梅英ははじめて美しい瞳を向けて、ひそかに色めいたまなざしを送った。そのかすかに紅に匂う瞼は桃の花が春の河に映るようで、端正な淡い眉は、美しい霞が秋の月をとり囲むようであった。穏やかで光輝くような美しさは、かの楊貴妃も退き、趙飛燕《ちょうひえん》も妬むほどである。高名な画家の龍眠《りゅうみん》に思うがまま筆をふるわせたとしてもその美しさを描くことは叶わないだろう。ましてや文字をもって表現することは、一万分の一も表し得ないだろう。二人はいよいよ笑みを浮かべられて、ようやく佳境に至り、乳を撫でて脚を絡ませては、慕う心を思う存分に語らい、接吻し舌を含んで、抱擁しあうさまは、蘭が恥じらい、柳が愛らしく花心を開くようであった。蜂が蜜を貪り、蝶が花に恋するように、二人はむつみあった。こうしたときの喜びは推し量られるだろう。一夜の楽しみもたけなわになったころ、夜はすでに五更を過ぎようとしていた。梅英は急いで起きると居住まいを正して、ひとつ大きくため息をついて言った。

「わたくしは賤しい身分でありますけれども、深窓に育てられて、常に汝墳のような貞操を慕い、そのかされて淫行にはしった河間のような女を憎んでおります。今この身を慎むことができず、心は死地に向かう思いです。噂がひとたび近隣に広まりますと、顔をあげて話をするにも、どうしたらいいのか分かりません。鏡に顔を映して見ても、どんな気持ちでいればいいのでしょうか。落ち着いて考えますと、ただ恥じ入るばかりです。」

憑虚子が言う。「壊れた甑《こしき》を元に戻すことは困難です。一度染めた糸は、白にもどすことはできません。過ぎてしまったことを言葉にして何の利益がありましょうか。後悔して何になるでしょうか。今や私たちがすべきことは、ただ互いに愛することだけです。」

梅英が言う。「それがどうして過ちを覆い隠す道になりましょうか。ただ行くべき道を失うだけです。人の心は人を愛してしまえば、会いたいと思い、会いたいと思えば、そのための煩わしさを憚らず、煩わしさを憚らなければ、人にすぐに知られてしまいます。人にすぐに知られてしまえば、貴方さまはどうするおつもりですか。詩にも、『人の言葉の多いことこそ、畏れるべきものだ』というのは、まさにこのことでしょう。」

憑虚子が言う。「そのような人の噂は気にするには及ばない。たとえ誰かが噂しようとも自分を見失わないようにしっかりしていなさい。」

【21】梅英は恨めしそうに言う。「言葉はどうして至らないのでしょう。すでに貴方の行いがこのようなものなのですから、貴方の仰ることもまた、同じなのではないかと、それが私は心配なのです。」

憑虚子が言う。「さっきの言葉は冗談を言っただけですよ。貴方が心配しなくてすむように、いつも気を配ることにしましょう。」

梅英が言う。「もしそのように心の底から約束してくだされば、わたくしは固く貞節を守り、誓って他家には嫁ぎませんわ。」

東の空がだんだん明るくなると、憑虚子は帰り際にまた梅英の手をとり、なかなか離すことができずに言う。「次にいつまた会えるか分かりません。」

梅英が言う。「この思いの深いことは、貴方とわたくしと異なるところはありません。少しの隙を見つけては、お会いすることにいたしましょう。」

すこし怒った様子で別れた。梅英はその家に隠れていて、鋭く春茂を責め立てた。

「貴方がたご贔屓《ひいき》の方の術中に、わたくしを売り飛ばす恥知らず、こんなことに誰が堪えられるでしょう。わたくしの身は賤しく、惜しむには足りなくとも、祖先に対して恥ずかしく、もの思いするだけではすみません。誰かこのことを知ってしまう人があれば、貴方たちをどんな人間だと言うでしょう。」

【22】春茂が言う。「どうして分かってくれないのだ。私とてよくよく考えてのことなのだ。花月も歳を重ねてきたし、世の中は騒然としてあわただしく、戦乱の影響は防ぎがたいこの時勢では、もはや身を安全に保つこともできないのが一つ。あの方は俊才だけれども、花月を想って患ってしまい、命が旦夕にせまり、あの方を救うにはこうするしかなかったのが二つ。母上は物事の心得があるけれども、女性は疑りぶかくて、大事を判断するには難があるため、告げない方がよいというのが三つ。それでも花園での出来事を止めるべきだっただろうか。もし事がうまくいけば、家に居ながら婿を選んで、自分で迎えることができる、これ以上のどんな幸せがあるというのだろう。あるいは異国にさすらって、事態が大いに行き違ってしまったら、悔やんでも悔やみきれまい。ましてやあの方は平凡なお方ではない。将来、志を立てて、ひとたび華々しく出世すれば、花月はあの方に逢わせた私の功績をたたえることになるだろう。」

　梅英が言う。「もうこうなってしまっては、どうにもなりませんわ。わたくしが身を落として一族を滅ぼすのもお兄さまのせい、賤しきを貴きに変えるのもお兄さまのせいなのだわ。」

【23】こうして、梅英は家の人に知られぬよう、春茂が家の外に取り次ぎをして、憑虚子と逢引きすることが重なり、互いに慈しみあうようになったが、人に知られることを恐れて、思うがままに愛し合うことはできず、ただ冗談を交わすばかりのこともあった。こうしてわずか半月ほどが過ぎた頃である。良いことは遠ざかり、二人の逢引きは阻まれやすく、人の心はものごとの移り変わりに伴って変化し、天は二人の仲を厭い鬼神は妬んだ。梅英の父は山城より国王に従って出立し、通訳官として瀋陽に同行することになった。そこで、急ぎ隆中に召使いを送りすぐに帰るように促した。梅英はこの手紙を読むと、涙が雨のように流れ、

悲しまずにはいられなかった。

梅英の母が言った。「この知らせは大変吉報ですのに、あなたはどうしてそんなに泣いているの。」

梅英が言う。「父上と母上が離ればなれになって、このように東西に逃れていますのに、誰がそれぞれ万死の地を抜けて、はかない命を一緒に全うすることができる日が来ようと思ったでしょうか。感激せずにはおられませんわ。自然にこのように涙がこぼれるのです。」

母親もこれを聞いて、思わず涙をほろほろと流した。本当は、梅英の涙は感動の為に流れたものではなかったにも関わらず、まったく臨機応変で言葉巧みに対処したのだった。

【24】梅英はこの夜、母親が眠るのを待って、物音を立てずこっそりと家を抜けだし、別れを告げようとした。梅英は憑虚子の手をとって、涙をこらえて言った。

「まだ愛情も交わしつくさないうちに、このように遠く別れてしまうこととなりました。これまでの楽しかったことを思い返して、思い出にしようと思います。こんなことになってしまって、涙を流さずにはおられません。遠く天地の果てに隔たってしまうと、ましてわたくしのような女子供の心に、この悲しみは堪えられましょうか。花も葉も残らず落ちてもう初秋になりますが、剣が鞘《さや》に還り、割れた鏡が合わさるように、どうしてもう一度お会いできるでしょうか。」

むせび泣いて見つめあうばかりで、ほとんど言葉にならなかった。憑虚子は手を引いて涙を拭い、慰めて言う。「万物に伸び縮があり、満ち欠けがあるのは天道の常理です。吉凶や禍いがあるのも、人間には変えることは困難です。ただあなたに望むことは、大切なお体を大事にして、最後は睦まじい夫婦となれたら、それが何よりの幸せです。どうかこのことを覚えていてください。」

梅英が言う。「今日お別れしますと、この先消息も知れなくなるでしょう。不死の薬を盗んで月の世界に昇った嫦娥《じょうが》が後悔し、寂しい晩年を迎えた女の恨みが尽きることのないように、私の心は石のようではありませんから、どうして平気でいられましょう。どうか貴方さまには、夜の明けないうちから、時間を大切に使って、身を立ててくださいませ。そうしてくださったら、わたしは死んでも本望ですわ。」

【25】梅英は筆をとって、四韻の詩を書いた。

月明人散水空流　月明りに人はまばら、水はひっそりと流れています
此地従今罷夜遊　ここではもうあなたと夜こっそり会うこともない
郎眼正寒關樹外　あなたの眼は大関嶺の向こうにそそがれ凍えることでしょう
妾魂應逐海雲浮　わたくしの魂は海雲を追って彷徨《さまよ》うでしょう
殘宵一刻千金値　今宵は一刻が千金の値
別酌三巡萬斛愁　別れの盃は三度めぐっても愁いの尽きることはありません
爲報尋春須趁早　お伝えします。どうか出来る限り早く身を立ててください
莫教辭説謾交鉤　風流な詩句ばかり弄ぶようなことはなさらないで

憑虚子は口ずさんで三度歎き、これに和した。

我自傷心涙自流　私は悲しみのあまり自然と涙が流れてやまない

重遊何日得重遊　いつ再びあなたに会える日が来るのだろうか
人間離合誰能主　人の世の離合は誰が思い通りにできようか
身世乾坤始覺浮　この身は天地の間を浮遊し翻弄されていることをはじめて知った
驛路殘梅経夜落　駅路の梅の花は夜のうちに散り落ちるだろう
渭城官柳帯煙愁　渭城《いじょう》の役所の柳はかすみの中に愁いに沈むだろう
遙知別後相思處　深く悟る。こうして別れて後にあなたを思う時
回首關山月一鉤　振り返れば大関嶺には三日月が浮かんでいることだろう

梅英はこれを開いて読もうとしたが、涙がこぼれて字をにじませ、読み通すことができなかった。とうとう玉の指輪一双を抜いて、憑虚子に贈って言う。「物事は遷りゆき、濁った黄河でも必ず清《す》むときが来ます。これはまた会うまでの証になさってください。」

憑虚子もまた、斑竹《はんちく》の扇一柄を梅英に贈って言う。「風がまた熱くなるときには、これを使って、そのご苦労をいささかでも癒してください。」

二人ともそれぞれ詩と指輪と扇とを懐にしまい、黙ったまま向かい合って、話すこともなく、心神喪失したような様子で、死別よりも痛ましい有様だった。それぞれは路を登って帰って行った。

翌朝、憑虚子は小高い所で、梅英の旅立ちを見送った。梅英もまた、一歩に一度振り返り、思いを断ち切り難い様子であったが、お供をする従僕はその気持ちを察することもなく、馬に鞭を当てて急がせ、すこしも止まることはなかった。山川をめぐると、たちまち一行の姿は見えなくなった。憑虚子は泣き叫んで家に帰ってからというもの、何を見ても、何を聞いても心ここにあらずという有様で、梅英の面影が幻のように

蘇えると、狂ったようにその名を叫び、ひとり座り込んでは談笑し、伏せっては正気を失った人のように、気を病むことが長きにわたり、遂には起き上がることができなくなってしまった。

【26】府中に一人の妓女がいて、名を映《ヨン》山《サ》紅《ノン》と言った。年はまだ十六にもならなかったが、その優れた才覚や容姿のすばらしさは関東に並ぶものがないと響きわたっていた。もともと憑虚子の名声を慕っており、彼の病が重くなった時、居所を尋ねて訪問し、風雨をものともせず、ずっと病床に付き添い、たいそう親切に世話をして、十日ばかりが過ぎた。憑虚子は彼女の誠実さに感じ入って、感謝の気持ちを丁寧に伝えた。紅は憑虚子の掌を撫で、大笑いして言った。

「どこのどなたが貴方さまを風流の客などとお呼びなのでしょうね。花柳の界隈をあちこちと往き來して、もうずいぶん経っているでしょうに、まだ女人の情けについて心得もないのですか。梅英は深閨の処女を自認して、貞静を守っていたとはいっても、一たび貴方さまのような方に遇ってしまえば、忽《たちま》ち其の身を許してしまいました。ここから推測してみれば、もうその人となりはすっかり知れたものです。貴方さまとお別れしたとはいっても、貴方さまのような者が他にいないものでしょうか。そして、新しくかわいがってくれる殿方が、貴方さまよりもかえって優れている方かもしれないということを、どうしてお知りになれるでしょうか。貴方さまには知る術《すべ》はないのですよ。それなのに、貴方さまだけがただ一人、すすんで未練をお抱えになって、このようにくよくよしておられるのですか。貴方さまはまさに生きては世の中の笑い者になって、きっと死んでは愚かな幽霊となることでしょうね。どうかそのようなことはなさらないで。たとえ梅英お嬢さんが死んでも貞節を守って、貴方さまを待っていたとしても、貴方さまが生きていてこそ、それを知ることができるのだということは、小さな子供でも知っていることですよ。どうして貴方さまはこういうことがお分かりにならないのでしょうか。わたしは、今はじめて人の評判と実態とはそぐなわないということを知りましたよ。まったくどなたが貴方さまを風流の客などど評判するのかしら。ほんとうに貴方さまは恥じ入るべきですわ。」

憑虚子はふいにはっきりと合点がいって、初めて夢から醒め、酔いからすっきりと覚めたように思った。

「ほんとうに紅お嬢さんの言うとおり、至論を慎んで承り、気持ちをおだやかに抑えるようにしよう。こんな金言を聞かなかったならば、きっと泉下の人となっていたことだろう。」

こうして紅と一緒に詩を吟じ、酒を酌み交わして憂さを晴らし、琴を弾き歌をうたって娯しんでいると、それにしたがって気持ちも変化し、もの思いもやや弛《ゆる》んできた。一日二日もすると、憑虚子の病は快復し、嬉々として談話し、紅とともに娯しく過ごした。

【27】ところで、梅英は桃李の花咲く春の月を眺めてはもの思いに沈み、梧桐を打つ秋の雨を見ては腸《はらわた》を断たれるような悲しみに暮れていた。憑虚子への愁怨はつのり、すっかり憔悴《しょうすい》して、寝ることも食べることもできなくなり、起き上がるにも人の手助けを要するようになって年を越した。両親は大変心配し痛ましく思ったが、その病の原因が分からず、医者を招いて処方を請うても、どんな薬も効果がなく、神仏に祈りを捧げてみても、いっこうに効き目がなかった。

梅英の父は妻と相談して言った。

「梅英が病気になったまま結婚せずに死んでしまったら、跡継ぎをどうしたらよいだろうか。もし誰か良い若者を選び、婿に迎えて婚礼を挙げることができれば、朝に結婚して、夜に死んでしまうようなことになっても、婿と後妻との子が生まれるか、または親族の子を養子にすれば、なんとか祭祀を絶やさずにすみ、先祖の魂が餓えることもないだろう。すぐにいろいろ準備をして、間に合わないことのないようにしよう。」

一家はみなこれを承諾したが、ひとり時碓だけが堅く賛成しなかったのは、梅英の病が憑虚子を思うが故であると知っていたからである。けれども、梅英の父は、時碓は財産を独りじめにしようと思って異論を唱えているのだと、賛成しないのを叱りつけて、とうとう婚姻に良い日取りを決めようとしていた。梅英はこのことを聞くと、少しの水も喉を通らなくなり、にわかに重症になった。両親は梅英をかこんで座り、もはやこれまでと、お別れを述べようとして、それぞれ左右の手を執って、涙を流して言う。

「われわれ夫婦は運命がつたなく、おまえたち兄妹を得るのが遅かったけれども、心に愛しく大事に思っていることは、龍が掌中の珠を大切にすることにも劣らない。ただ立派に成長し、わが一族が栄えることを願ったけれども、二年も病床にあり、一向に病気が治らないとは、なんと不幸なことだろう。若くして亡くなるのは、年老いた両親を不幸にすることだと思ってはくれないのか。もし胸の内に隠していることがあるのならば、いま明らかにして話しなさい。」

【28】梅英は嗚咽して涙を流し、喉をしぼるようにしてやっと言葉を継いだ。

「人の子に生まれながら、とうとう親孝行をすることもできず、かえって父上と母上に病の御心労をおかけして、ついには失明するような激しい悲しみに惑わせてしまう、この罪は天に通じております。この上何を言い残しましょう。わたくしが死んでしまった後には、どうかこれ以上の御恩をおかけにならないでください。わたくしは娘の身ですから、悲しみすぎることのないようになさってくだされば、幸いです。どうかくれぐれもご達者で。」

そして、枕元の小箱を指して、「わたくしの心の内は、すべてここに記しおきましたので、もうこれ以上申し上げることはございません。」と言った。

最後に長くため息をはくと、たちまち亡くなってしまった。すぐに小箱を開けて見ると、憑虚子と唱和した詩詞や文章、斑竹の扇などが入っていた。さらに一封の長書があり、開いて読むと、梅英が遺した別れの言葉であった。両親はそこで初めて、梅英の心が憑虚子にあり、結ばれない恨みを抱いて亡くなったことを知った。二人は梅英の亡骸《なきがら》を撫で、大声を上げて嘆き泣いた。

「ああ、おまえ、こんな思いがあったのならば、どうして早くに言ってくれなかったのか。おまえが死んでしまってから知って、どうしようというのか。」

両親は悲しみのあまり意識を失い、意識を取り戻してはまた意識を失うという有様で、このことを聞いて悼み悲しまない者はいなかった。梅英の亡骸は丁寧に棺に納められ、都城の西に葬られた。

時碓は事情を知っていながら話さなかったので、両親から数カ月もの間許されなかった。梅英の父は身分こそ中人であったが、生まれつき厳格な人で、身を律するに礼をもってするという人であったから、父と子の間柄であっても、法家のように厳正であった。時碓もこれを理解していたので、最期まで話さなかったのである。梅英もまた同じように、死に臨んでも打ち明けなかった。己卯《きぼう》の年（一六三九）、春三月のことであった。

【29】この年の九月、憑虚子は郷挙で立派な成績をおさめ、ついに国王臨席の殿試に赴くことになった。実はこれは梅英のためにしたことで、名声栄達を求めるためではなかった。都に到着した翌日、さっそく市井の老いた召使いを呼んで、朴時碓の家を探し訪問させた。朴家では憑虚子が来たと聞くと、泣き叫ぶ声は梅英の葬儀のときと変わらなかった。

梅英の父が言う。「死人の志に添ってやろう。」

父は時確を遣わして、憑虚子を訪ねさせ手紙を渡した。憑虚子は時確が来たのを見ると笑って迎えた。「君たちは恙なく変わらずにいたか。」

時確は左手に梅英の書を差出して、右手で憑虚子の袂を握り、泣きながら答えた。「花月は黄泉の人となってしまいました。」

憑虚子は驚きのあまり立っていられず、昏倒した。左右から助け起こされて、しばらくして気持ちが治まってきた。

【30】その書は次のようである。

薄命の妾、梅英が謹んで斎浴百拝《さいよくひゃくはい》して、憑虚殿に書を奉ります

伏して思いますに、天地が初めて分かれ、陰陽が開闔《かいこう》し、二姓が合わさり、夫唱婦随となりましたのは、理の当然であり、そうでないものはありません。私はもともとか弱い性質で、深窓に育てられて、恋愛の感情をもつことも難しく、鏡を覆って自ら若さを惜しみ、一年の月日がむなしく過ぎ去るにつけて、物のあわれを感じてきました。しばらく前、蝶が思いを伝え、鶴に道案内をされて、花園で約束を交わしました。あえて自分を桃李になぞらえて、貴方と月下に契りましたが、ふしだらな徳のないことでした。とはいえ、わたしたちの誠意は懇ろで、固い誓いは清らかな玉のように響き、老いるまで添い遂げたいと誓っておりましたのに、どうして出会ってすぐに永久のお別れをすることになったのでしょう。年月の過ぎ去ることの容易さを嘆きながら、芳草は一年二年と衰え、土くれの山に登り、貴方のい

る遠くを眺めれば、白雲が十里にも万里にも広がっているばかりです。冬の寒い夜、水時計の水滴の音を聞けば、涙がこぼれ、遠くの砧《きぬた》の音を聞けば、旅先の心は砕けてしまいます。腸は断たれ、眼は穿《うが》たれ、愁いの眉は八の字の形になり、姿はやつれ体は弱まり、腰はひとまわりも細くなってしまいました。独り寝の枕もとで、夢の中では胡蝶になって、翼を捨てることなく貴方に逢いにゆけます。人気のない山では時鳥《ほととぎす》の鳴き声もひたすら苦しげで、魂も飛び去ります。私に残された時間はあと僅かである上、両親は私の気持ちを分かってくれず、勝手に将来を決めてこの誓いを奪い、嫁にやろうとしています。もう一度会うことを約束したその方は、誰だったでしょうか、それは貴方なのです。私が沈みゆく夕陽に誓いを立てたのは、貴方をおいて他にありません。わたしはあとどれほど生きられるというのでしょう。私の身はすでに秋の葉よりも軽く、死んで終わるだけです。命はすでに春の水の豊かさからは遠ざかり、貴方が私を想っていてくださるのかどうかも知りません。天はなんと茫々《ぼうぼう》として、地はなんと漠々《ばくばく》としているのでしょう。はるか遠くの雲や山は微《かす》かで見ることも難しく、黄泉路《よみじ》は暗く果てもわかりません。ここに書き尽くすことができませんが、わたくしの心はこれで全てです。紙に向かって涙し、緘《かん》をするにあたって悲しむばかりです。

　某月某日、朴梅英申す。

【31】憑虚子は入念に弔いの準備をして墓に行き、拝哭《はいこく》した。その文章は次の通りである。

　某年某月日、情人某、謹んで清酌《せいしゃく》と庶羞《しょしゅう》をもって花月の霊に捧ぐ

貴女は幼くして聡明、長じて慎み深く、花の精のように美しく、手はなまめかしく、振舞いは上品で

軽やかでした。詩文を書くと、かの蘇氏が兄と敬うほどであり、楽の妙なる調べは、かの賈女も叶いませんでした。天上界から流された仙女のような梅英、私は貴女を友として情愛を交わし、麗しい誓いを結びました。室内の夜は静かに過ぎ、柳の茂る庭は晴れ晴れとしていました。酒を酌めば、数酌にして闌《たけなわ》となり、幾編もの詩ができました。香《かぐわ》しい夢から目覚めさせるのは、憎らしい夜明けの鶯でした。心をこめて約束したものです。いつまでも夜を共にすることを。それなのにどうして知ることができたでしょう。突然鴛鴦が驚いて飛び立ち、私は東海に留まり、貴女は西京に帰ることとなろうとは。手紙の便りは断たれ、書信を交わすことができなくなりました。どれほど思い悩み、愁い嘆いて虚しい日々を過ごしたことでしょう。いつか再び鸞笙《らんしょう》を和するときが来るのを願っていたのに、不幸にして、春の終わりを告げる鶗鴂《ていけい》が鳴き、貴女の玉のかんばせは、幽明の境を隔ててしまいました。雲は歓びとともに消え、雨は恩愛とともに止んでしまいました。今や衣裳は変色し、環佩《かんぱい》は音を立てることもありません。人が亡くなって、残された物すら疑わしく感じられて、涙がとめどなくこぼれるのです。貴女は私のために死んだのに、私はどうして一人で生きられるでしょうか。天は高く地は厚く、私のまごころを訴えることもできません。願わくは、貴女の墓に私の思いが届かんことを。漢水は豊かに流れ、南山は高くそびえていますが、その山が崩れ河が渇れたとしても、私の恨みは晴れません。ああ。花月、どうか私のもとへやってきて、この盃をうけてください。尚饗。

祀りを終わると、手で門を叩き哭礼して言った。

「あなたをいつも想っていたことは、世間の普通の人の比ではなかったのですよ。すでに死んでしまったとはいえ、応えることはできるはずです。どうかもう一度会って、積もり積もった思いを晴らしてください。」

【32】この夜、憑虚子は旅館に泊まった。春茂と時碓と三人で座り、話は梅英のことに及んで、みな涙を流した。話は尽きなかったが、夜がすっかり更けたので、二人は帰って行った。憑虚子が枕にもたれて休もうとすると、突然清らかな香りが漂い、遠くから近づいてきた。不思議に思って振り返り見まわしてみると、果たして梅英が風に乗ってやって来たのだった。これまで会えずにいた二人の思いをどうして止められよう。二人は手を握り腰を抱いて、わっと泣きさけんだ。梅英がこれを止めて言う。

「人と生まれて生き死ぬことは、日々の明け暮れと同じことです。誰も免れることはできず、過ぎたことは仕方がありません。ただ恨めしいことは、貴方さまに連れ添わずに、死別してしまったことです。今貴方さまがこんなにも悲しんでくださるので、眠りにつこうと思ってもそれができないのです。」

そして、出会った初めのこと、未だ情愛を尽くしきれないうちに別れ、その後病に倒れたことなどを話した。涙は言葉とともにあふれて、悲しみに耐えられなかった。

憑虚子もまた、涙をぬぐうと言う。

「海辺の街で別れてから三年が経ちました。万事がぼんやりとして、ただあなたのことだけを思っていました。そうでなければ、千里の難関を越えて、科挙に応じようなどと誰が思ったでしょうか。あなたの手を握るのを想うだけでさえ、私の歓びは何よりも大きかったのです。あなたが仙女になって大海原を渡り、私の呼ぶ声に応えることがなくなろうとは思いませんでした。私はとても堪えられません。私たちはふだん逢瀬が困難でしたから、私はひたすらあなたに逢うことしか思いませんでした。もう死んでしまうと感じたものです。貴方が厚意を忘れずに誓いを果たしてくれると思っていました。」

【33】梅英が言う。

「わたくしの死について、冥土の役人は罪はないとし、また私の貞操を称賛して、大変よくしてくれました。それで半夜の暇を頂いたのです。そうでなければ、どうしてこの世に来られましょう。貴方さまにぜひお願いいたします。私が死んだからと言って、思慮を忘れないでくださいませ。どうか健康に留意してお暮らしください。東方に美人は多くおります。貴方さまが誠を通せば、その素晴らしさが認められる日が必ず来るでしょう。わたくしは命儚く早世して、貴方さまと富貴をともにできず、先に死んで煩わせることとなりました。この長い長い恨みが尽きることがありましょうか。いつの日か貴方さまが出世をして、わたくしのことを覚えていてくださったら、どうか塚にはわたくしの石碑も建ててください。遠い後の世まで、「これは某官某の妾の墓」と呼ばせてくだされば、私の願いは果たされます。どうぞお元気で。」

梅英はそう言うと、さびしそうに涙を流して、たちまち逝ってしまった。淡い月の光が簾に差し込み、冷たい風が顔を撫でた。

【34】憑虚子は梅英を弔って言う。

不能料死但料生　　人は死を選ぶことはできず、ただ生を選ぶ
我忍獨存尋夙約　　わたしは一人取り残されたことを忍んであなたとの約束を果たそう
君何先逝罷芳盟　　あなたはどうして先に逝き、うるわしい誓いを手放してしまったのか
花残夜雨杳無迹　　花は落ちて、夜の雨に一片の跡もない
露滴春風涙有聲　　露は春風にこぼれて涙には声がまじる

如到九原應一見　　もしあの世に到ったならば一目会って
定將歸去道深情　　必ずあなたと連れ添って深い思いを伝えよう

この後、梅英の魂は遂にいなくなった。ああ、なんと悲しいことか。その後、憑虚子は突然梅英と山堂で遇い、何日も一緒に夜を過ごし、つぶさに想いを述べ、その不思議なことを記した。ここにその概略を挙げたが、その後二人は会うことはなく永遠の別れとなった。ああ、なんと悲しいことか。

原文・書き下し・語釈

【原文1】

同里有寓客、不知何許人也、亦不知其姓字、又不知其名號也云。或謂號曰、憑虚子。生肌膚瑩然、眉目如畫、特好詩酒、不慕名利、騷壇則推爲上將、酒壘則必作先鋒者矣、盖有年矣。

崇禎乙亥年、國家有慶、大設別科、環東土數千里、莫不鼓舞爭赴。生獨風前月下、浪吟飛觴而已。有一友人、勸之就試、生不悅曰、「故人知故人、故人不知故人、何也。」友人曰、「子少而學之、壯而欲行。聖主如張網羅才、則匣裡磨刀、今日可試也。玉堂金馬、掌中之物也。＊致君澤民、分内事也。奈何以棟梁之大才、空與草木而同腐乎。」

〈校異〉＊致君澤民…底本「致君擇民」。

【書き下し1】

同里に寓客有りて、何許《いずく》の人なるやを知らず、亦たその姓と字とを知らず、又たその名と号とを知らずと云う。或ひと謂いて号《なづ》けて曰く、憑虚子と。生、肌膚瑩然《きふえいぜん》として眉目画きたるがごとし、特に詩酒を好み、名利を慕わず、騒壇にあれば則ち推されて上将と為り、酒塁にあれば則ち必ず先鋒を作すこと、蓋《けだ》し有年たり。

崇禎乙亥《すうていおつがい》の年、国家に慶有りて、大いに別科を設け、東土数千里を環して、鼓舞して争い赴かざる莫し。生のみ独り風前月下に、浪吟飛觴《ひしょう》するのみ。一友人有りて、之に就試を勧むるに、生悦ばずして曰く、「故人は故人を知るに、故人の故人を知らざるは、何ぞや。」と。友人曰く、「子少《わか》くして学び、壮にして行わんと欲す。聖主網を張り才を羅すがごとければ、則ち匣裡《こうり》の磨刀を、今日試すべし。玉堂金馬、掌中の物ならん。

致君沢民《ちくんたくみん》は、分内の事なり。奈何《いかん》ぞ棟梁の大才を以て、空しく草木と与に同じく腐らんや。」と。

【語釈1】○同里　作者の住んでいる同じ里。○瑩然　玉の光の鮮やかなこと。あきらか。○騒壇　芸文界をいう。○上将　主将。統帥。○崇禎乙亥年　仁祖十四年。一六三五年。中国では明末にあたり、日本では寛永十二年にあたる。○大設別科　当該年十月二十一日、実際に、臨時の科挙である増広別試が行われた。「増広別試を設け、文科李爾松等四十人、武科鄭韺等五十人を取る。」（『朝鮮王朝実録』仁祖十四年十月戊戌《ぼじゅつ》（二十一日）条）○風前月下　良辰美景を指す。○飛觴　宴会でさかずきをやりとりする。盛んに酒をくみかわすこと。○就試　試験を受験し合格すること。○故人知故人、故人不知故人、何也　『後漢書』楊震伝に、「故人君を知る、君故人を知らざるは、何ぞや」とある。○子少而學之、壮而欲行　幼い頃から学んできたことをいよいよ実行しようとすること。『孟子』梁恵王篇「それ人幼くして学び、壮にしてこれを行わんと欲す」○玉堂金馬　玉堂は、弘文館。李氏朝鮮の王宮書庫で、金堂は別称。金馬は、李氏朝鮮の離宮である昌徳宮内にある、金馬門。王位継承者が読書する場として造成された空間の入り口にあたる。○致君澤民　国王を輔佐して民を幸福に導くこと。○分内　その人の本分。

【原文2】

生愀然不答、遂一絶曰、

名利虚心客　風流痼疾人
有吟酬歳月　無*夢耐楓宸

友人復曰、「嗟呼。十載螢*窓、究講五車、而恃紅顔之年、寵一樓之色、舍*一世之流芳、採一時之少歡。竊*恐秋風、碧蕙捐芳、則他日阮*籍之途、應洒楊朱之涙、重爲惜之。」生曰、「嗟夫。天地逆旅、光陰過客。人於其間、生也有涯、金丹誤矣、石火忙矣。百歳之後、非吾日月、則累累北邙、孰別賢愚之塚、溟溟九原、誰知貴賤之魂。一片青山、兩邱荒土、故夷齊・盗跖倶亡。」伴又曰、「不知生前一杯酒、騷人之語、達矣。而況人心飜覆、世路険巇、宦海要塵、風波幾驚。忠臣碩輔、保全者鮮。浙江潮頭、馬革之尸、寃矣。*汨羅水底、魚腹之魂、悲矣。無雙國士、多多益辦、功蓋一世、而禍慘三族。佛骨一表、字字鐵鉞、而朝奏九重、夕貶千里。屈指今古、此類何限。故曰、『蘭以香自焚。』又曰、『魚爛緣於貪餌。』古人之言、明矣。而奈何以流水事業、浮雲富貴、登山、掀怒虎之鬚、泛海、探眠龍之珠、自戕朝露之生乎。男兒生也、所貴自適、山下春風、爭之者誰、江山明月、奪之者誰也。左列陽城之玉姿、右酌洞庭之春波、或管或絃、咏月吟風、以終吾年、不亦可乎。」友人乃悦服、退謂人曰、「眞達士也。」

〈校異〉＊無夢耐楓宸…底本「無夢耐楓震」。私に訂正す。＊舍一世之流芳…底本「金一世之流芳」。＊竊恐秋風、碧蕙捐芳…底本「切恐秋風、碧蕙捐芳」。＊阮籍之途、應洒場朱之涙…底本「阮籍之途、應洒場朱之涙」。＊汨羅水底・魚腹之魂…底本「泪羅水底・魚腹之魂」。

【書き下し2】

生愀然《しゅうぜん》として答えず、遂に一絶に曰く、

名利に虚心する客　風流に痼疾《こしつ》する人
吟の歳月に酬ゆる有り　夢の楓震《ふうしん》に耐ゆる無し

友人復して曰く、「嗟呼《ああ》。蛍窓に十載し、五車に究講して、紅顔の年を恃《たの》み、一楼の色を寵し、一世の流芳を捨て、一時の少歓を探る。竊《ひそか》に秋風の碧蕙《へきけい》の芳を捐《す》つるを恐るれば、則ち他日阮籍の途に、応《まさ》に楊朱の涙を洒《すす》ぐべし、重ねて為に之を惜しむ。」と。生曰く、「嗟夫《ああ》。天地は逆旅《げきりょ》にして、光陰は過客なり。人の其の間に於いて、生や涯有り、金丹は誤れり、石火は忙たり。百歳の後は、吾が日月に非ざれば、則ち累累たる北邙《ほくぼう》は、孰れか賢愚の塚を別け、溟溟たる九原は、誰か貴賤の魂を知らん。一片の青山、両邱の荒土、故に夷齊・盗跖は倶に亡ぶ。」と。佯《いつわ》りて又曰く、「生前一杯の酒を知らずして、騒人の語は、達せり。而して況や人心は飜覆し、世路は険巇、宦海は要塵にして、風波は幾ばくぞ驚かん。忠臣・碩輔《せきほ》、保全なる者鮮《すくな》し。浙江の潮頭の、馬革の尸《しかばね》は、冤《えん》なるかな。汨羅の水底の、魚腹の魂は、悲なるかな。無双国士は、多多益ます弁じ、功は一世を蓋《おお》う、而るに三族を禍惨す。仏骨の一表は、字字鉄鉞《てつえつ》にして、朝には九重に奏せられ、夕には千里に貶せらる。今古に屈指すること、此の類何ぞ限あらん。故に曰く、『蘭は香を以て自ら焚く。』と。又曰く、『魚爛は餌を貪るに縁《よ》る。』と。古人の言、明らかなり。而して奈何《いかん》ぞ流水たる事業、浮雲たる富貴を以て、山に登りて、怒虎の鬚を掀《ぬ》き、海に泛《うか》びて、眠龍の珠を探し、自ら朝露の生を賤《えら》ばんや。男児に生るるや、自適を貴ぶ所なり、山下の春風を争う者は誰や、江山の明月を奪う者は誰や。左には陽城の玉姿を列し、右には洞庭の春波に酌し、或は管、或は絃、月を咏じ風を吟じ、以て吾が年を終うるは、亦た可ならざるや。」と。
友人は乃ち悦服し、退て人に謂いて曰く、「真の達士なり。」と。

【語釈2】　○愀然　顔をしかめる。表情をひきしめるさま。○痼疾　こりかたまって治りにくい癖。○楓宸　帝王の宮殿。　○十載螢窓、究講五車　刻苦勉励をいう。○舍一世之流芳　舍は捨。流芳は、家門の名声。○阮籍之途、應洒場朱之涙　阮籍は、竹林の七賢の一人。楊朱は、戦国時代の思想家。杜甫「早發射洪縣南途中作」に、「茫然たり阮籍の途、更に灑ぐ楊朱の泣」とある。○天地逆旅、光陰過客　時の流れの移ろいやすいこと。「夫れ天地は万物の逆旅にして、光陰は百代の過客なり」（李白「春夜宴桃李園序」）○生也有涯　人の生には限りがあること。「吾が生や涯あり、而るに知や涯なし。」（『荘子』養生主篇）○石火忙　人生のあっけないこと。「人生は石火のごとし、楽しみを為すこと常に遅きに苦しむ」（白居易「秋懐」）○夷齊・盗跖　伯夷・叔齊は、ともに周の人。高風清節で知られ、義を守るために餓死した。一方、盗跖は、春秋時代の盗賊で、悪行にも関わらず富裕のまま長生きした。○北邙・九原　墓地。北邙は丘陵を、九原は黄泉路を指す。○険巇　世の中の物事が難しくて辛いこと。○浙江潮頭　浙江・銭塘江の逆流を指すと思われる。○馬革之尸　春秋時代・伍子胥の故事か。伍子胥は、呉王夫差の怒りに触れて遺体を馬革の袋に入れられ、楊子江に流された。○汨羅水底・魚腹之魂　屈原が流浪の果てに入水した故事をあらわす。○無双国士　前漢の武将・韓信のこと。劉邦に仕えた人物。○朝奏九重、夕貶千里　朝に天子へ奏上すると、その怒りにふれて夕方には地方へ左遷させられる。「一封朝に奏す九重の天、夕に潮州に貶せらる路八千」（韓愈「左遷至藍関示姪孫湘詩」）○蘭以香自焚　蘭の花は香りがよいために焚かれてしまう。「蘭は香を以て自ら焚き、膏は明を以て自ら煎ず」（明・王世貞「間居無実偶億古人恒語」三）○魚爛縁於貪餌　魚が煮崩れるのは、餌に食いついて人に捕えられたため。目先のことにとらわれて身を滅ぼすこと。「魚の爛るるは餌を呑むに縁り、蛾の燋ぐるは灯を撲つが為なり」（白居易「勸酒十四首幷序」不如来飲酒其六）○浮雲、富貴　富貴は儚いこと。「子曰く、疏食を飯らひ水を飲み、肱を曲げて之れを枕とす、楽しみ亦た其の中に在り。不義にして富み且つ貴きは、我に於て浮雲のごとし」（『論語』述而篇）

【原文3】

不幸丙子冬、狂風捲地、胡*月雲擾、腥塵八路、嶺東粗安。生寓居隆中、乃與避亂人李春茂、及其内從弟朴時確相遊。彼則市井之子、分雖不適、亦美姿顔、能笑言語、情則頗密、相居無何之郷。歳已換舊、春又將半、山西山東、紅花如錦、渓北渓南、碧柳垂絲。生謂二人曰、「風景不殊、山河有異。周伯仁新亭之嘆、固人情自不能已也。盍謀一壺之酒、以寫千里之憂乎。」二客曰、「時乎子言。樂乎我意。」於是、罄出囊槖、沽得村醪、茵草共坐、擧酒相属、而遠望則鴛鴦並戲於水中、近視則蝴蝶雙飛於花下。韶光滿目、觸物傷心。生潸然曰、「何代無亂、莫我國若也。七廟蒙塵、萬姓爲實子遺、吾生淪落天涯、京城消息、干戈阻絶。松峴歌兒・竹前夫人、玉碎者誰。瓦全者誰。」言念及此、不覺凄然。二客亦垂涙而醉、不成歡而罷。所謂松峴歌兒・竹前夫人者、洛浦仙・楚臺雲也。倶以名擅流輩、生之平日最爲留情者、而亂離分散、存沒莫知。故生戀戀于中、惓惓於心、不已云々。

生歸來其家、身憊氣惱、欲睡未睡。*似夢非夢之間、若有一人、持盆梅一株、置於生側曰、「願以此物、爲幽人之伴。」

〈校異〉＊胡月雲擾…底本「古月雲擾」。＊似夢非夢之間…底本「似夢悲夢之間」

【書き下し3】

不幸にして丙子《へいし》冬、狂風地を捲き、胡月雲擾《みだ》れ、八路腥塵《せいじん》たれども、嶺東粗《ほぼ》安し。生、隆中に寓居して、乃ち乱を避けたる人李春茂、及び其の内従弟朴時碓と与に相遊ぶ。彼は則ち市井の子にして、分適さざると雖も、亦た姿顔を美しくし、笑言の語を能くす、情は則ち頗る密にして、無何の郷に相居す。歳已に旧を換え、春は又た将に半ばならんとす。山西山東、紅花は錦のごとく、渓北渓南、碧柳は糸を垂れたり。生二人に謂いて曰く、「風景は殊ならざれども、山河の異なる有り。周伯仁の新亭の嘆は、固より人情の自ら已むこと能わざるなり。盍ぞ一壺の酒を謀《もと》め、以て千里の憂を写《のぞ》かざらんや。」と。二客曰く、「時なるかな子の言。楽なるかな我が意。」と。是に於いて、嚢橐《のうたく》を罄《つ》き出し、沽《か》いて村醪《そんろう》を得、茵草に共に坐し、酒を挙て相属す。而して遠望すれば則ち鴛鴦並び水中に戯れ、近視すれば則ち蝴蝶双つながら花下に飛ぶ。韶光目に満ち、触物心を傷む。生潜然として曰く、「何れの代も乱無きは、我が国の若くなるもの無し。七廟塵を蒙り、万姓実に子遺《けつい》為り、吾が生天涯に淪落して、京城の消息、干戈に阻絶せらる。松峴歌兒・竹前夫人、玉のごとく砕けるものは誰ぞ。瓦のごとく全きものは誰ぞ。」と。念を言うこと此に及び、覚えず凄然たり。二客も亦た涙を垂れて酔い、歓成らずして罷る。所謂松峴歌兒・竹前夫人は、洛浦仙・楚台雲なり。倶に名を以て流輩を擅《ほしいまま》にし、生の平日最も情を留むるを為す者は、而るに乱離分散し、存没をも知ること莫し。故に生は、中に恋々たること、心に惓惓たること、已まずと云々。

生、その家に帰り来りて、身憊れ気悩み、睡らんと欲すれども未だ睡らず。夢に似て夢に非ざるの間、一人有るが若く、盆梅一株を持ちて、生の側に置きて曰く、「願は此物を以て、幽人の伴と為せ。」と。

【語釈3】　○丙子冬　丙《へい》子の乱(丙子の役)。明の衰えに乗じて後金(清)が朝鮮に臣従を要求。仁祖がこれを拒絶すると、後金は派兵したが、朝鮮は降伏し和議を結んだ。○腥塵八路　腥塵は生ぐさいこと。ここでは、蛮族(後金族)をいう。八路は、八道。朝鮮全土を表す。○嶺東　太白山脈の東側。大関嶺の東の江原道地方。○隆中　江原道襄陽《カンウォンドヤンヤン》の異称。○無何之郷　酔郷。酒を飲んで心地よく酔っ払った境地。○風景不殊、山河有異。周伯仁新亭之歎　東晋の周顗(伯仁)が、移ってきた江南の地でかつての都をしのんだこと。「風景は殊ならざれども、正に自ら山河の異なる有り」(『世説新語』言語篇)○嚢橐　大きい袋と小さい袋。○罄　空になること。○醪　もろみ酒。○韶光　春の明るいけしき。春の日差し。○潜然　ひっそりとしているさま。○孑遺　わずかに残っているもの。○七廟　国王七廟。国王は先祖を遡って祭祀ができること。○淪落天涯　世の果てに落ちぶれてしまったこと。「同じく是れ天涯淪落の人、相悲しむに何ぞ必ずしも曾て相識らん」(白居易「琵琶行」)○松峴歌兒・洛浦仙　朝鮮に松峴洞という地名があるが、不明。洛浦仙は、洛水の神・宓妃をいう。(『文選』曹植「洛神賦」)○竹前夫人・楚臺雲　竹前夫人は、不明。竹前は、古くソウル南部の薫陶坊竹前洞をさすものか。楚臺雲は、巫山《ふざん》の神女をさす。『文選』宋玉「髙唐賦」に、楚襄王の父・懐王と神女との邂逅などがうたわれる。ここでは、「松峴歌兒・竹前夫人」をそれぞれ「洛浦・楚臺雲」に比しているが、かつての馴染みの妓女をたとえたものか。○瓦全　つまらない瓦となって安全に残る。何も役にたたないで無駄に生き延びること。〇流輩　同じ系統に属する仲間。〇憊　つかれる。疲れ果てて力もつきたさま。〇幽人　幽隠の士。隠士。

【原文4】

言未已、狂風忽起、花落如霰。感嘆驚覺、私自解之曰、「嘗觀古人傳記云、曁夫文章歌詠、花之美者、則*比之於女、女之美者、則比之於花。花是女也、女是花也。盆梅之得、誠是好徵、而落花之兆、其應何居。」朝見春茂、方究其夢、時碓使人來曰、「適有伶翁、遺以斗酒。敢此奉邀、思與共把。」遂將春茂偕赴其所、酒行數巡、醉興方酣。因與春茂、戲圍碁賭。忽然、綠衣紅裳、隠映於窓壁之間。生偸眼視之、則有美*少女、又纖纖玉手、穴窓窺之、而好好麗質、眞国色也。生神飛魂蕩、心不在碁。如醉如癡、連輸數局、典衣沽酒、痛飲而歸。俄而霽月初生、醉夢似醒。花影亂窓、洞房無人、通宵反側、幽思轉切。手題七言律詩、寫于壁上、以自遣曰、

偶然雲雨過空堂　不必巫山是斷腸
獨夜沈吟終未夢　風流肯落楚襄王

自此以後、日復日復、念茲在茲、當寝*廢睡、望餐忘食。心神憔悴、顏色枯槁、曩時之風度豪氣、喪無餘矣。

〈校異〉＊則比之於女…底本「則比之女」。＊美少女…底本「美少」　＊當寝廃睡…底本「當寝療睡」。

【書き下し4】

言未だ已まざるに、狂風忽ち起り、花落つること霰のごとし。感嘆驚覚して、私に自ら解して曰く、「嘗て古人伝記を観るに云く、その文章歌詠に曁《およ》び、花の美なるものは、則ち之を女に比し、女の美なるものは、則ち之を花に比す。花は是れ女なり、女は是れ花なり。盆梅の得は、誠に是れ好徴なり、而るに落花の兆は、

其れ何居に応ぜんや。」と。朝に春茂に見して、方に其の夢を究むるに、時碓の使人来りて曰く、「適たま伶翁有りて、遺るに斗酒を以てす。敢て此に奉邀《ほうよう》して、与共《とも》に把らんと思う。」と。遂に春茂を将て偕にその所に赴き、酒行数巡して、酔興方《まさ》に酣なり。因て春茂と与に、戯に囲碁に賭す。忽然として、緑衣紅裳、窓壁の間に隠映す。生眼を偸みて視れば、則ち美少女有り、又た繊繊たる玉手、穴窓に窺わす。好好たる麗質、真の国色なり。生、神飛び魂蕩け、心は碁に在らず。酔たる如く痴たる如く、連ねて数局を輸し、典衣沽酒し、痛飲して帰る。俄にして霽月初めて生じ、酔夢醒むるに似たり。花影窓に乱るれども、洞房に人無く、通宵反側して、幽思転切たり。手もて七言律詩を題して、壁上に写し、以て自ら遣して曰く、

偶然にも雲雨空堂を過ぐ　必ずしも巫山《ふざん》ならざるは是れ断腸
独り夜に沈吟し終に未だ夢みず　風流肯《あえ》て落ちんや楚の襄王

此より以後、日復り日復り、茲《これ》を念ひ茲《ここ》に在りて、寝るに当りては睡りを廃し、餐を望みては食を忘る。心神憔悴し、顔色枯槁し、曩時の風度豪気、喪いて余り無し。

【語釈4】　○国色　国じゅうでいちばんすぐれた美人。○輸　かけごとで負けて、掛け金をすっかりもっていかれること。○典衣沽酒　典衣は衣服を質に入れること。沽酒は酒を売ったり買ったりすること。○反側　何度も体を反転させること。○七言律詩　実際には七言絶句。七言律詩は七字八句で構成されるが、この詩は四句である。○巫山　四川省巫山県の東南にある山。ここでは、『文選』「高唐賦」中に登場する女のこと。○風流肯落楚襄王　李白の一句に基づくと見られるが、ここでは対象を「楚襄王」と具体的にしている。「気岸遥かに豪士の前を凌ぐ、風流肯て他人の後に落ちんや」（李白「流夜郎贈辛判官」）○曩時　むかし。往時。

【原文5】

時碓在一婢、名曰春仙、適以買錦事過去、頷首招入、相戲移時、因問曰、「向見爾家緑衣紅裳者、果是何人、而如此嬋娟乎。」春仙曰、「吾家少姐、梅英其名、以花月爲號也。」生曰、「年歳幾何。」對曰、「今歳十五、何以問之。」生曰、「偶然見之、故問之、而欲知其爲誰也。」春仙微哂而去。

【書き下し5】

時碓に一婢在り、名を春仙と曰う、適たま錦を買う事を以て過ぎ去るに、頷首して招き入れ、相戯れて時を移し、因て問て曰く、「向《さき》には爾が家に緑衣紅裳なる者を見たり、果して是れ何人や、而して此の如く嬋娟ならんか。」と。春仙曰く、「吾が家の少姐、梅英其の名なり。花月を以て号とす。」と。生曰く、「年歳は幾何ぞ。」と。対へて曰く、「今歳十五、何を以てか之を問う。」と。生曰く、「偶然に之を見る、故に問いて、而して其の誰為るやを知らんと欲す。」と。春仙微哂して去る。

【語釈5】　○嬋娟　あでやかな女性。転じて、詩では花・月などの美しさを形容するのに用いる。○少姐　「姐」は姉妹の年長者。あね。ここは親愛の情をこめて女性を呼ぶ称。

【原文6】

俄而、*朴・李來慰、生強疾而起、寒喧寸敍、困而復臥。春茂怪而問之曰、「公子平日、遺落世事、放達自任、何其豪也。而今又何憊也。」生眩然曰、「四五日内、自然多感、煩悶抑鬱之症、在加無減。若此不已、則有死而已。人生到此、自憐奈何。」春茂伶俐者也。見生之詩、聞生之言、探知其病祟之所在、而跪之曰、「風日不適、調攝失宜、乃是寒疾、何其過慮也。又以和解而萬全者、其唯蔘蘇之一劑乎。」生微笑曰、「其然。豈其然乎。*君所謂名藥、恐未對症。」曰、「然則公子之所患、可知。已欲聞古生之術、求得茅山之藥者耶。」生曰、「諾。」

曰、「然則雲耶。仙耶。思之無益、念之莫及、而公子豈爲是哉。」曰、「否否。室邇人遐之故也。」曰、「可得聞歟。」

〈校異〉＊朴・李來慰…底本「朴・李來爲」。＊君所謂名藥…底本「君所名藥」。

【書き下し6】

俄《しばら》くして、朴・李来りて慰む、生疾を強いて起き、寒喧を寸しく叙べ、困じて復た臥す。春茂怪みて問いて曰く、「公子は平日、遺落世事、放達自任なるに、何ぞ其れ豪なる。而るに今又た何ぞ憊るるや。」と。生眩然として曰く、「四五日内、自然と感ずること多く、煩悶抑鬱の症、加すること在れども減ずること無し。若し此れ已まざれば、則ち死有るのみ。人生此に到りては、自ら憐れむも奈何せん。」と。春茂は伶俐なる者なり。生の詩を見、生の言を聞きて、其の病祟の所在を探知し、而して跪して曰く、「風日適せざれば、調摂《ちょうせつ》宜しきを失い、乃ち是れ寒疾なれば、何ぞ其れ過慮なるや。又た以て和解して万全なる者は、其れ唯だ蔘蘇《じんそ》の一剤ならんや。」と。生微笑して曰く、「其れ然り。豈に其れ然らんや。君の謂う所の名薬は、恐らくは未だ症に対せず。」と。曰く、「然らば則ち公子の患うる所は、知るべし。已に古生の術を聞かんと欲して、茅山の薬者を得るを求むるや。」と。生曰く、「諾。」と。曰く、「然らば則ち雲や。仙や。之を思ふに益無く、之を念うに及ぶこと莫し、而して公子豈に是と為すや。」と。曰く、「否否。室邇《ちか》けれども人遐《とお》かるの故なり。」と。曰く、「聞くを得べきか。」と。

【語釈6】　〇寒喧　寒暖のこと。または、時候。〇調攝　からだの具合をととのえ、健康を保つ。〇遺落世事　世俗のことを棄て置いてわすれること。〇蔘蘇　葛根・陳皮等が用いられた漢方。風邪や咳に効果がある。〇古生之術　古生は、唐代、武に優れ義に篤かった古押衙のこと。王仙客と劉無双は幼馴染で婚約していたが、無双の両親が戦乱のために亡くなり、無双は後宮に入る。仙客の無双に一目会いたいという願いを聞いた古押衙は、飲むと即座に死ぬが三日たつと生き返るという茅山の仙薬を手に入れ、無双が御陵参拝に出かけた折に、無双に薬を飲ませて、死体を引き取り、仙客に渡す。無双はその後生き返り、二人は生涯連れ添った。茅山道士の薬を用いた計略によって、離別した両者を再び結び合わせたという話（『太平広記』巻四八六「無双伝」）。〇茅山之薬　茅山は、道教の聖地。陶弘景が弟子とともに隠居した地である。漢の茅盈、弟衷、固が薬を採り修行した故事のあることから、この名がついた。〇室邇人遐　近くに居ても、思う人には意のままに会えないこと。「其の室則ち邇く、其の人甚だ遠し」（『詩経』鄭風「東門之墠」）。

【原文7】

生囁喘、欲言者再三、而數目時碓。春茂方始大覺曰、「已喩矣。然亦無可爲。是謀、非吾所能及也。」生曰、「吾已計耳。君無辭焉。親於彼者、亦莫如君也、辨於言者、亦莫如君也。欲辨其事、捨君其誰。今也、不幸而有斯疲、而得之則生、不得則死。死生之際、人所動念。君若是恝、何其忍耶。君不殺我、我由君而死、論以誅心之法、能近殺人之罪乎。」春茂曰、「人言當局者迷、果然。安有大丈夫身、爲此兒女子態耶。若使他人、如是屑屑、則公子必奉腹之不暇矣。」因發虚辭詭説、欲寛其意、而生意怏怏然、猶未釋焉。而黐身眩目、便作呻吟之聲。故春茂將進跪坐、低顔諷之曰、「凡事固不可急也。唯緩緩然後、可圖之。幸以前夜之夢、自慰、而勿爲無益之悲、徒捐千萬之軀、以傷遺體。至誠感天、矧伊人乎。」

【書き下し7】

生囁喘《しょうぜん》して、言わんとすること再三、而して数しば時碓に目す。春茂方に始めて大に覚りて曰く、「已に喩れり。然らば亦た為すべき無し。是の謀、吾の能く及ぶ所に非ず。」と。生曰く、「吾已に計せるのみ。君辞すること無かれ。彼に親しき者は、亦た君に如くは莫し、言に弁なる者は、亦た君に如くは莫し。其の事を弁ぜんと欲して、君を捨つる者は其れ誰や。今、不幸にして斯の疲有り、而して得れば則ち生き、得ざれば則ち死せん。死生の際、人の動念する所なり。君是の若く恝《かい》たれば、何ぞ其れ忍ばんや。君我を殺さずとも、我君に由りて死せん、論ずるに誅心の法を以てするは、能く殺人の罪に近からんや。」と。春茂曰く、「人の局に当る者は迷うと言う、果して然り。安《いずくん》ぞ大丈夫の身を有ちて、此れ児女子の態を為さんや。若《も》使《し》他人の、是の如く屑屑なれば、則ち公子必ず奉腹して暇あらざらん。」と。因て虚辞詭説を発し、其の意を寛《ゆる》めんとするも、生意怏怏然として、猶お未だ釈せず。而して身を翻して目を眩め、便ち呻吟の声を作す。故に春茂将に進みて跪坐し、顔を低れて之を諷めんとして曰く、「凡そ事は固より急なるべからず。唯だ緩緩然として後、之を図るべし。幸にして前夜の夢を以て、自ら慰めよ、無益の悲しみを為し、徒らに千万の軀を捐て、以て遺体を傷むこと勿れ。至誠は天を感ぜしむ、矧《いわん》や伊《こ》の人をや。」と。

【語釈7】　○恝　さっぱりと割り切ったさま。○誅心之法　人を責める思想や心。○屑屑　気が小さくてせこせこするさま。○奉腹　捧腹は、大笑すること。○怏怏　不満があってうっとおしいさま。○遺體　父母から与えられのこされた体。○至誠感天　「至誠は神を感ぜしむ、矧んや茲の有苗をや」（『書経』大禹謨）○矧伊人乎　「伊人」は、思い焦がれるあの人。『詩経』秦風「蒹葭」を踏まえている。「所謂伊の人は　水の一方に在り」

【原文8】

二人將慰將歸。歸於路左、少憩之時、時碓因問曰、「俄者、藏頭之説、太有綢密。願得其詳。」春茂曰、「子亦座聞、何以問我。」時碓曰、「以是花柳墻事、而但未知其意如何。遂屬耳。」春茂曰、「有不可語耳。」時碓初不省悟、猶以隠諱差慍。春茂曰、「子以我爲慍乎。吾以無隠諱耳。」時碓方始大覺、憮然爲問曰、「無奈指吾妹花月云耶。」春茂曰、「然矣。夫何見事之遲耶。」

【書き下し8】

二人将《は》た慰め将た帰る。路左に帰して、少憩する時、時碓因りて問て曰く、「俄者《われ》、蔵頭の説に、太だ綢密有り。願わくは其の詳を得ん。」と。春茂曰く、「子も亦た座して聞けり、何を以てか我に問う。」と。時碓曰く、「以《おも》うに是れ花柳墻の事ならん、而るに但だ未だ其の意の如何なるかを知らず。遂に属耳するのみ。」と。春茂曰く、「語るべからざる有るのみ。」と。時碓初めて省悟せず、猶ほ隠諱を以て差《や》や慍《うら》むごとし。春茂曰く、「子我を以て慍を為すか。吾隠諱無きを以てするのみ。」と。時碓方始《はじ》めて大いに覚り、憮然として問を為して曰く、「奈《いかん》ともする無きは吾が妹花月を指して云うか。」と。春茂曰く、「然り。夫れ何ぞ事を見することの遅れたるか。」と。

【語釈8】　○蔵頭之説　「蔵頭擫脳」は、隠されていてよく分からないこと。○綢密　びっしりとこみあっているさま。物が集まりたてこんでいるさま。○属耳　物事を耳にすること。○隠諱　悪事・あやまちなどを人に知られるのをきらって隠す。○方始　たった今。今しがた。

【原文9】

時碓怒曰、「花月身非路柳墻花、是豈非狂蜂戲蝶之所趁乎。而況不以緩緩然後、可圖爲答、何也。」遂勃然而起。春茂曰、「坐聽、吾明語子、子之年少矣、子之慮短矣。試看今日之域中、此何等疇也。京城一陥、江都全沒。近聞、名公巨卿之家、少婦愛女之輩、或身跨紫駝者、有之。或手策青驪者、有之。美者、登載*氈車、次者、僅入皮布。甚於受辱、百月成誓、彼尚如此、他何足說。此觀此地、雖云險阻、既非金城、又非湯池。故慮之言曰、「烏飛烏飛、人性人性。」一朝飄忽、席捲而東、則誰能禦之。孰能遏之。方當鳥竄魚駭之日、縱免氈帳毳布之俘、狂風暴之、行露沾、則一失其行、將置何地。不如因以與之、俾得早爲所也。」

〈校異〉＊登載氈車…底本「夢廿廿氈車」。

【書き下し9】

時確怒りて曰く、「花月の身は路柳墻花に非ざれども、是れ豈に狂蜂戯蝶の趁う所に非ざるや。而るを況や緩々然として後、図るべしと以て咎を為さざるは、何か。」と。遂に勃然として起つ。春茂曰く、「坐して聴け、吾明らかに子に語《つ》げん、子の年少たるかな、子の慮短なるかな。試みに今日の域中を看るに、此れ何等の疇あらんや。京城一たび陥められて、江都全没す。近く聞く、名公巨卿の家は、少婦愛女の輩、或は身ら紫駝を跨ぐ者、有り。或は手に青驪を策《むちう》つ者、有り。美しき者は、氈車に登載せられ、次なる者は、僅かに皮布に入れらる。辱を受くること甚し。百月誓を成すに、彼尚お此のごとくなれば、他に何をか説を足さん。此の観此の地、険阻と云うと雖も、既に金城に非ず、又た湯池に非ず。故に慮りて言いて曰く、「鳥の飛ぶは鳥の飛ぶなり、人の性は人の性なり。」一朝飄忽にして、席捲して東すれば、則ち誰れか能く之を禦《ふせ》がん。孰れか能く之を遏《とど》めん。方に鳥竄魚駭の日に当り、縦い氈帳毳布《せんちょうぜいふ》の俘を免るるとも、狂風之を暴き、行露沾《うるお》へば、則ち一たび其の行を失い、将に何れの地に置せん。因りて以て之に与へ、早に為す所を得しむるに如かざるなり。」と。

【語釈9】　○狂蜂戯蝶　「狂蜂浪蝶」は、軽薄で放蕩な男子を指す。また、「游蜂戯蝶」は上に同じく、好色で放蕩な青年のこと。○吾明語子　『孟子』公孫丑篇下の「(孟子)曰く、坐せよ。我明らかに子に語げん。」を意識したものか。○域中　一定のかこまれた区域の中。世の中・天下のこと。○疇　多義の字だが、長い日が経った昔、が適切か。○京城　都のこと。○江都　朝鮮では、江華郡をさす。○紫駝　赤くり毛のらくだ。その肉は上等とされた。○青驪　黒毛の馬。駿馬。○金城湯池　険固な城池をさしていう。○飄忽　あわただしいさま。〇鳥竄魚駭　鳥や魚がおどろいて、ちりぢりになって逃げ隠れること。〇氈帳毳布　氈帳は古代北方遊牧民族の居室、毳布は古代少数民族の編む毛布のこと。〇行露　『詩経』召南「行露」に、若い女性が露に濡れて歩くような困難な目に遭うこと。

【原文10】

時碓頗然其言、少緩顔色曰、「吾兄所言、亦或有理、而人家婚事、禮之大者也。嚴君不在、慈堂難擅、雖欲嫁之、孰能主之。」春茂曰、「不然。子不聞古人之言乎。『女子之嫁也、母命之。』唯昇平之日、禮尚然矣、況今亂離之中、権豈無也。愼勿以膠柱、以貽後悔。」時碓曰、「夫人爲百年由他仰望、終身苦樂、都關於一人。而公子放蕩、不事家産、日後清寒、*烏可無慮乎。是以爲難。」春茂曰、「惡。是何言也。豈有美如公子、*而長貧者乎。此特不雲之龍、未霧之豹。欲得*絲蘿之托、捨此其誰也。棄此樛木乎。*毋以愚婦之諒、輕比買臣也。」時碓曰、「吾將歸老母、以探其意乎。」春茂止之曰、「當計萬全、無輕一舉。公子多鬱、必有所劃。」

〈校異〉＊烏可無慮乎…底本「鳥可無慮乎」。＊而長貧者乎…底本「而長貪者乎」。＊絲蘿之托…底本「綠蘿之托」。＊毋以愚婦之諒…底本「母以愚婦之諒」。

【書き下し10】

時碓頗る其の言を然とし、少しく顔色を緩めて曰く、「吾が兄の言う所、亦た或は理有り、而るに人家の婚事は、礼の大なる者なり。厳君不在にして、慈堂擅《ほしいまま》にし難し、之に嫁せんと欲すと雖も、孰れか能く之を主せん。」と。春茂曰く、「然らず。子古人の言を聞かざるか。『女子の嫁するや、母之に命《つ》ぐ。』と。唯だ昇平の日は、礼尚お然り。況や今乱離の中、権豈に無からんや。慎みて膠柱《こうちゅう》なるを以て、以て後悔を貽《おく》ること勿れ。」と。時碓曰く、「夫れ人の百年を為すは他の仰望に由り、終身苦楽し、都て一人に関す。而るに公子放蕩し、家産に事《つか》へず、日後清寒ならん、烏ぞ慮ること無かるべけんや。是を以て難しとす。」と。春茂曰く、「悪し。是れ何れの言や。豈に美なること公子の如くして、而も長く貧する者有らんや。此れ特だ雲の龍なるのみならず、未だ霧の豹ならず。糸蘿《しら》の托を得んと欲すれば、此れを捨つるは其れ誰や。此の樛木を棄てんや。愚婦の諒を以て、軽しく買臣に比すること毋れ。」時碓曰く、「吾将に老母に帰らんとするに、以て其の意を探らんや。」と。春茂之を止めて曰く、「当に万全を計すべし、軽しく一挙すること無かれ。公子鬱多ければ、必ず画する所有らん。」と。

【語釈10】　○女子之嫁也、母命之　娘の結婚については母親が重要であること。「丈夫の冠をつくるには父これに命げ、女子の嫁するには母これに命ぐ。」（『孟子』騰文公篇下）○昇平　太平。○膠柱　「膠柱鼓瑟」か。琴柱をにかわづけにして、動かなくすれば、音調をかえることができなくなる。融通のきかないことのたとえ。○豈有美如公子、而長貧者乎　優れた人物が貧しい状態のままに甘んじないということ。「負曰く、人固より好美なること陳平の如くして、長く貧賤なる者有らんや」（『史記』陳丞相世家）○雲之龍、霧之豹　雲之龍は天にのぼる龍。霧之豹は、隠居して害を避ける人をいう。○絲蘿之托　結婚することをいう。絲、蘿がともに葛を指して夫婦の会合に喩える。『文選』古詩十九首「冉冉孤生竹」のほか、「絲蘿之託」の語、『雲渓友議』真詩解に見える。○樛木　枝を下の方に垂れ、葛などがまといついて、その支えとなっている木。家庭の円満を表す。『詩経』周南「樛木」に、「南に樛れ木有りて、葛と藟と之に累う。楽しき君子は、福履の之を綏んず」とある。○買臣　（漢）朱買臣。妻との故事で著名。『漢書』朱買臣伝によれば、朱買臣は貧しく薪売りを口糊としていたが、読書を好み薪を担いながら書を読んだ。口論の末妻は買臣の貧乏を恥じて去るも、買臣は後に出世し太守となって会稽に戻る。再会した妻とその新しい夫とを供応するも、妻は自ら縊死した。買臣は夫に金銭を与えて之を葬らしめ、郷里の恩有る人を悉く供応して報いた。

【原文11】

翌日、二人倶造生處、則生病轉劇、熟視無語、凝涙滿眶。春茂憐之、以手扶起曰、「人非木石、能不感動。我意已決矣。計將安出。若有所教、唯命是從。」因以昨夕説話告生、生欣然顧謂時碓曰、「君等之言及此、吾其生乎。子若輕泄、幾敗乃事、幾爲泉下之人。」時碓曰、「何謂也。」生曰、「*自古以來、謀及夫人、未有能成者也。」時碓曰、「然奈何。」生曰、「吾意則欲效司馬長卿古事、莫如琴心挑之也。」時碓色變曰、「鑽穴相窺、踰垣相從、父母國人賤之。豈以不義而我勸之乎。」生曰、「噫。子之言、誤矣。古訓有之曰、「忠臣不事二君、烈女不更二夫。」始雖無禮於醮、三終能守節於從一、則行其可稱、貞不在茲乎。故志曰、「枉尺直尋」、是或一道也。」

〈校異〉＊自古以來…底本「生古以來」。

【書き下し11】

翌日、二人倶に生の処に造《いた》れば、則ち生病転劇して、熟視して語無く、涙凝りて眶《まぶち》に満つ。春茂之を憐み、手を以て扶け起して曰く、「人は木石に非ざれば、能く感動せざらんや。我が意已に決せり。計りて将に安にか出んとするや。若し教ゆる所有らば、唯だ命に是れ従わんとす。」と。因て昨夕の説話を以て生に告ぐ、生欣然として時碓を顧みて謂いて曰く、「君等の言此に及び、吾其れ生きんや。子若し軽泄すれば、幾ど乃事を敗らんとし、幾ど泉下の人と為らん。」と。時碓曰く、「何の謂や。」と。生曰く、「古より以来、謀て夫人に及ぶこと、未だ能く成す者有らざるなり。」と。時碓曰く、「然らば奈何。」と。生曰く、「吾が意則ち司馬長卿の古事に效《なら》わんと欲す、琴心之に挑むに如くは莫し。」と。時碓色を変じて曰く、「鑽穴相窺い、垣を踰えて相従うは、父母国人之を賤しむ。豈に不義を以て我之を勧むるや。」と。生曰く、「噫。子の言、誤れり。

古訓有りて曰く、『忠臣は二君に事えず、烈女は二夫を更《か》えず。』と。始め醮《しょう》を礼すること無しと雖も、三たび終りて能く従一に守節すれば、則ち行は其れ称うべし、貞は茲に在らざるや。故に「志に曰く、『尺を枉《ま》げて尋を直くす』」と。是れ或は一道なり。」と。

【語釈11】 ○人非木石 「人木石に非ず、皆情有り」（白居易『新楽府』「李夫人」）○輕泄 仏教語。人に文言や話を漏らすこと。○幾敗乃事 幾敗乃公事か。乃公は、目上の者が目下の者に対して自称することば。『十八史略』西漢 太宗高祖帝に 「豎儒《じゅじゅ》幾《ほとん》ど乃公の事を敗らんとす」とある。○如琴心挑之 司馬相如《しばしょうじょ》が琴によって卓文君を魅了した故事。「卓王孫、女文君と云うもの有り。新に寡にして音を好む。故に相如繆りて令と与に、相い重んずることとして琴心を以て之を挑す。」（『史記』司馬相如列伝）○鑽穴相窺、踰垣相從、父母國人賤之 鑽穴は、壁に穴をあけること。つまり男女が野合、駆け落ちしたりすること。「丈夫には生まれてよりこれが為に室あらんことを願い、女子には生まれてよりこれが為に家あらんことを願うは、父母の心にして人には皆これ有り。しかるに父母の命、媒酌の言を待たず、穴隙を鑽ちて相い窺い、墻を踰えて相い従わば、則ち父母も国人も皆これを賤しまん」（『孟子』騰文公篇下）○忠臣不事二君、烈女不更二夫 「忠臣は二君に事えず、列女は二夫を更めず。」（『史記』田單列伝）○枉尺直尋 一尺の損失で八尺の利益をとること。「且つ志に曰く、尺を枉げて尋を直くす。宜《ほと》んど為すべきが若し」（『孟子』騰文公篇下）○禮於醮 醮は、盃を飲み干したまま返盃しないこと。冠婚の儀式の作法。

【原文12】

時碓曰、「豈非倚市之徒、寧有自媒之理乎。性且端荘、凛不可犯也。而以若所爲、求若所欲、奚啻不成、反致閙端。」生笑曰、「公等試爲我、第言其爲人也。吾必知其與否矣。」春茂曰、「顔色之綽約、態度之閑軒、既爲公子所睹、不必更爲公子道。生於深閨、長於深閨、貞靜幽閑、無異於士族。加以工於詩詞、審於音律、求之女中、誠不易得。」生曰、「彼雖貞靜、人同此心、心同此欲、以二八之年、當九十九之春、有女之懷、此其時矣。吉士之誘、烏可緩乎。而況工於詞者、必慕人才、審於音者、善揣人意。魏郎之於雲華、*周生之於芳卿、皆用此道。」

〈校異〉＊周生之於芳卿　底本、「同生之於芳卿」。

【書き下し12】

時碓曰く、「豈に倚市の徒に非ざるに、寧ぞ自媒の理有らんや。性且つ端荘なれば、凛として犯すべからざるなり。若くのごとく為す所を以てし、若くのごとく欲するを求むれば、奚ぞ啻《た》だに成らずして、反りて鬧端《とうたん》を致さんや。」と。生笑いて曰く、「公等試みに我が為に、第《た》だ其の人と為りを言へ。吾必ず其の与否を知らん。」と。春茂曰く、「顔色の綽約たる、態度の閑軒たる、既に公子の睹する所と為れり、必ずしも更に公子が為に道わず。深閨に生まれ、深閨に長じ、貞静幽閑なること、士族に異なる無し。加以《しかのみならず》、詩詞に工にして、音律を審らかにす、之を女中に求むること、誠に得ること易からず。」と。生曰く、「彼貞静と雖も、人は此の心を同じくし、心は此の欲を同じくす、二八の年を以て、九十九の春に当り、女の懐有るは、此れ其の時なり。吉士の誘、烏ぞ緩なるべけんや。而して況や詞に工なる者は、必ず人才を慕い、音を審らかにする者は、善く人意を揣《はか》らん。魏郎の雲華に於けると、周生の芳卿に於けると、皆此の道を用ゆ。」と。

【語釈12】　○倚市　商業を営むこと。ここでは、市井の一般の人の意か。「市井之子」のうち有力な朴家とは区別されていると思われる。○自媒　なこうどによらず、自分で配偶者を求める。○端荘　きちんと整って、堂々としている。○鬧端　鬧は、さわぐ、乱れるの意。うわさの端緒になること。○綽約　ゆったりとしてしとやかなさま。「樓閣は玲瓏として五雲起こり、其の中綽約仙子多し」（白居易「長恨歌」）○貞靜幽閑幽間貞静は、女徳を称する語。物静かで奥ゆかしく正しいこと。幽間貞専とも。○吉士　りっぱな男。○揣　おしはかること。○魏郎之於雲華　『剪燈餘話』「賈雲華還魂記」及び『西湖二集』「灑雪堂巧結良縁」の主人公たち。元朝延祐初年とその十五年後が舞台。魏鵬なる青年が、婚約者である雲華と出会って結ばれる。しかし、魏鵬の科挙受験と雲華母の反対によって、二人の婚姻が破綻しかけると、雲華は病によってなくなってしまう。雲華の逝去を知った魏鵬は、祭文を作って魂を祭ると、その夜の夢に雲華が現れて、数年後に還魂することを告げる。二年後、魏鵬は、雲華が還魂した月娥という少女と結婚し、三子をもうけて八十三歳まで生きた。○周生之於芳卿　『周生伝』のことをさす。

【原文13】

於是、欲製佳什、以試其意、兼示己才。凝思苦吟、艱就七律、楷松雪書於雲霞牋曰、

寂寞深閨貯玉人　不知虚負幾年春
新粧滿眼頻看鏡　好事關心懶來痕
＊蜀肆何時親滌器　楚堂今日謾傷神
若爲化得寒蟾影　流照天涯弱水津

題罷、以授春茂曰、「善爲辭焉。其成與否在子。」時碓・春茂納諸袖中而去。

是時、梅英明燭對案、滴露研朱。手點樊川、暗暗稱奇曰、「豈不誠好男子乎。」二人排窓而入曰、「花月得無有所思乎。何景慕樊川之功耶。有人、此亦一樊川、與其追慕於昔日之樊川、曷若觀今世之樊川乎。」英曰、「樊川豈易得哉。樊川之前、未有樊川、樊川之後、亦未有樊川。嗚呼。樊川萬古樊川。」

〈校異〉＊蜀肆何時親滌器、楚堂今日謾傷神…底本「蜀肆何時親滌哭」。

【書き下し13】

是に於いて、佳什を製り、以て其の意を試みて、兼て己が才を示さんとす。凝思苦吟、七律を就すこと艱く、松雪の書を雲霞の牋に楷して曰く、

寂寞たる深閨玉人を貯う　虚しく幾年の春を負うを知らず
新粧眼に満ちて頻りに鏡を看る　好事心に関りて懶く痕の来る
蜀肆何れの時か親ら器を滌わん　楚堂今日謾りに神を傷ましむ
若し為に寒蟾の影に化すを得ば　流照せん天涯弱水の津

題罷りて、以て春茂に授けて曰く、「善く辞を為せり。其れ成と否とは子に在らん。」と。時碓・春茂諸を袖中に納めて去る。

是の時、梅英燭を明るくして案《つくえ》に対し、露を滴らせて朱を研す。樊川《はんせん》に手点して、暗暗として奇たるを称して曰く、「豈に誠の好男子ならざらんや。」と。二人窓を排《ひら》きて入て曰く、「花月思う所有る無きを得んや。何ぞ樊川の功を景慕せんや。人有り、此れ亦た一樊川なり。其の昔日の樊川を追慕すると、今世の樊川を観るに曷若《いづれ》ぞ。」と。英曰く、「樊川豈に得ること易からんや。樊川の前に、未だ樊川有らず、樊川の後に、亦た未だ樊川有らず。嗚呼。樊川は万古の樊川なり。」と。

【語釈13】　○松雪書　元・趙孟頫による書体のひとつで、元版に用いられた。趙孟頫の書体は、朝鮮でも盛んに受け入れられた。朝鮮初期の書は、高麗末に受け入れられた趙孟頫の書風に以後二百年近い期間を風靡されることになる。趙孟頫は号を松雪といい彼の書体は松雪体と称される。（任昌淳著『韓国の書芸』、近藤出版社、一九八一）○蜀肆何時親滌器、楚堂今日謾傷神　前句は『史記』司馬相如列伝を踏まえる。相如と卓文君が駆け落ちし、酒店を開き自ら働いたこと。後句は、『文選』「神女賦」中の高堂神女の故事。神女

が楚襄王の夢に登場する。【語釈4】「巫山」項、『文選』「高唐賦」の続きにあたる。○寒蟾　寒中の月。冬の月。蟾は蟾蜍のことで、月に蟾蜍が住むといわれることから、蟾は月をさす。○弱水　渡りづらい川から転じて、困難を伴う恋愛のたとえ。○滴露研朱　滴水磨墨。墨をすってものを書くこと。○樊川　晩唐の詩人。杜牧、字は牧之。号、樊川。八二八年進士。若い頃に作った近体の艶詩でよく知られるが、その詩集には軽薄なものはごく少数しか残されておらず、清麗な絶句に特色がある。「阿房宮賦」「杜秋娘詩」などが知られる。『樊川文集』二十巻、『樊川詩集』七巻がある。

【原文14】

春茂曰、「吾聞之、才不惜於異代。此言何謂也。吾則以爲英雄豪傑、其伏無盡。」因出生詩、投而與之曰、「此非今世之樊川乎。」英覧訖、微哂曰、「樊川醉過楊州、橘香滿車、洛陽春風、捲盡珠簾。此則求之、而尚不易得、烏可與樊川比也。」春茂曰、「所経不啻楊州、獨稱橘滿車者、豈不以有是女然後、投是橘也。今來海曲豈無是女、雖有英雄、何能用武。若使斯人、更過楊州、則洞庭之春色、全移於車上、必矣。」英曰、「不以泰乎。吾未能信也。但其詩詞頗新、筆勢且豪、亦可謂關東之一士也。」

【書き下し14】

春茂曰く、「吾聞けり、才を異代に惜しまず、と。此の言何の謂ぞや。吾則ち以為らく英雄豪傑は、其の伏して尽きる無し。」と。因りて生の詩を出し、投じて之を与へて曰く、「此れ今世の樊川に非ざらんや。」と。英覧じ訖《お》えて、微かに哂いて曰く、「樊川酔いて楊州を過ぐ、橘香車に満ち、洛陽の春風、珠簾を捲き尽くす。此れ則ち求むれども、尚お得ること易からず、烏ぞ樊川と比するべけんや。」と。春茂曰く、「経る所は啻だに楊州のみならず、独り橘の車に満つるを称する者は、豈に是の女有るを以て然る後に、是の橘を投ぜざらんや。今海曲に来り豈に是の女の無くして、英雄有りと雖も、何ぞ能く武を用いんや。若し斯の人をして、更に楊州を過ぎらしめば、則ち洞庭の春色は、全て車上に移ること、必なり。」と。英曰く、「以て泰しとせざらんや。吾れ未だ信ずる能わざるなり。但だ其の詩詞頗る新しく、筆勢且つ豪にして、亦た関東の一士と謂うべきなり。」と。

【語釈14】　○樊川酔過楊州、橘香満車　杜牧が揚州を過ぎ去る時、女たちの投げた橘が車（一説には軒）に溢れたことをいう。当該の詩は現存していないが、済州島観徳堂に「酔過揚州橘満車（軒）」を画題とする壁画が発見されている。○洛陽春風、捲盡珠簾　「娉娉裹裹たり十三餘り、豆蔻の梢頭二月の初め。春風十里揚州の路、珠簾を巻き上ぐるも總て如かず。」（杜牧「贈別」）○海曲　海湾。海が陸地に入りくんだ所。○関東　ソウルの北、峯霊付近の海辺をさす。

【原文15】

春茂曰、「若然則是可與言詩已矣。有虎負嵎、馮*婦下車、技癢所使。君獨無詩、雕花刻玉、驚風泣鬼、則其唯風流輩之話本乎。」英曰、「耳不聽淫聲、吾有所受、鄭衛之音、奚言以和之。」春茂曰、「托此高興、詩人乃風、寧可以一時之浪詠、必疑其淫乎。」英曰、「詩道性情、不蕩而能如是乎。自古以來、如此之類、故爲如此之詩、微探閨裡之思、終濟偸香之姸者、滔滔有之。子何囿其術中之所使耶。今姑恕之、後勿復焉。」　辭甚貞節、凜若秋霜。春茂不敢更措一辭而退。

〈校異〉＊馮婦下車…底本「憑婦下車」。

【書き下し15】

春茂曰く、「若し然らば則ち是与に詩を言うべきのみ。虎の嵎《やまのくま》を負《たの》む有り、憑婦車を下りたるは、技癢の使う所なり。君独り詩の、雕花刻玉、驚風泣鬼なる無くんば、則ち其れ唯だ風流輩の話本にならんや。」と。英曰く、「耳淫声を聴かざれば、吾受くる所有れども、鄭衛の音、奚ぞ以て之に和すと言わん。」と。春茂曰く、「此を高興に托して、詩人乃ち風す、寧ぞ一時の浪詠を以て、必ずしも其の淫を疑うべけんや。」と。英曰く、「詩は性情を道ふ、蕩ならずして能く是の如くならんや。古より以来、此の如き類、故に此の如き詩を為して、微かに閨裡の思を探り、終に偸香の妍を済う者は、滔滔として之有り。子何ぞ其の術中の使う所に囿《とら》われんや。今姑くは之を恕し、後に復すること勿れ。」と。辞甚だ貞節にして、凛たること秋霜の若し。春茂敢て更に一辞を措せずして退きたり。

【語釈15】　○驚風泣鬼　「筆落つれば風雨驚き、詩成れば鬼神泣く」（杜甫「寄李十二白二十韻」）○有虎負嵎、馮婦下車　馮婦は人名。善く虎を退治していたが後に操行を改めて善士となった。しかし、人々の虎退治に行きあって、車に乗る身分になっていたにも関わらず暴力をふるった。孟子は馮婦の行動を節度ないものと批判する。（『孟子』盡心下）○技癢所使　技芸のある人が機会を得て表現しようとすること。○鄭衛之音　粗野で猥雑な歌。『詩経』鄭風と衛風の評価から。○偸香之妍　『世説新語』惑溺に「偸香」は、女子の男子を愛悦することをいう。韓寿が賈充の娘と密通すると、その娘の移り香から、賈充は二人の関係に感づき、二人を結婚させた故事。「後に諸吏を会せしとき、寿に奇香の気有るを聞く。是れ外国の貢する所にして、一たび人に箸けば、則ち月を歴るも歇まず。充計るに、武帝は唯己及び陳騫に賜うのみ、余家には此の香無ければ、寿と女と通ずるかと疑う。」○囿　ひとつのことにこだわって見識がその外まで及ばない。狭い枠の中になずむ。

【原文16】

二人朝去見生、告以見敗、且將問答之辭、細説一篇。生益高其行、而大服其節曰、「雖欲涅之、焉得以緇之。雖欲磨之、焉得以磷之。吁嗟。殂兮。命之衰矣。子等如欲活我、各陳一策。吾將取捨焉。」春茂謂時碓曰、「子亦有所謀乎。」時碓曰、「＊吾則曾已知其不成。今何成計乎哉。」春茂曰、「無已則有一焉。再明之日、乃三月之三日也。暫聞、主母與隣婦、劃作踏花之遊、夜赴甲契之會。其勢必夜中分、中酒而歸。而花月獨以處子不從云。僕則當用一計、引去後園、公子須乘時、唐突以試之。事成則大善、不成則走、亦無妨也。」生曰、「此背城之策、雖非必勝之道、倘或因緣再接面目、亦非虛約一助也。」

相與牢約而送。

〈校異〉＊吾則曾已知其不成…底本「吾則會已知其不成」。＊此背城之策…底本「此輩城之策」。

【書き下し16】

二人朝に去りて生に見ゆ、告ぐるに敗らるることを以てす、且つ問答の辞を将て、細に一編を説く。生益ます其の行を高しとし、而して大いに其の節に服して曰く、「之を涅《でっ》さんと欲すと雖も、焉ぞ以て之を緇《くろ》むを得ん。之を磨かんと欲すと雖も、焉ぞ以て之を磷するを得ん。吁嗟《ああ》。殂《ゆか》んとす。命之《これ》衰えたり。子等如し我を活かさんと欲せば、各一策を陳べよ。吾将に取捨せん。」と。春茂時碓に謂いて曰く、「子亦た謀る所有らんや。」と。時碓曰く、「吾則ち曾て已に其の成らざるを知る。今何ぞ計を成さんや。」と。春茂曰く、「已む無ければ則ち一有り。再明の日は、乃ち三月の三日なり。暫く聞く、主母と隣婦と、踏花の遊を作さんと画し、夜甲契の会に赴く。其の勢必ず夜中分して、酒に中りて帰らん。而して花月は独り処子を以て従わずと云う。僕は則ち当に一計を用うべし、後園に引き去りて、公子須く時に乗じ、唐突して以て之を試みるべし。事成れば則ち大善、成らざれば則ち走るも、亦た妨げ無し。」と。生曰く、「此背城の策にして、必勝の道に非ずと雖も、倘《も》或し因縁ありて再び面目を接すれば、亦た虚約の一助に非ざらんや。」と。相与に牢《かた》く約して送る。

【語釈16】○雖欲涅之、焉得以緇之。雖欲磨之、焉得以磷之　ここでは、梅英の態度が清廉で身持ちの堅いことをいう。「子の曰く、然り、是の言有る也。堅しと曰わずや、磨《ま》して磷《うす》らがず、白しと曰わずや、捏《でっ》して緇《くろ》まず。…」（『論語』陽貨篇）○殂　ゆく。身分の高い人が死ぬこと。○無已　他に方法がないこと。○踏花之遊　花影を踏んで歩くこと。○甲契　同年に生まれた者の結束を指すと考えられる。○此背城之策　背城之策は、最後の決戦のこと。

【原文17】

生將信將疑、或臥或起、顆顆然、視日之斜、汲汲然、望夜之至。度一日如三秋、及期経造英家、則二人果於門前候生。見生之來、令生隱伏於花叢之間、入紿英曰、「月光熹微、花影扶疎、園中之景、此時爲最。三人同行、一場散歩、則足可謂不負良辰矣。」英曰、「適仍繍倦、正欲賞春、況今兩君要與同遊、實獲我心。寧不樂夫。」於是、掠削雲鬟、整頓花鈿、服翠羽金縷衣、表以天竺細彩衫、裡着紅垂珠網襦、尚以川蜀錦裙、容華儀飾、似非世上之人矣。蓮歩輕移、陌塵不起、衣裳乍拂、異香遠聞。生魂飛雲外、心在空中、幾欲狂叫而入、數次而止。

【書き下し17】

生将《は》た信じ将た疑い、或は臥し或は起き、顆顆然としては、日の斜くを視、汲汲然としては、夜の至るを望む。一日を度ること三秋の如く、期に及びて英家に経造すれば、則ち二人は果して門前に生を候つ。生の来るを見て、生をして花叢の間に隠れ伏せしめ、入りて英を紿《あざむ》きて曰く、「月光熹微にして、花影扶疎たる、園中の景は、此の時に最為り。三人同行して、一場を散歩すれば、則ち良辰に負けずと謂うべくに足れり。」

と。英曰く、「適たま繍倦を仍《かさ》ね、正に春を賞せんと欲するに、況《まし》て今両君同遊を与にするを要む、実に我が心を獲たり。寧ぞ楽しまざるや。」と。是に於いて、雲鬘を掠削し、花鈿を整頓し、翠羽金縷の衣を服し、表には天竺細彩の衫を以てし、裡には紅垂珠網の襦を着、尚お川蜀錦の裙を以て、容華儀飾は、世上の人に非ざるに似たり。蓮歩軽移して、陌塵起たず、衣裳乍ち払えば、異香遠く聞ゆ。生魂雲外に飛び、心空中に在りて、幾たびか狂叫して入らんと欲せども、数次にして止む。

【語釈17】　○顆顆然　顆は、つぶ。あるいは、小さい土塊。○汲汲然　「汲汲」は、せかせかと動き回るさま。気を緩めずに続けるさま。○紿　あざむく。ことばに作為を加えうそをいうこと。○熹微　光のかすかなこと。○扶疎　同「扶疏」。木の枝が茂って、四方に広がるさま。○良辰　日がらのよい日。または、気持のよい時節のこと。○掠削　くしけずって身なりをととのえる。○蜀錦　もとは四川原産の綾織物であったが、後に同様の製法のものをも指す。○蓮歩　美人がしなやかに歩くさま。

【原文18】

于是、四顧無人、萬籟倶沈、迷花映柳。行止冉冉、丹唇皓齒、笑語琅琅。到此情境、幽興可掬。春茂沈吟良久、謂英男妹曰、「偶然佳會、實是勝事。盍集繍章、以移清遊。」仍自先唱曰、

　密葉微風起

時碓續之曰、

　疎枝杜宇啼

英又續曰、

　含情愁獨立

生且前且吟曰、
　花月使人愁
英聞聲驚訝、逡巡欲避、遂爲生所把、而不得脱。乃顧二人、則已無在矣。心知其見欺、大恨恚憤、流眄掠生、低聲責之曰、「這狂這狂、何敢乃爾。」生曰、「我本非狂、子能使我狂。」

【書き下し18】

是に于いて、四顧するに人無く、万籟《ばんらい》倶に沈し、迷花柳に映る。行止すること冉冉《ぜんぜん》として、丹唇皓歯、笑語琅琅たり。此の情境に到りて、幽興掬うべし。春茂沈吟すること良久しくして、英男妹に謂いて曰く、「偶然たる佳会、実に是れ勝事なり。盍ぞ縟章を集め、以て清遊に移らざらん。」と。仍りて自ら先唱して曰く、
　密葉に微風に起ち
時碓之に続けて曰く、
　疎枝に杜宇啼く
英又続けて曰く、
　情を含みて愁いて独り立つ
生且つ前み且つ吟じて曰く、
　花月人をして愁えしむ
英声を聞きて驚き訝しみ、逡巡して避けんとするも、遂に生の把うる所となり、而して脱することを得ず。乃ち二人を顧みれば、則ち已に在ること無し。心に其の欺かるるを知り、大恨恚憤《いふん》し、流眄《りゅうべん》生を掠めて、低声して之を責めて曰く、「這狂這狂、何ぞ敢て乃ち爾なるや。」と。生曰く、「我本《も》と狂うに非ず、子能く我をして狂わしむ。」

【語釈18】　○萬籟　この世に在るすべてのものが発する音・響き。○迷花　恋に夢中になることのたとえ。○冉冉　じわじわといくさま。だんだん進むさま。年月のたつさま。○皓齒　美人の白い美しい歯。○琅琅鳥のさえずる声の形容。○可掬　手に掬うほど多いこと。手にとってみること明らかであること。○杜宇杜鵑と同じ。○恚憤　ぷりぷりする。○這狂　「這」は、宋代以降、俗に指示語として用いられる。「這人(この人)」。

【原文19】

英怒曰、「見子衣冠、若是儒者之儀乎。妾聞儒者之道、非禮勿視、非禮勿動。昏夜踰墻、接人處子、此亦禮乎。既不能以禮自處、又不能以禮處人、儒者之道、固如是乎。噫吁。悲哉。士生天地、抱負至大、而不勝一朝之慾、乃捐千金之軀。賤妾陋質、固不足惜也、惜子之陥於不義也。*子不如棄、歸求良媒、曾爲大丈夫、不能取一女子乎。」生擧袂而立、悵然久之曰、「*子雖不言、*予豈不知乎哉。子視我容、孰如曩時。自從相逢、不相話以來、相思不相見、久矣。望眼欲枯、愁腸欲斷、俟河之清、人壽幾何。求死不贍、奚暇致禮儀哉。汝其憐之、恤之、愛之、無吝今夕也。」英知不可免却、坐花下、玉手揮涙曰、「*身爲女子、無故出門、行已虧矣。臂爲人把、不能斷去、節已毀矣、禮已非矣。欲令妾質永奉巾櫛、而桑中一會、元非六禮、玄都一節、豈久百年。可憐吾生、空成薄命。」*生大悦曰、「宜乎宜乎。正宜娘子之言。」*應口矢之曰、「生當偕老、死當同穴、餘所否者、卽有如此矣。」

〈校異〉*子不如棄…底本「子如不棄」。*子雖不言…底本「予雖不言」。*予豈不知乎哉…底本「矛豈不知乎哉」。*身爲女子…底本「身爲世子」。*生大悦曰…底本「生不悦曰」*應口矢之曰…底本「應口失之曰」。

【書き下し19】

英怒りて曰く、「子の衣冠を見るに、是れ儒者の儀の若くならんか。妾儒者の道を聞く、礼にあらざれば視ること勿れ、礼に非ざれば動くこと勿れ、と。昏夜に墻を踰え、人の処子と接《まじは》るは、此れ亦た礼なるか。既に礼を以て自ら処ること能わず、又た礼を以て人を処らしむこと能わず、儒者の道は、固より是の如くなるや。噫吁《ああ》。悲しきかな。士天地に生まれて、抱負すること至大、而るに一朝の慾に勝えず、乃ち千金の軀を損つ。賤妾の陋質は、固より惜しむに足らざるなり、子の不義に陥るを惜しむなり。子棄てて、帰りて良媒を求むるに如かず、曾《すなわ》ち大丈夫為れば、一女子を取《めと》ること能わざらんや。」と。生袂を挙げて立ち、悵然として久しくして曰く、「子言わずと雖も、予豈に知らざらんや。子の我が容を視ること、孰か曩時の如くならん。相逢してより、相話せざりて以来《このかた》、相思いて相見ざること、久し。望みては眼枯れんとし、愁えては腸断たんとす、河の清むを俟《ま》たば、人寿幾何ぞ。死を求《すく》うことにすら贍《た》らず、奚ぞ礼儀を致す暇あらんや。汝其れ之を憐れみ、之を恤《うれ》い、之を愛し、今夕を吝《を》しむこと無かれ。」と。英免却すべからざることを知り、花下に座して、玉手もて涙を揮いて曰く、「身は女子為れば、故て門を出づること無かれども、行已に虧《か》く。臂《ひじ》は人に把まれて、断じて去ること能わず、節已に毀れたり、礼已に非なり。妾質をして永に巾櫛を奉らしめんとすれば、桑中に一会せしむるは、元より六礼に非ず、玄都の一節は、豈に久しきこと百年ならんや。吾が生の、空しく薄命と成るを憐れむべし。」と。生大いに悦びて曰く、「宜なるかな宜なるかな。正しく娘子の言は宜なるかな。」と。応口して矢《ちか》いて曰く、「生きて当に偕老たるべし、死して当に同穴たるべし、余の否《しか》らざる所は、即ち此くの如き有らん。」と。

【語釈19】　○非禮勿視、非禮勿動　『論語』顔淵篇に、「子の曰く、礼に非ざれば視ること勿かれ、礼に非ざれば聴くこと勿かれ、礼に非ざれば言うこと勿かれ、礼に非ざれば動くこと勿かれ」○陋質　下品でねうちのない性質・資質。○悵然　思いきれず、うらめしげなさま。○俟河之淸、人壽幾何。　時の流れに比して、人の一生の短いこと。『春秋左氏伝』襄公八年に「周詩に之有り。曰く、河の清むを俟《ま》たば、人寿幾何《いくばく》ぞ」とある。「周詩」は逸詩。○求死不贍、奚暇致禮儀哉　生活が安定して初めて礼儀を治めることができること。「此れ惟《た》だ死を救ひて而《しか》も贍《た》らざるを恐る。奚《なん》ぞ禮儀《れいぎ》を治むるに暇《いとま》あらんや」（『孟子』梁恵王篇）○免却　避け免れること。防止すること。○虧　かける。少なくなる。へらす。○奉巾櫛　妻室とすること。○桑中一會　「桑間一約」は、男女の約会のこと。同義か。○玄都　伝説上の国名。あるいは、伝説上の神仙の居所。「玄都観」は北周～唐代の観名。○應口　応対や動作が敏捷であることの形容。

【原文20】

*月英始開淸眼、暗注秋波、微紅暈臉、若桃花之映春水、淡横眉端、如彩霞之籠秋月、婷婷焉、嫭嫭焉、妍妍也、瓊瓊也、太眞讓態、飛鷰妬姿。雖使龍眠横寫、尚難経営、況以文字形容、不可萬一也。轉泛爲笑、漸至佳境、撫乳接脚、先暢繾綣之意、適口含舌、繼媾雲雨之懽、蘭羞柳嬌、而花心坼矣。蜂貪蝶戀、而桃浪飜矣。如此之時、其喜可知矣。一興且闌、五更將盡。急起斂容、一聲太息曰、「妾雖賤質、養在深閨、常慕汝墳之貞操、每惡河間之淫行。不謹此身、竟㴞死地。聲迹一朝彰聞四隣、則擧目言笑、何以爲容。引鏡窺形、何以爲心。靜言思之、祇自靦焉。」生曰、「已破之甑、難以再完、既染之絲、不可復素。言之何益。悔之何及。方今之務、唯在相愛而已矣。」英曰、「是豈盖愆之道乎。*徒爲迷戾之帰、人之爲情愛、則欲相見、欲相見、則不憚煩、不憚煩、則人易知、易知、則將若爲云何。詩所謂『人之多言、亦可畏』者、良以比也。」生曰、「此亦可鬬笑罵。從他笑罵、*好毋欠我、自爲之。」

〈校異〉＊月英始開淸眼…底本「月英始開」。＊徒爲迷戾之帰…底本「徒爲迷戾之婦」。＊好毋欠我…底本「好母欠我」

【書き下し20】

月英始めて清眼を開き、暗に秋波を注ぐ、微紅暈瞼は、桃花の春水に映るが若し、淡横眉端は、彩霞の秋月に籠るがごとし、婷婷たり、嫥嫥たり、妍妍たり、瓊瓊たり、太真態を譲り、飛鷰姿を妬む。龍眠をして 横《ほしいまま》に写さしむと雖も、尚お経営し難し、況や文字を以て形容するに、万一なるべからず。転《うた》た笑を為りて泛べ、漸く佳境に至り、乳を撫で脚を接し、先ず繾綣《けんけん》の意を暢べ、適えて口に舌を含み、継いで雲雨の懽を媾し、蘭は羞じ柳は嬌び、花心を坼《ひら》く。蜂貪り蝶恋い、而して桃浪飜りたり。此の如きの時、其の喜びを知るべし。一興且に闌にして、五更将に尽きんとす。急に起きて容を斂め、一声太息して曰く、「妾賤質と雖も、養われて深閨に在り、常に汝墳の貞操を慕い、毎に河間の淫行を悪む。此の身を謹まずして、竟に死地に淊く。声迹一朝にして四隣に彰聞すれば、則ち目を挙げて笑を言うに、何を以てか容を為さん。鏡を引きて形を窺うに、何を以てか心を為さん。静に言《われ》之を思えば、祇《た》だ自ら靦たり。」と。生曰く、「已に破れたる甑は、以て再び完うすること難し、既に染めたる糸は、復た素《しろ》とするべからず。之を言いて何ぞ益あらん。之を悔いて何ぞ及ばん。方に今の務は、唯だ相愛在るのみ。」と。英曰く、「是豈に愆《けん》を盖《おお》う道ならんや。徒だ迷戻の帰と為るのみ、人情愛を為さば、則ち相見んと欲す、相見んと欲すれば、則ち煩なるを憚らず、煩を憚らざれば、則ち人の知ること易し、知ること易ければ、則ち将に若云何せんとす。詩に謂ふ所の『人の言多きも、亦た畏るべきなり』、良に此を以てす。」と。生曰く、「此れ亦た笑罵を関ざすべし。他の笑罵するとも好て我を欠くこと毋れ、自ら之を為せ。」と。

【語釈20】　○秋波　美人の涼しい目もと。また、女の媚びる目つき。色目。○婷婷　女性や樹木の美しいさま。○嫥嫥　娉娉か。娉婷は、女性の穏やかで美しいさま。○妍妍　みがきのかかった女性の美しいさま。

○瓊瓊　瓊は、たま、にぎたま。光り輝く玉。○太眞　楊貴妃。唐・玄宗皇帝の寵妃。○飛鷰　趙飛燕。前漢・成帝の皇后。○龍眠　宋代の画家、李公麟。人物の画に定評があった。○繾綣　心から慕ったり行為を寄せたりして離れないさま。男女の仲に限らない。○暢　思う存分に心を述べつくすさま。○雲雨之懽　雲雨之歡。懽は、歡と同じ。男女間の歡合。「雲雨」のみでも之を指す。○媾　互いに意思を通じあって和合すること。○養在深閨　白居易「長恨歌」に、「養われて深閨に在り　人未だ識らず」とある。○汝墳　『詩経』周南「汝墳」のこと。殷・紂王の乱世に仕える夫を励ます妻の歌。○河間　河間は、貞淑な妻であったが、親戚にそそのかされて、淫婦へと変貌した女。柳宗元による「河間伝」がある。○聲迹　よい評判の業績。評判の高い行い。○靦　つらの皮を赤くそめてはじるさま。○靜言思之　『詩経』邶風「柏舟」に、「静かに言《われ》之を思えば、寤めて擗つこと摽たる有り」○破之甑　「堕甑不顧」あきらめのよいことのたとえ。（『後漢書』郭符許伝）○盖愆　手柄で罪をつぐなうこと。○人之多言、亦可畏　『詩経』鄭風「将仲子」に「人の言多きも、亦た畏るべきなり」とあり、恋人の来訪を人に知られてしまうことに頭を悩ます恋歌。

【原文21】

英慍然曰、「人言何以不至。公子之行、既如此、公子之言、又如彼、此所以吾憂也。」生曰、「前言戲之耳。將子無憂、當周念、以保終始矣。」英曰、「果若如此爲腸不淺、妾則守死秉節、誓不適他矣。」

于時、東方漸明、將欲罷去、更摻英手、不忍相釋曰、「未知何日得復相見乎。」英曰、「慇懃此懷、君我何殊。僅偸閑隙、以望相逢也。」悄然而別。英潛其家、利責春茂曰、「子等囿人之術中、賣我而無恥、是可忍也、孰不可忍也。吾身賤棄、縦不足惜也、祖先羞辱、獨不爲念。人或知情事、謂子等何如人哉。」

【書き下し21】

英慍然として曰く、「人言何を以てか至らざらん。公子の行、既に此の如く、公子の言、又た彼の如くなるは、此れ吾が憂うる所以なり。」と。生曰く、「前言は戯るるのみ。将に子の憂い無からんとするに、当に周念して、以て終始を保つべし。」と。英曰く、「果して若し此の如く腸の浅からざるを為さば、妾は則ち秉節《へいせつ》を守死し、誓いて他に適《ゆ》かず。」と。

時に、東方漸く明らみ、将に罷去せんと欲し、更に英の手を摻《と》り、相釈くを忍ばずして曰く、「未だ何れの日に復た相見せんことを得るかを知らず。」と。英曰く、「慇懃たる此の懐い、君と我と何をか殊ならんや。僅かに閑隙を偸みて、以て相逢せんことを望むなり。」と。㤓然《ふうぜん》として別る。英其の家に潜みて、利く春茂を責めて曰く、「子等の人の術中に囿《とら》え、我を売りて無恥なるは、是れをしも忍ぶべくんば、孰れをか忍ぶべからざらん。吾が身賤棄にして、縦い惜しむに足らざれども、祖先の羞辱、独り念を為すのみならず。人或いは情事を知らば、子等何如なる人やと謂わん。」と。

【語釈21】　○人言　他人の評価。○慍然　慍はうらむこと。胸中に怒りを含んでうらむ。○秉節　節操を保持し、謹慎すること。○摻　とる。手にとってあわせて持つ。○㤓　㤓、正字は㤱。「小しく怒るなり。充世の切」(『説文解字注』)○是可忍也、孰不可忍也　とても辛抱などできないことを表す。「孔子季氏を謂く、八佾を庭に舞わす。是をしも忍ぶべくんば、孰れをか忍ぶべからざらん」(『論語』八佾篇)

【原文22】

春茂曰、「是豈知我哉。*余已思之熟久也。花月年長、而時事倥偬、強暴難禦、則不可保者一也。公子才俊、而因妹致病、朝夕難救、則不可失者二也。姑氏通達、而婦人多疑、大事難斷、則不可告者三也。然則花間一行、爲可已乎。誠若事定、還家擇婿親迎、則何幸如之。苟或流離異鄉、事乃大謬、則雖悔曷追。而況公子不是庸庸者也、他日得志、榮顕一走、則花月之所以稱功於我者、豈夫淺淺也哉。」英曰、「事已如此、爲之何哉。敗身覆宗、亦由兄矣。變賤爲貴、亦由兄矣。」

〈校異〉＊余已思之熟久也…底本、「余已思之熟欠也」。

【書き下し22】

春茂曰く、「是れ豈に我を知らんや。余已に之を思いて熟すること久し。花月の年長じたるに、時事倥傯《こうそう》にして、強暴禦ぎ難ければ、則ち保つべからざるは一なり。公子の才俊なれども、妹に因りて病を致し、朝夕救い難ければ、則ち失うべからざるは二なり。姑氏通達たれども、婦人は疑い多く、大事を断ずること難ければ、則ち告げるべからざるは三なり。然らば則ち花間の一行は、已むべきと為すか。誠に若し事定まれば、家に還り婿を択びて親ら迎うること、則ち何れの幸之に如からんや。苟も異郷に流離すること或りて、事乃ち大に謬れば、則ち悔ゆると雖も曷か追わん。而して況や公子の是れ庸庸たる者ならざるをや、他日に志を得、栄顕して一たび走れば、則ち花月の功を我に称える所以は、豈に夫れ浅浅ならんや。」と。英曰く、「事已に此くのごとし、之を何をか為さんや。身を敗り宗を覆するも、亦た兄に由れり。賤を変じて貴と為すも、亦た兄に由れり。」と。

【語釈22】　○倥傯　倥傯。物事が緊迫してあわただしいさま。○通達　物事をよく知っていてはっきりと心得ていること。○庸庸　ごく平凡なさま。○榮顕　はなばなしく出世する。○覆宗　祖先から続いている自分の一族を滅ぼすこと。

【原文23】

於是、英乘便於内、春茂傳於外、聚會頻數、恩義俱感、畏被人知、不能放情、或時猥倚翠戲謔而已。如此者、纔過一旬有半、而好事多乖、佳期易阻、情随事變、天厭鬼猜。英父、自山城扈駕而出、以驛官將作瀋陽之行。急送蒼頭、促其早歸。英既得此書、涙落如雨、悲不能禁。英母曰、「此誠吉報、汝何泣爲。」

英曰、「父母分離、東西奔竄、誰意當時得有今日各出萬死之地、倶全一縷之命乎。不能無感、自然而然矣。」

英母聞之、亦不覺數行下涙。蓋英之泣也、別非爲感也、而其臨機應變、善措辭説之類、如此也。

【書き下し23】

是に於いて、英は便を内に乗じて、春茂は外に伝う、聚会すること頻数、恩義倶に感じて、人に知られんことを畏れて、情を放つことを能わず、或時は猥りに倚翠戯謔するのみ。此くの如きは、纔かに一旬有半を過ぐ、而して好事は多く乖れ、佳期は阻み易く、情は事に随いて変じ、天は厭い鬼は猜《そね》む。英が父、山城より扈駕《ぐが》して出でて、駅官を以て将に瀋陽の行を作さんとす。急に蒼頭を送り、其の早に帰ることを促す。英既に此の書を得て、涙落すること雨の如く、悲しみを禁ずること能わず。英が母曰く、「此れ誠の吉報なるに、汝何為れぞ泣かん。」と。英曰く、「父母分離して、東西奔竄し、誰か当時今日各万死の地を出づることの有るを得て倶に一縷の命を全うせんと意《おも》わんや。無感なること能わず、自然にして然り。」と。英が母之を聞きて、亦た覚えず数行涙を下す。蓋し英の泣くや、別に感を為すに非ず、而して其れ臨機応変にして、善く辞説を措るの類は、此くのごとし。

【語釈23】　○乗便　（…を）生かすこと、機会を捉えること。○倚翠　女性に近づき弄ぶこと。○戯謔　おどける。ふざける。気のきいた冗談でからかうこと。○奔竄　はしり逃げる。逃げ隠れる。○扈駕　天子の乗り物の側につき従うこと。○蒼頭　家人。召使い。○自然而然矣　人の力によらず自然にそうなること。『論語』公冶長篇に「子貢曰く、我れ、人の我れに加うることを欲せざることを、吾れも亦た人に加うることを無からんと欲す。子の曰く、賜や。爾《なんじ》の及ぶ所に非ざるなり」とあり、これを朱子『論語集注』は「愚謂えらく、無は自然にして然り。」と注する。

【原文24】

英、是夜、*俟其母睡、*靜潜出去、欲爲別。英摻生之手、飲泣而言曰、「*新情未洽、遠別斯邈、追念舊懽、將成陳迹。到此地頭、難禁丈夫之涙。遙隔天涯、而況兒女之情乎。花殘葉落、正當先秋、劒還鏡合、豈期後日。」嗚咽相看、殆不成腔。生引手雪涕、*慰解而言曰、「屈伸盈虚、天道之常理也。吉凶悔吝、人事之難易。唯望娘子、善保金玉之軀、以遂團圓之約、是幸是幸。唯冀聞焉。」英曰、「今日一別、音容两杳。*碧海長河、靈藥之偸有悔、日暮脩竹、翠袖之寃無窮、則我心非石、安能頑然。伏願公子、須趁朝暮之未晞、早作尋春之行、雖死之日、有生之年也。」

〈校異〉＊俟其母睡…底本「俟其母眊」。＊靜潜出去…底本「靜僣出去」。＊新情未洽…底本「新情末洽」。＊慰解而言曰…底本「遲解而言曰」。＊碧海長、靈藥之偸有悔…底本「碧海長」に一字の漏脱を指摘。私に「河」を補う。

【書き下し24】

英、是の夜、其の母の睡るを俟ち、静潜として出去し、別れを為さんとす。英生の手を摻りて、泣を飲みて言いて曰く、「新情未だ洽《かな》わざるに、遠く別るること斯くも邈《とほ》く、旧懽を追念して、将に陳迹を成さんとす。此の地頭に到りて、丈夫の涙を禁じ難し。遥かに天涯を隔てて、況や児女の情をや。花残り葉落ち、正に先秋に当り、剣還り鏡合するは、豈に後日を期せん。」と。嗚咽して相看て、殆ど腔《こわね》を成さず。生手を引きて涕を雪ぎ、慰解して言いて曰く、「屈伸盈虚《えいきょ》は、天道の常理なり。吉凶悔吝は、人事の難易なり。唯だ娘子に望むは、善く金玉の躯を保ち、以て団円の約を遂ぐれば、是れ幸なり、是れ幸なり。唯だ冀わくは聞け。」と。

英曰く、「今日一たび別るれば、音容両《ふたつ》ながら杳ならん。碧海の長河、霊薬の偸を悔ゆる有り、日暮の修竹、翠袖の寃《うら》み窮り無し。則ち我が心石に非ず、安ぞ能く頑然とせんや。伏して願わくは、公子、須く朝暮の未だ晞けざるに趁いて、早に尋春の行を作すべし、死するの日と雖も、生くるの年有り。」と。

【語釈24】　○洽　やわらぐ。かなう。心や関係がうちとけあって一つになる。心にぴったりかなうこと。○陳迹　昔、物事があった名残。○地頭　当地。○腔　腔調、こわね。○屈伸盈虚　人の栄衰。○吉凶悔吝　運命のよしあし。○今日一別、音容兩杳　「情を含み睇を凝らして君王に謝す、一別音容は両つながら渺茫」（白居易「長恨歌」）○碧海長、靈藥之偸有悔　嫦娥《じょうが》が不死の薬を偸み夫から別れることになってしまったこと。「雲母の屏風燭影深し、長河漸く落ち暁星沈む、嫦娥応に悔ゆべし霊薬を偸みしことを、碧海青天夜夜の心」（李商隠「嫦娥」）。○日暮脩竹、翠袖之寃無　夫が新しい妻を迎えたことで隠棲した老女の嘆き。「天寒くして翠袖薄し、日暮れて修竹に倚る」（杜甫「佳人」）○未晞　光がまだよわい夜明け。○雖死之日、有生之年也　死んでも本望であること。「臣元は愚鄙なるも、嘗って師の言を伝えたり。如し褐衣を以て召見せられ、庭下に俯伏することを得ば、孔氏の正道を誦じ、丘明の宿冤を理めん、若し辞は経に合わず、事は古を稽えざれば、退きて重誅に就かん、死するの日と雖も、生くるの年なり」（『後漢書』鄭范陳賈張伝）。

【原文25】

回抽兎毫管、遂寫四韻詩、

月明人散水空流　此地從今罷夜遊
郎眼正寒闢樹外　妾魂應逐海雲浮
殘宵一刻千金値　別酌三巡萬斛愁

爲報尋春須趁早　　莫教辭説謾交鉤

生唱三嘆、卽和曰、

我自傷心涙自流　　重遊何日得重遊
人間離合誰能主　　身世乾坤始覺浮
驛路殘梅経夜落　　渭城官柳帯煙愁
遙知別後相思處　　回首關山月一鉤

英展而欲覽、涙滴濕字、不能盡編、遂脱玉指環一雙、以贈曰、「千轉而必復清、以此爲必重回之證。」生亦以斑竹扇一柄、贈之曰、「風再熱之有時、幸以此、聊作玉碎勞之資。」　各收別章與環扇、藏于懷中、黯黯相對、脈脈無語、喪神失魂、慘於死別、各各登道而歸。

翌朝、生爲登高、望其行塵。英亦十歩十回、不忍捨去、随來僕夫、莫能解意、加鞭走馬、不肯少止。山回江轉、忽然隔矣。生大慟而歸、視不見物、聽不聞聲、英之顏色、時或眩目、則狂叫其名、獨坐談笑、伏若失性人者、久矣。仍不能起。

【書き下し25】

兎毫の管を回抽して、遂に四韻の詩を写すに、

月明らかに人散じて水空しく流る　　此の地今従り夜遊を罷めん
郎眼正に寒かるべし関樹の外　　妾魂は応に逐うべし海雲の浮くを
残宵　一刻　千金の値　　別酌　三巡　万斛の愁
為に報ず尋春須く早きを趁うべし　　辞説をして謾りに交鉤せしむること莫れ

生唱じて三たび嘆じて、即ち和して曰く、

我自ら傷心して涙自ら流る　重遊何れの日か重遊を得ん
人間離合誰か能く主たらん　乾坤身世始めて浮かぶを覚ゆ
駅路の残梅夜を経て落つ　渭城の官柳は煙を帯びて愁う
遥かに知る別れて後相思う処　回首すれば関山の月一鉤たり

英展きて覧ぜんとするも、涙滴りて字を湿し、編を尽くすこと能わず、遂に玉の指環一双を脱し、以て贈りて曰く、「千転して必ず復た清まん、此を以て必ず重回の証と為さん。」と。生亦た斑竹扇一柄を以て、贈りて曰く、「風の再び熱する時有らば、幸《ねがわく》は此を以て、聊か玉砕労するの資と作せ。」と、各別章と環扇とを収め、懐中に蔵め、黯黯として相対し、脈脈として語ること無く、喪神失魂すること、死別よりも惨たり、各各道を登りて帰る。

翌朝、生登高を為し、其の行塵を望む。英も亦た十歩十回、捨去すること忍びず、随い来たる僕夫は、能く意を解すること莫し、鞭を加えて馬を走らせ、少止することを肯んぜず。山回江轉して、忽然として隔つ。生大慟して帰り、視れども物を見ず、聴けども声を聞かず、英の顔色、時或は眩目し、則ち其の名を狂叫し、独り坐して談笑し、伏して性を失う人の若きこと、久し。仍お起つこと能わず。

【語釈25】○兎毫　うさぎの毛の筆。高級品。○關樹　「日は寒し関樹の外、峰は尽く塞雲の西」（銭起「送張管書記」）○海雲　遠くの海。○萬斛　きわめて多くの量。○趁早　できるだけはやく。○交鉤　錯雑。こみいっていること。○乾坤身世　天地の間を浮遊する境遇。○関山　険しい山々。あるいは、難関。「関山月」は、漢の楽府。南北朝以来、文人が辺境の兵士の故郷に帰れない怨みを題材とした作品。○千転而必復清　黄河が千年に一度清むことをいう。○玉指環一雙、斑竹扇一柄　『鶯鶯伝』で、鶯鶯が張生に贈った品と類似するが、ここでは、憑虚子と梅英が互いに贈り合う。玉の環は不変・永遠の思いを、斑竹の模様は涙の痕を表す。〇玉碎　美しいものが不幸に遭うこと。〇脈脈　互いに見つめあうさま。黙って情を通じ合うさま。
〇視不見物、聴不聞聲　「心焉に在らざれば、視れども見えず。聴けども聞こえず。食えども其の味わいを知らず」（『大学』）〇時或　或時に同じ。

【原文26】

府中有一妓、名曰映山紅也。年未二八、才調姿色、獨歩關東、而素慕生之名聲、及疾篤、辛苦爲問、不廢風雨、長守臥床、極爲親昵者、十餘日矣。生感其誠款、備陳厥由。紅撫掌大笑曰、「誰謂公子風流客耶。往來花柳墻、今幾日月、而尚不知女人情態乎。彼以深閨處子、貞靜自守、一遇公子、便許其身。推此觀之、則其爲人盡知也。雖別公子、豈無如公子者哉。安知其新寵反優於公子。而公子莫之知也、獨自留念、如是戚戚乎。生又爲世笑、死不免愚鬼、切爲公子不取也。假使英兒、以死守節、以待公子、我生然後、可以得見此、則三尺童子之所以知也。何公子不思之甚也。今以後、始知人之名實之不相副也。誰謂公子風流客耶。切爲公子恥之。」生豁然覺悟、如夢初醒、似醉方覺曰、「誠若娘子之言、恭承至論、勉自寛抑、若非藥石之言、幾爲泉壤之人。」遂與紅、詩酒消憂、琴歌自娯、情隨事變、念懷稍弛。一日二日、厥疾乃瘳、好好談話、相與爲娯。

【書き下し26】

府中に一妓有り、名を映山紅と曰う。年未だ二八にならずして、才調姿色、関東を独歩す、而して素より生の名声を慕う、疾篤きに及び、辛苦して問を為し、風雨を廃せず、長く臥床を守り、極めて親昵為ること、十余日たり。生其の誠款たるに感じて、厥《そ》の由を備陳す。紅掌を撫で大笑して曰く、「誰か公子を風流の客と謂わんや。花柳の墻を往来すること、今幾日月にして、尚お女人の情態を知らざるか。彼は深閨の処子を以て、貞静を自ら守るとも、一たび公子に遇わば、便ち其の身を許したり。此を推して之を観れば、則ち其の人と為りは尽く知れり。公子に別るると雖も、豈に公子に如く者無からんや。安ぞ其の新寵の反りて公子より優なるを知らん。而して公子の知ること莫きなり、独り自ら念を留め、是の如く戚戚たるか。生きて又た世の笑いと為り、死して愚鬼となることを免れず、切に公子の取らざる所と為せ。仮使《たとひ》英児、死を以て節を守り、以て公子を待てども、我生きて然る後、以て此を見ゆることを得るべきことは、則ち三尺童子の知る所以なり。何ぞ公子之を思わざること甚だしきか。今より以後、始めて人の名実の相副わざるを知るなり。誰か公子を風流の客と謂わんや。切に公子が為に恥づ。」と。生豁然《かつぜん》として覚悟して、夢の初めて醒めたるが如く、酔の方に覚るに似て曰く、「誠に娘子の言の若し、至論を恭承し、勉めて自ら寛抑す、若し薬石の言非ざれば、幾ど泉壌の人と為らん。」と。遂に紅と与に、詩酒して憂を消し、琴歌して自ら娯しみ、情事《こと》に随いて変じ、念懐稍や弛む。一日二日、厥《そ》の疾乃ち瘳《い》え、好好として談話し、相与に娯を為す。

【語釈26】　○獨歩　無二であること。○誠款　うそやかけめのない真心。○備陳　詳しく陳述すること。○貞静　節操がかたくしとやかなこと。○新寵　新しく寵愛するもの。多くは新しく受け入れた妾をいう。○戚々　くよくよと気にやむさま。○三尺童子　小さい子どもでも知っていることを表す。○豁然　疑いや迷いがさらりととけて物事がはっきりするさま。○薬石之言　金言。

【原文27】

却説、*梅英傷心於桃李之月、斷腸於梧桐之雨。珠愁玉怨、柳憔花悴、寢食倶廢、起居須人者、已逾年矣。父母憂憫、莫知病根、迎醫捻方、百藥無效、禱神祈佛、萬端無驗。英父與其妻相議曰、「英疾必起、未嫁而死、何足以立後。若擇諸輩一賢子、聘而成禮、則朝而婚、暮而死、或生後妻之子、或養親族之子、庶可奉祀之、魂不餒矣。速辦諸具、俾無不及。」一家之意、皆以爲然、而獨時碓堅執不可者、蓋知英之爲生故也。英父謂時碓利於専財、爲此異論、怒叱不從、遂將*涓吉。英果聞此言、勺水不入、症勢奄重。父母環坐、將與永訣、各執左右手、垂涙而道之曰、「俺等命薄、晩得男女、於心愛之重之者、奚啻十龍之一珠乎。唯冀成長、以榮門楣、二年病床、一疾沈綿、是余不幸、紅顏夭逝、汝縱不幸、白髮父母、獨不爲念。如有所蘊、明以告我。」

〈校異〉＊梅英…底本「梅花」。＊涓吉…底本「捐吉」。

【書き下し27】

却説《さて》、梅英桃李の月に傷心し、梧桐の雨に断腸す。珠愁玉怨、柳憔花悴して、寝食倶に廃し、起居するに人を須むること、已に年を逾《こ》ゆ。父母憂憫すれども、病根を知ること莫く、医を迎えて方を捻ずれども、百薬効無し、神に禱り仏に祈れども、万端験無し。英父其の妻と相議して曰く、「英が疾必ず、未だ嫁さずして死するを起さん、何ぞ以て立後に足らん。若し諸輩の一賢子を択びて、聘して礼を成さば、則ち朝には婚し、暮には死すとも、或は後妻の子を生みて、或は親族の子を養い、庶《ほとん》ど之を奉祀すべくして、魂餒《う》えざらん。速かに諸具を弁じて、及ばざることを無からしめよ。」と。一家の意は、皆以て然りと為す、而るに独り時碓のみ堅く不可を執るは、蓋し英の生が為なるを知る故なり。英が父謂らく、時碓財を専らにするを利し、此の異論を為すと、従わざるを怒叱して、遂に将に涓吉《けんきち》をなさんとす。英果して此の言を聞きて、勺水も入らず、症勢奄《にわ》かに重し。父母環坐して、将に永訣を与せんとし、各左右の手を執りて、涙を垂れて道いて曰く、「俺等は命薄く、男女を得ること晩し、心に愛し重んずるは、奚ぞ啻だ十龍の一珠のみならんや。唯だ成長して、以て門楣の栄ゆるを冀うも、二年の病床、一疾に沈綿するは、是れ余に不幸なり、紅顔夭逝して、汝縦い白髪の父母を不幸とすれども、独り念をなさず。如し蘊《つつ》む所有らば、明らめて以て我に告げよ。」と。

【語釈27】　○却説　小説、あるいは故事の発端の句。さて。○傷心於桃李之月、斷腸於梧桐之雨　桃李、梧桐を用いて憔悴する様子を描く点、白居易「長恨歌」等に類似する。○萬端　あらゆる方法、手段。○立

後　相続人を決めること。○餒　うえる。うえてぐったりする。○涓吉　吉祥の日を選ぶこと。○勺水　ごく少量の水。

【原文28】

英嗚咽泣下、僅作喉中之語曰、「身爲人子、不能終孝、反貽惟疾之憂、竟作喪明之慟、罪實通天、復夫何言。死亡之後、願割不可忍之恩、勿以女子過哀、則千萬幸甚幸甚。」＊又指枕邊小箱曰、「女之心事、都在此乎、不必煩說。」長吁一聲、奄然命盡。卽發小箱中、得與生唱和詩詞及別章斑竹扇等物。又有一封長書、坼而視之、乃與永訣之辭也。始知有意於生、而飲恨而沒。撫之呼哭之慟曰、「汝有此懷、何不早言。汝死之後、雖知奚及。」絶而復甦、甦而復絶。聞者莫不酸鼻。乃斂而具棺、葬于都城之西。時碓以知情不告、不容於父母者、至數月之久。英父雖是中人、而賦性方嚴、律身以禮、父子之間、無異法家。故時碓終不敢告。英亦抵死不言。是乃己卯春三月也。

〈校異〉＊又指枕邊小箱曰…底本「又指枕邊小箱」。

【書き下し28】

英嗚咽して泣下り、僅かに喉中の語を作して曰く、「身は人子為りて、孝を終ること能わず、反りて惟疾の憂いを貽《のこ》し、竟に明を喪うの慟を作すは、罪実に天に通ず、復た夫れ何をか言わんや。死亡の後は、願わくは忍ぶべからざるの恩を割ちて、女子を以て哀を過すこと勿れ、則ち千万幸甚幸甚。」又た枕辺の小箱を指して曰く、「女の心事は、都て此に在り、必ずしも煩説せず。」と。長吁《ちょうく》一声、奄然として命尽く。即ち小箱の中を発《ひら》けば、生と与に唱和する詩詞及び別章、斑竹扇等の物を得たり。又た一封の長書有り、坼きて之を視れば、乃ち永訣を与うるの辞なり。始めて意の生に有り、而して恨みを飲みて没することを知る。之を撫して呼び之を哭して慟して曰く、「汝此の懐有らば、何ぞ早に言わざるや。汝死せるの後、知ると雖も奚ぞ及ばんや。」と。絶えては復た甦り、甦りては復た絶ゆ。聞く者の酸鼻せざる莫し。乃ち斂《れん》して具に棺し、都城の西に葬る。時碓情を知りて告げざるを以て、父母に容《ゆる》されざること、数月に至りて久し。英父是れ中人と雖も、賦性方厳にして、身を律するに礼を以てし、父子の間、法家に異なる無し。故に時碓終に敢へて告げず。英も亦た死に抵《あた》りて言わず。是れ乃ち己卯《きぼう》春三月なり。

【語釈28】　○惟疾之憂　父母というものは、子が病気にならないかを特に心配するものだということ。「孟武伯孝を問う。子曰く、父母唯だその疾を之れ憂う。」（『論語』為政篇）○喪明之慟　「喪明」は子を亡くすこと。子夏が子を亡くして盲目になった故事に基づく。「子夏其の子を喪いて、其の明を喪う」（『礼記』檀弓上）○長吁　長嘆。○斂　葬儀の一過程。死体を棺におさめること。○中人　朝鮮の階級のひとつ。両班《ヤンバン》階級には及ばないが、有力な者も多く、朴時碓・梅英の家も有力な中人であったと考えられる。○方嚴　方正厳粛。○法家　諸子百家のひとつ。法律を第一とし、人情・血族にも同等の対処を行う。ここでは、時碓と親子であるにもかかわらず、父が厳密な対処をとったことを、法家の主義に例えている。

【原文29】

同年九月、生乃高擅郷擧、遂赴殿試。實則爲英娥、非求聞達也。至京翌日、即招市井老奴者、尋訪朴時碓家。其家聞生之來、呼哭之聲、無異於初喪也。英父曰、「死人之志、不可遠也。」

遣時碓、詣生傳書。生見時碓來到、忙屣笑迎曰、「子等固無恙乎。」時碓左手獻英書、右手擧生袂、且哭且答曰、「花月已作地中之人矣。」生不勝驚慟、驀然仆地。左右扶掖、良久氣定。

【書き下し29】

同年九月、生乃ち郷挙を高く擅《ほしいまま》にして、遂に殿試に赴く。実は則ち英娥が為にして、聞達を求むるに非ず。京に至りて翌日、即ち市井の老奴なる者を招きて、朴時碓が家を尋訪せしむ。其の家生の来たるを聞きて、呼哭の声、初喪に異なる無し。英が父の曰く、「死人の志、遠ざくるべからざるなり。」と。

時碓を遣わして、生に詣りて書を伝えしむ。生時碓の来到したるを見て、屣《はきもの》を忙だしくして笑い迎えて曰く、「子等固より恙が無きや。」と。時碓は左手に英の書を献じ、右手に生の袂を挙げて、且つ哭し且つ答えて曰く、「花月已に地中の人と作れり。」と。生驚慟に勝えず、驀然《ばくぜん》として地に仆《たう》る。左右扶掖して、良や久しくして気定まれり。

【語釈29】○郷擧　郷試、科挙における地方試験。○殿試　科挙の内、皇帝臨席の試験。○英娥　「娥」は女性の美称。○聞達　高い位に昇進すること。色々な人に広く知られること。○忙屣笑迎　履をあわただしくして、歓迎すること。相手を待ち焦がれているさま。○驀然　不意に。だしぬけに。驀は、馬ががむしゃらに突き進む意。勢いよく跳ねるさま。

【原文30】

其書曰、

　薄命妾梅英、謹齋*浴百拜、上書于憑虚案下。

伏以両儀初分、陽開陰闔、二姓既合、夫唱婦隨、理所當然、何事異也。妾本弱質、養在深閨、雲水之情難持、掩鏡自惜、春秋之風月虚度、感物興懷。頃因縁蝶之傳情、乃見仙禽之引路、花間結約、敢比桃李之顔、月下成縁、猥似葑*菲之体。卽誠之意懇懇、又信盟之琅琅、自謂偕老之同縁、奈何乍逢而永訣。痛光陰之易邁邁、芳草一年二年、陟崔嵬而遠望、白雲十里萬里。寒漏則濺哀涙、遙*砧則搗破羈心。腸斷眼穿、攢愁眉於八字、形枯軆鑠、減裳腰於一團。孤枕上胡蝶之夢先回、莫捨八翼、空山裡杜鵑之聲偏苦、已散之魂。當日月之無多、況父母之不諒、將我乎奪志、覰我乎移天。*曰黄昏而爲期、彼何人者、指向日之成誓、餘則不能。生亦何爲。身已輕於秋葉、死而止矣。命將邈於春水、不識郎君、亦念妾否。天何茫茫、地何漠漠。千疊雲山、依微難望、九重泉路、杳然無窮。書不盡言、言既悉意。臨紙凄咽、就緘悲傷。

某月某日、朴梅英白。

〈校異〉＊齋浴…底本「齋俗」。＊葑菲之体…底本「對菲之休」。＊遙砧則搗破羈心…底本「遙砧搗破羈心」。＊曰黄昏而爲期　底本、「日黄昏而爲期」。私に訂正す。

【書き下し30】

其の書に曰く、

薄命妾梅英、謹みて斎浴百拝し、書を憑虚案下に上る

伏して以えらく、両儀初めて分れ、陽開き陰闔《と》ずると、二姓既に合し、夫唱し婦随うは、理の当然とする所にして、何事か異ならんや。妾は本《も》と弱質にして、養われて深閨に在り、雲水の情を持ち難く、鏡を掩いて自ら惜しみ、春秋の風月を虚しく度《わた》り、物に感じて懐を興す。頃ごろ蝶の情を伝うるに因縁し、乃ち仙禽に路を引かれ、花間に結約し、敢て桃李の顔に比し、月下に成縁すれども、猥りに葑菲《ほうひ》の体に似たり。即誠の意懇懇として、又た信盟の琅琅たること、自ら偕老の同縁を謂うに、奈何ぞ乍ち逢いて永訣せん。光陰の邁邁たること易きを痛み、芳草一年二年、崔崗に陟りて遠望すれば、白雲十里万里たり。寒漏には則ち哀涙を濺ぎ、遥砧《ようちん》には則ち羈心を搗破《とうは》す。腸断ち眼穿ち、愁眉を八字に攢《あつ》めて、形枯れ軆鑠《と》け、裳腰は一団を減ず。孤枕の上胡蝶の夢は先づ回り、八翼を捨つること莫く、空山の裡杜鵑の声は偏苦にして、已に魂を散ず。日月の多かる無きに当り、況や父母の諒せずして、我を将いて志

を奪い、我を観て天を移さんとす。黄昏もて、期を為さんと曰う、彼は何人ぞ、向日を指して誓いを成す、余は則ち能わず。生て亦た何をか為さん。身已に秋葉より軽く、死して止まん。命将に春水より邈からんとし、郎君の亦た妾を念うや否やを識らず。天何ぞ茫茫たる、地何ぞ漠漠たる。千畳雲山、依微として望み難く、九重の泉路、杳然として窮まる無し。書には言尽きざれども、言既に意を悉くせり。紙に臨みて凄咽し、緘に就きて悲傷す。

某月某日、朴梅英白す。

【語釈30】○両儀　陰陽または天地。○夫唱婦随　夫が生き方の主張を唱えてさきがけを務め、妻がそれについていくこと。○理所当然　当たり前のこと。当然であること。○雲水之情　世俗的な利害関係を超えた友情を指す。○掩鏡　鏡をしまうこと。「鏡を掩いて東寺を望み、心を降して禅客に謝す」（白居易「因沐感髪寄朗上人二首」其二）○虚度　なす事もなくむなしく年月を過ごすこと。○引路　道案内をすること。○葑菲之体　かぶらや大根の根かぶのところ。『詩経』邶風「谷風」に「葑を采り菲を采る　下体を以てする無かれ」とあり、人の一部のみを知ることを戒めている。○信盟之琅琅　「信盟之聲琅琅」か。「琅琅」は、よくひびく、すがすがしい音。○痛光陰之易邁邁　「痛光陰之易邁」か。○寒漏　寒い日の水時計の滴る音。また、寒い日の水時計。また、寒い夜。○遙砧則搗破羈心　羈心は、旅心のこと。○移天　父、夫、息子と歳を経る毎に従う相手が変わること。ここでは、梅英が嫁にやられようとしていること。○日黄昏而爲期　再会の時を夕暮れと決めたこと。『楚辞』「離騒」では「黄昏以て期を為さんと曰い、恙中道にして路を改む」と、君から心変わりを受けたことをいう。○空山　ひとけがなく深い山。○依微　かすかな。わずかな。○杳然　はてしなくはるかなさま。

【原文31】

生精辨祭需、躬往拜哭、其文曰、

　惟年月日、情人某、謹以清酌庶羞、奠于花月之靈。

幼而聰慧、長而幽貞、花精手艶、月態嬋輕、翰墨、蘇氏推以爲兄、妙調、賈女難與争名。仙人之謫女伴其英、情愛所及、共結芳盟。榮窓夜靜、柳院春晴。數酌酒闌、幾篇詩成。喚起香夢、生憎曉鶯。丁寧私約、永偕宵征。那知一夕、鴛鴦忽驚、我留東海、君返西京。魚沈雁斷、書信難呈。千回萬轉、愁緒空縈。所冀斯世、再和鸞笙。不幸今者、鶗鴂又鳴、玉容何許、永隔幽明。雲散歡意、雨收恩情。衣裳變色、環珮無聲。人非物猜、涕涙縦横。君爲我死、我何獨生。天高地厚、莫訴悃誠。庶幾苦語、于佳城徹。漢水汪漾、南山崢嶸。山崩川渇、此恨未平。嗚呼。花月、來擧我觥、尚饗。

奠罷、以手叩門而哭曰、「想子平生、難比凡人、今雖已死、應者不泯、願惠一見、小擠蓄積。」

【書き下し31】

生祭需を精弁し、躬《みずか》ら往て拝哭す、其の文に曰く、

　惟れ年月日、情人某、謹みて清酌庶羞を以て、花月の霊を奠る。

　幼くして聡慧、長じて幽貞、花精の手は艶にして、月態は嬋軽なり、翰墨は、蘇氏推て以て兄と為し、妙調は、賈女与に名を争うこと難し。仙人の女を謫すに其れ英を伴い、情愛の及ぶ所、共に芳盟を結ぶ。栄窓夜静にして、柳院春晴たり。数酌にして酒闌、幾編の詩成れり。香夢より喚起し、暁鴬を生憎す。丁寧に私約す、永に偕に宵征せんことを。那ぞ知らんや一夕にして、鴛鴦忽ち驚き、我東海に留まり、君西京に返らんことを。魚沈雁断、書信呈し難し。千回万転、愁緒空しく縈《めぐ》る。冀う所は斯の世に、再び鸞笙を和せんことを。不幸にして今、鶗鴂《ていけつ》又た鳴き、玉容何許ぞ、永く幽明に隔つ。雲歓意を散じ、

雨恩情を収む。衣裳色を変じ、環珮声無し。人非ずして物を猜う、涕涙縦横す。君我が為に死し、我れ何ぞ独り生きん。天高く地厚く、悃誠を訴うる莫し。庶幾くは苦語佳城に徹らんことを。漢水汪漾にして、南山峥嵘たり。山崩れ川渇き、此の恨み未だ平らかならず。嗚呼。花月、来りて我が觥を挙げ、尚くは饗けよ。

奠罷みて、手を以て門を叩きて哭して曰く、「子の平生を想うこと、凡人に比し難し、今己に死すと雖も、応ずる者は泯びず、願くは一見を恵し、小しく積蓄を擠せよ。」と。

【語釈31】 ○惟年月日、情人某、謹以清酌庶羞、奠于花月之靈。 祭文冒頭の定型表現。清酌庶羞は、おみきとたくさんの肴。○蘇氏 竇滔妻。文を善くした（『晋書』列女伝）○賈女 『世説新語』惑溺による。【語釈15】「偸香」項参照。○仙人之謫女 謫仙は、天上界から人間界に流された仙人のこと。優れた人をほめて言う。○生憎 ひどく憎らしい。忌々しい。○香夢 よい夢。かおりのよい夢。花の下などで見る夢。○喚起 注意をよびおこすこと。また、百舌のこと。○私約 媒酌人なしの私的な婚約。○宵征 夜行。○魚沈雁斷 魚雁は、手紙、便りのこと。○愁緒 心細くなって悲しむ心。○鸞笙 笙の美称。○鵜鴂 鵜はがらんちょう、ぺりかん。鴂はみそさざい、また、もず。「恐らくは鵜鴂の先ず鳴きて 夫の百草をして之が為に芳しからざらしめんことを」（『楚辞』「離騒」）○雨収雲散 ある現象が消えた比喩。○悃誠 至誠。まごころ。○苦語 苦言。○佳城 墓地をいう。○于佳城徹 「徹」字は落韻。ここでは、平声の庚韻を用いなければならない。誤字か。○汪漾 水の多いさま。○觥 つのさかずき。七升入る。○尚饗 祭文の結語。死者が来て祭品を享けてほしいという意思。

【原文32】

是夜、宿于旅次。春茂・時確鼎足而坐。話到英兒、則輒將涕流。談話之際、夜已深矣、二人退歸。生亦依枕、忽聞清香、自遠而近。生異之、乃顧回轉眄、則英果乘風而來矣。契活之情、如何禁得。握手把腰、不覺痛哭。英止之曰、「人生生滅、有同朝暮。衆所難免、何用過度。但所恨者、生不相從、死又永別。至今公子如是悲傷、雖欲瞑目、其得乎。」因敘相逢之初、未洽之情、相別之後、致疾之由。涕隨言零、悲不勝。生亦收涙曰、「海畔一別、于今三載。萬事茫然、唯娘是念。千里間關、豈圖功名。謂尚握手、懽如平生。誰意仙蹤、已逐碧海、呼之不應。*予懷何堪。自分平生、難與重逢、非餘一誠、能感九原、不忘厚意、無以爲誓。」

〈校異〉＊予懷何堪…底本「矛懷何堪」。

【書き下し32】

是の夜、旅次に宿す。春茂・時確と鼎足して坐す。話英児に到れば、則輒ち将に涕流れんとす。談話の際、夜已に深く、二人退きて帰る。生も亦た枕に依り、忽ち清香を聞くこと、遠きより近し。生之を異しみ、乃ち顧回転眄すれば、則ち英果して風に乗りて来たり。契活の情、如何ぞ禁じ得んや。手を握り腰を把み、覚えず痛哭す。英止めて曰く、「人生れて生滅するは、朝暮に同しき有り。衆の免れ難き所、何を用て度を過ぎん。但だ恨む所は、生きて相従わず、死して又た永別することなり。今公子の是くの如く悲傷するに至りて、瞑目せんとすと雖も、其れ得るや。」と。因りて相逢の初、未だ洽《あ》わざるの情、相別れて後、疾を致すの由を叙ぶ。涕《なみだ》言に随いて零れ、悲しみ勝えず。生も亦た涙を収めて曰く、「海畔一たび別れて、于今三載なり。万事茫然として、唯だ娘をのみ是念う。千里の間関、豈に功名を図らんや。尚お手を握るを謂えば、懽ぶこと平生の如し。誰か仙蹤の、已に碧海を逐い、呼べども応えざるを意わんや。予の懐何ぞ堪えんや。自分は平生、与に重ねて逢うこと難し、一誠に余り非ず、能く九原を感じ、厚意を忘れず、以て誓を為すこと無からんや。」と。

【語釈32】○旅次　やどや。旅宿。○鼎足　三者が対立することや、三公が協力して天子を補佐することをいう。ここでは、三者がそれぞれ向き合う意か。○契活之情　「契活」は苦労すること。『朝鮮王朝実録』に用例が多く見える。巻第十一「驪陽府院君夫人、奉養無人、契活艱辛、慶恩府院君夫人、喪禍以來…」○海畔　うみべ。○千里間關　間關は、道が険しくてなかなか進めないさま。○仙蹤　古人が登仙となることを比していう。○一誠　一心に思うこと。専誠。

【原文33】

英曰、「妾之死也、冥司以爲無非、＊而且又嘉我貞操、禮待頻優。故爲請半夜之暇耳。不然、何以至此。幸望公子、無以賤妾之故、忘生思慮、保嗇眠食、東方曾無一美人乎。且道公子之誠、歴歴必見之日、妾身命薄年促、不與公子同享富貴、徒以死先累。悠悠此恨、曷有其極。他日、立身揚名、如有不忘、命於一坏之土、立以三人之碣、使千萬世、多少指點稱之曰、「此乃某官某之妾之墓」云爾、則志願畢矣。公子珍重珍重。」凄然而泣、倏然而逝。淡月侵簾、冷風拂面。

〈校異〉＊而且又嘉我貞操…底本「而且又嘉我貞貞操」。


【書き下し33】

英曰く、「妾の死するや、冥司以て非無しとす、而して且つ又た我が貞操を嘉し、礼待頻る優なり。故に為に半夜の暇を請うのみ。然らずんば、何を以て此に至らん。公子に幸望す、賤妾の故を以て、生の思慮を忘るること無く、眠食を保嗇せんことを。東方曽て一美人無からんや。且く道《おも》え公子の誠、歴歴として必ず見るの日を、妾身命薄くして年促し、公子と同に富貴を享けず、徒だ死を以て先ず累わすのみ。悠悠たる此の恨み、曷ぞ其れ極まり有らんや。他日、立身揚名して、如し忘れざること有らば、一坏の土に、以て三人の碣《いしぶみ》を立てしめよ、千万世の多少をして、指点して之を称して曰く、「此れ乃ち某官某の妾の墓」と爾《しか》云わしむれば、則ち志願畢ぬ。公子珍重珍重。」と。凄然として泣き、倏然として逝く。淡月簾を侵し、冷風面を払う。

【語釈33】　○冥司　冥土の長官。○幸望　分をこえた望み。庶幾。『孝経注疏』御製序幷注に「庶幾わくは広愛四海に形われんことを」とあって、その疏に「庶幾は猶お幸望のごとし。」という。○保嗇　健康を保つ意か。『朝鮮王朝實録』粛宗實録「起居に順い、精神を頤養し、気力の要を保嗇す、上も亦た之を嘉す」○曾無　いっこうにない、の意。○歴歴　はっきりと見てとれるさま。けじめのついたさま。○促　長さや幅が縮むこと。○同享　「有福同享、有禍同當」は、幸福と災禍とを分かち合うこと。○倏然　倏然。すばやいさま。たちまち。

【原文34】

已而因以弔之曰、

*不能料死但料生

我忍獨存尋夙約　君何先逝罷芳盟

花殘夜雨杳無迹　*露滴春風涙有聲

如到九原應一見　定將歸去道深情

自此之後、英魂遂絶。*嗚呼。哀哉。其後、生忽與英、遇於山堂、連枕累日、具陳首尾、記其異故、略擧其概而此後、終不相見、忍以永訣。嗚呼。哀哉。(了)

〈校異〉＊不能料死但料生…底本直後の一句の缺を指摘。＊露滴春風涙有聲…底本「霞滴春風涙有聲」。
＊嗚呼…底本「嗚呼」。

【書き下し34】

已にして因りて以て弔ひて曰く、

死を料ること能わず但だ生を料るのみ
我れ独り存するを忍びて夙約を尋ねん　君何ぞ先逝して芳盟を罷めん
花夜雨に残れ杳として迹無く　露滴春風に滴りて涙に声有り
如し九原に到らば応に一たび見るべし　定めて将て帰去して深情を道わん

此より後、英魂遂に絶ゆ。嗚呼。哀しき哉。其の後、生忽ち英と、山堂に遇い、枕を連ぬること累日なり、具に首尾を陳ぶ、其の異故を記し、略して其の概を挙ぐ。此の後は、終に相見えず、忍びて以て永訣す。嗚呼。哀しき哉。（了）

【語釈34】　○花殘　花が枯れ落ちるようす。○歸去　①帰ってゆくこと。②死亡すること。○而此後終不相見　後人の加筆か。○山堂　山中の寺院で、山の神を祀る。「山神堂」とも。

崔陟伝

朴　知恵

作品解説

『崔陟伝《さいちょくでん》』（최척전《チェチョクジョン》）は戦乱による家族の離散と邂逅を描いた漢文小説である。朝鮮の南原《ナムオン》に住んでいた崔陟《チェチョク》は軍役を避けるため、父崔淑《チェスク》の友人である鄭上舎《ジョンサンサ》の自宅で学問に励んでいた。その間、鄭上舎の親戚である玉英《オギョン》から求婚を促す文をもらい、互いの気持ちを確認した後、父を通して求婚する。玉英の母、沈《シム》氏は崔陟の貧窮を理由に断るが、玉英が母を説得し、婚礼を挙げることになる。しかし、倭兵が南原を侵略し、崔陟は義兵として出兵することになったので、結局結婚式に間に合わなくなってしまう。沈氏は玉英を資産家の息子に嫁がせようとするが、玉英が自殺を図ったため、この結婚はご破算になる。一方、婚礼に間に合わなかったことで病気になった崔陟も帰還でき、二人はやっと婚礼を挙げた。やがて長男の夢釈《モンソク》が生まれ、二人は幸せな暮らしを唱和詩で詠み交わす。

　しかし、慶長の役（一五九七年）が起き、家族は全員智異山に避難した。崔陟が食料を求め下山した時、倭寇に攻撃され、崔淑と沈氏は逃げて夢釈と一緒に南原に戻る。男装していた玉英は捕虜となって日本の「狼姑射」で船の仕事に従事しながら延命した。崔陟は家族全員が死亡したと思い込んで、明の将校である余有文と「姚興府」で生活し、余有文の死後は船でお茶売りをしながら放浪する。一六〇〇年の春、「安南の港口」を訪れていた崔陟は日本の商船から念仏の声を聞き、寂しい思いで笛を吹くと、また同じ船から以前夫婦で交わした唱和詩が聞こえ、崔陟と玉英は互いの存在を確認することになり、翌日劇的に再会を果たす。二人は杭州に定住し、次男の夢仙《モンソン》が生まれる。夢仙は成長後、紅桃という女性と結婚する。紅桃の父は行方不明であった。一六一八年、後金（清）が遼陽を侵略すると、崔陟は書記として参戦する。崔陟は後金の捕虜となったが、そこで朝鮮から出兵していた長男と再会し、明人の助けによって脱出する。朝鮮へ向かっている途中、崔陟は腫物ができ瀕死になったが、明人の助けによって生き返る。恩返しのために、崔陟はその明人を南原に連れて帰るが、彼が紅桃の父であることが分かり、共に生活することになる。そして南原で父崔淑や義母沈氏と再会を果たす。一方、玉英は明軍が負けたと聞き、崔陟が生きていれば朝鮮に戻っているかも知れないと思い、夢仙と紅桃を連れて船で朝鮮に向かう。海上での多くの困難を乗り越えて一六二〇年四月に順天に下船し、徒歩で南原に向かう。こうして崔陟の家族全員が無事再会することができた。

『崔陟伝』は、文禄の役（壬辰倭乱《じんしんわらん》、一五九二年）から、崔陟一家が離散するきっかけになった慶長の役（丁酉再乱《ていゆうさいらん》）を経て、ヌルハチの反乱に対する明の征伐（一六一九年）まで、十六世紀末から十七世紀初頭にかけての東アジアの戦乱を時代背景としている。物語の舞台は朝鮮をはじめ、中国、日本、ベトナムに及んだ。地名や地理の表現に関しては正確性に欠けており、地理は具体性よりイメージによって設定されたと考えられる。ただ、そのイメージは単なる虚構ではなく、憧れの場所として、あるいは商業が盛んな場所として設定されており、朝鮮知識人の当時の地理意識が窺えるものとなっている。

『崔陟伝』の文末には「余南原の周浦に流寓《りゅうぐう》す。陟時に来りて余を訪ね、其の事を道《い》うこと此のごとし。請う其の顚末《てんまつ》を記し、湮没《いんぼつ》せしむること無かれと。已むを獲ず、略《ほぼ》其の概《おおむね》を挙ぐ。天啓元年辛酉閏《しんゆううるう》二月日、素翁題す。」とあり、素翁《ソオン》が南原の周浦に隠遁していた時に崔陟の訪問をうけ、彼の経験を一六二一年にまとめて記録したものであると記される。素翁とは趙緯韓《ジョウィハン》（一五六七〜一六四九年）の号であるが、もう一つの号、玄谷《ヒョンコク》として著した文集『玄谷集』が現存する。趙緯韓も崔陟と同様文禄、慶長の役を経験しており、その際に妻と娘を亡くしているほか、四十四歳の時、謝恩使の一員として明に渡った経験もある。その後、癸丑獄事（一六一三年、大北派が永昌大君及び反対派の勢力を除去するために起こした事件）に連累して、職を辞し、一六一八年二月から一六二三年まで母の故郷である南原で隠棲していた。一六二〇年南原に戻った崔陟とはこの間に対面したかもしれない。しかし、『崔陟伝』という作品については家族全員の再会や六尺仏の夢の告げなど、その数奇な内容からは事実そのものではなく、趙緯韓の直接間接的な経験が反映された虚構であると考えられている。

『崔陟伝』の主な諸本には、韓国のソウル大学奎章閣本・高麗大学校図書館本・簡鎬允本・金某本、日本の天理大学附属天理図書館所蔵の今西龍文庫本、フランスのBULAC図書館本（書名は『三国奇縁』と異なる）がある。日本では山田恭子氏による天理大学附属天理図書館所蔵の今西龍文庫本を底本とした現代語訳と略注がある。本翻訳ではソウル大学校奎章閣本を底本として、現代語訳、書き下し、語釈をつけた。

奎章閣本は最初に学界に知られたため、研究のテキストとして広く使われている。奎章閣本の状態は二枚の落丁があるものの、誤字・脱字が少なく原型が最も多く残っており、善本とされる。奎章閣本は影印がソウル大学校奎章閣韓国学研究院（http://kyujanggak.snu.ac.kr）で公開され、翻刻は金起東編『筆写本古典小説全集』三（『韓国古典叢書　散文類』亜細亜文化社　一九八〇年）、朴熙秉標点・校訳『韓国漢文小説校合句解』第二版（ソミョン出版　二〇〇七年九月）などがある。

【参考文献】

・韓国民族大百科事典編纂部『韓国民族大百科事典』韓国精神文化研究院、一九九一〜九五年

・박희병《パクヒビョン》・정길수《チョンキルス》編訳『戦乱の渦の中で』김희동《キムヒドン》編『千年の我が小説　三』トルベゲ、二〇〇七年九月

・朴熙秉標点・校訳『韓国漢文小説校合句解』第二版、ソミョン出版、二〇〇七年九月

・山田恭子「『崔陟伝』（上）」「『崔陟伝』（下）」『近畿大学教養・外国語教育センター紀要（外国語篇）』一―一〜二、二〇一〇年十一月〜二〇一一年三月

・簡鎬允校勘『先賢遺音』（上）（下）キョンジン出版、二〇一七年五月

・김경록《キムキョンノク》「丁酉再乱期派兵明軍の構造と朝・明聯合軍」『韓日関係史研究』二〇一七年

・朴知恵「『崔陟伝』紹介―韓国における先行研究を踏まえて―」『古代学研究所紀要』二十六号、明治大学日本古代学研究所、二〇一八年六月

現代語訳

【1】崔陟《チェチョク》の字は伯昇《ベクスン》といい、南原《ナムォン》の人である。幼い頃に母を亡くし、父の崔淑《チェスク》と、南原府の西門の外にある万福寺《マンボクサ》の東で暮らしていた。幼い頃から優秀で活発で、友人との交友を好み、約束を重んじ、こまごまとした礼儀にはこだわらなかった。父は息子を戒めて言った。

「お前は勉強しないと、役立たずの何の取り柄もない者になって、ついにはどんな人間になってしまうやも知れぬ。ましてや今国家には戦争が起き、州県ではまさに兵士を集めている。弓矢を射たり狩にばかり熱中して、年老いた父に心配をかけないでくれ。師について教えを受け、科挙の勉学に励めば、仕官に合格しなくても、弓矢を背負って軍に従事することは免れるだろう。城南に鄭上舎《ジョンサンサ》という人がいる。私の幼い時の友人で学問に励み、文章に優れており、初学者をよく指導してくれる。お前はそこに行って鄭上舎を師としなさい。」

崔陟はただちに本を脇に抱え、鄭上舎の家に行き、教えを請い、熱心に勉強した。数か月も経つと、崔陟の文章は日に日に上達し、その様子はまるで黄河や長江の堤防を切って水が溢れるかのようであった。村人は皆その聡明ぶりに感服した。

【2】崔陟が鄭上舎の家で勉強していた時、いつも髪をあげまきにした女の子がみえた。年は十七、八歳くらいで、顔立ちは絵のように美しく、髪は黒く漆のようだった。その子は窓の壁に隠れて、密かに崔陟が書を読むのを聴いていた。ある日、鄭上舎が食事のため書斎を留守にし、崔陟は一人座って書を読みあげていた。突然、窓の隙間から、一枚の小さな紙が投げ入れられた。取って見ると、『詩経』の求愛詩である「摽有梅《ひょうゆうばい》」

の最後の句が書かれていた。崔陟は居ても立ってもいられなくなったが、今の自分には正式に婚約を申し出ることはできない。夜になったら出しぬけに彼女をひそかに抱きしめたいと思ったが、すぐに考えを改めた。寡婦となった師の娘から求愛の詩が送られ、それから二度と師の所に通わなくなったという金台鉉《キムテヒョン》の故事を思いだして自分を戒め、あれこれ深く思いを巡らしていると、入れ代わり立ち代わり道義と欲望とがせめぎ合うのに苦しんだ。急に鄭上舎が出て来るのを見て、崔陟はすぐにその詩を袖の中に隠し、勉強を終えて退出した。すると門の外に一人の下女がいて、崔陟の後をつけて来て言った。

「申し上げたい事があります。」

崔陟は先ほどの詩を読んで動揺していたので、下女の言葉を聞いて訝しく思い、頷いて呼んで家に連れて行き、詳しく尋ねた。下女が答えた。

「私は李家のお嬢様の下女、春生《チュンセン》と申します。お嬢様は私にあなた様の返答を受け取ってくるようにと仰いました。」

崔陟は怪しんで聞いた。

「お前は鄭家の下女ではないのか。どうして李のお嬢様というか。」

下女が答えた。

「主人の家は元々京城《キョンソン》の崇礼門《スンネムン》の外の青坡里《チョンパリ》にありました。お嬢様の父上の李景新《イキョンシン》様が早くお亡くなりになり、寡婦となった沈《シム》氏夫人が一人娘と住んでいました。その娘の名前が玉英《オギョン》様で、詩を投げいれたのはこの方です。昨年、戦乱（文禄の役）を避けて、江華《カンファ》より船に乗り、羅州《ナジュ》の会津《フェジン》に来て留まっておりましたが、秋になって会津からここに来ています。この家の主人の鄭上舎は私の主人の沈氏夫人のご親戚なので、親切にもてなしてくださっています。今お嬢様のために結婚相手を探していますが、まだ良い相手が見つかりません。」

崔陟が聞いた。

「お前のいうそのお嬢様は寡婦の娘だというのに、どうしてあれほど詩文に詳しいのか。天賦の才に恵まれているとでもいうのか。」

下女が答えた。

「お嬢様には兄上様がいらっしゃいました。得英《トゥギョン》様と申し、大変文才豊かでしたが、結婚前に十九歳という若さで、お亡くなりになりました。お嬢様は昔その兄上様のお傍で見たり聞いたりしていたので、お名前を記す程度のことはおできになります。」

【3】崔陟は春生に酒と食事を出してもてなした。そして薄い上等な紙に返事を書いた。

朝、あなた様からの素晴らしい手紙を読んで、私は心を奪われました。また、あなた様の遣わした青い鳥に出会えたのも、この上ない喜びです。ただ窓に映る影から、あなた様の美しい姿を思い浮かべるのは難しいことです。司馬相如《しばしょうじょ》が琴に心を託して卓文君を誘惑し、賈充《かじゅう》の娘が香を盗んで恋仲の韓寿《かんじゅ》に贈ったように、親に隠れて逢うこともできなくはありません。しかし、神仙が住む蓬萊山や神仙境の弱水への道が長く険しいように、あなた様に逢うのは難しいことです。あれやこれやと悩んでいるうちに、顔は黄ばみ、首はやせ細り病気になってしまうところでした。ところが、思いもかけず今日、楚の懐王が陽台で夢に仙女に逢ったように、夢にあなた様に出会い、西王母の書のようなあなた様から手紙を頂きました。昔の秦と晋の両国が代々婚姻を結んだように、私たちも両家の縁を結び、月下老人の糸で結ばれるならば、前世、現世、後世の三生の願を遂げ、偕老同穴《かいろうどうけつ》の契りを必ず固く守ることを誓います。

手紙には書き尽くせませんし、言葉で思いを伝えきれません。

玉英は手紙を受け取ると非常に喜んだ。

次の日、また春生が玉英の返事を持ってきた。

　私は都で生れ育ち、少しばかりではありますが、貞静の行いも学びました。しかし、不幸にも早く父を亡くしてしまいました。戦乱に遇い、一人で母のお世話をしていましたが、ついには兄弟とも別れて、全羅南道《チョルラナムド》にさすらい親戚のもとに身を寄せることになりました。結婚する年ごろになりましたが、まだ良い相手と出会っておりません。私がいつも恐れているのは、ひとたび戦乱で世が乱れると、盗賊が横行し、珠玉がその形を保ちがたく砕けて沈むように、狼藉者《ろうぜきもの》によって汚されるのではないかということです。老母はこのことに心を痛め、その母を私はまた心配しています。その上さらに思い悩むことは、蔦や葛が必ず大木を頼って育つように、女の百年の苦楽は実に男にかかっているといいます。そのように頼れる人でなければ、自分の一生を托すことはできません。近くであなた様を拝見しますと、話しぶりは穏やかで、立ち居振る舞いは優雅で、誠実さがお顔にもはっきり出ていました。もし賢夫を求めるなら、あなた様以外に誰がいるでしょうか。私は他人の正妻となるよりは、むしろあなた様の妾になったほうがましだと思います。しかし、このように不幸な身の上ですから、私はあなた様に釣り合わないのではないかと心配しております。昨日、手紙を投げ入れたのは邪《よこしま》な心からではありません。あなた様の反応をうかがうためでした。私に取り柄がないとはいえ、もとより娼婦ではありません。どうして駆け落ちなどできるでしょうか。必ず父母に告げて、正式な婚礼を挙げることができれば、自ら貞節を守り、妻としての礼を尽くします。私は先に詩を投げ入れて自らを穢《けが》し、自分で夫を選ぼうという醜行《しゅうこう》を犯し、私書を交換するなどして、女性にとって一番大切な奥ゆかしさを失いました。とはいえ、すでにお互いの気持ちは心底から確かめましたので、手紙やむだな話は必要ありません。これからは必ず仲人を通しますので、私を私通の謗《そし》りからまぬかれさせてくだされば、この上もない幸甚です。

【4】崔陟は手紙を見て大変喜び、父に頼んだ。

「聞くところによりますと、京城から来た寡婦が鄭上舎の家の世話になっており、その一人娘が若くて美しいとのことです。どうかこの私のために、鄭上舎にその娘との結婚をお願いしてください。早くしないと他の者に先を越されるかもしれません。」

父が言った。

「あの人たちは華族ではあるが、あちこち流浪して身を寄せる所がない。きっと裕福な家の人と縁組を求めているだろう。我が家はもとより貧しいので、あの人たちは決して承知しないだろう。」

崔陟は繰り返しお願いした。

「まず鄭上舎を訪ねて話してみてください。事の成否は天が決めるものです。」

次の日、父は鄭上舎を訪ねて求婚を申し入れた。鄭上舎が言った。

「たしかに私の従妹は京城から乱を逃れて来て、困窮し、我が家に身を寄せています。従妹の娘は容姿も振る舞いも良家の女性の中でもたいそう優れています。ちょうど婿を探して、玉の輿に乗せてやりたいと思っていました。前々からあなたの御子息の優れた才能は存じており、婿として不足はないとは思いますが、しかし、心配なことは貧しいことです。従妹に相談してから御返事しましょう。」

崔淑は家に帰って息子に伝えた。崔陟は数日の間、悩み苦しみながら返事を待った。鄭上舎は沈氏夫人の所に行って話した。沈氏夫人が断って言った。

「私は戦乱によって家族も財産も失い、孤立して頼る所もありません。ただ一人娘がいるだけですが、この娘は裕福な家に嫁がせたいと思っています。貧しい家の子が賢いからといっても嫁がせることはできません。」

【5】この夜、玉英は母の所に行き、話があるようなそぶりを見せながら言い淀んでいた。母が言った。

「何か思う事があるなら隠さないで言ってごらん。」

玉英は赤面してぐずぐずしていたが、ようやく口を開いた。

「お母様は私のために婿を選ぶとき、必ず裕福な人をお選びになろうとなさいますが、そのことがかえって私を悩ませるのです。婿の家が裕福で、なおかつその方が賢ければ、それは幸せなことと思います。しかし、ある家が裕福であっても婿自身が賢くなければ、その家を守っていくことは難しいでしょう。愚かな人を夫にすれば、たとえ穀物があったとしても、それで安心して暮らせるでしょうか。私の密かに見たところでは、崔陟様は毎日叔父様の所に通って学んでいます。まじめで情に厚く誠実で、決して軽薄な放蕩者ではありません。この人と一緒になれるのなら死んでも恨むことはありません。ましてや士が貧しいのは普通のことです。不義を働いて富むことを私は全く願っていません。どうかこの方のもとに嫁がせてください。これは結婚前の娘が口にすべきことではありませんが、しかし、私にとってはとても大事なことなのです。恥を忍んででも、黙っていることはできません。愚かな人と結婚し、私の一生を台無しにすることになってしまったら、壊れた甑《こしき》を元通りにできないように、また染色された糸を再び白くはできないように、元に戻すことはできません。この機会を逃しては、いくら泣いてもどうにもなりませんし、後悔してもしきれません。まして今の私の境遇は他の人と異なるのだからなおさらです。家には父上もいらっしゃらず、敵兵は隣の境にまで来ています。このような状況で心から信頼できる方でなければ、私たち母子の身を誰に守ってもらえるでしょうか。私は顔氏のように親の言いつけで結婚したくありません。徐妹《じょまい》のように自らの意思で婿を選び、結婚したいのです。奥深い部屋に隠れて、他人の言葉に従って成り行きに任せてなどいられません。」

　母は仕方なく次の日に鄭上舍に告げた。

「私は昨夜、娘の結婚についてもう一度考えてみました。崔さんの息子は貧しくても、その人柄は優れた人物だと思います。貧富は天の定めによるものですから、人間の力ではどうすることもできません。知らない人に嫁がせるよりはむしろ崔さんの息子を婿にしようと思います。」

　鄭上舍が言った。

「あなたがそうおっしゃるのであれば、私も必ず上手く取り計らいましょう。崔陟は貧乏であっても、人柄は立派で、都でもこのような人を探すことは難しいでしょう。もし志の通りに学業を成就すれば、ついに池の中の竜が時を得て天に昇るように、必ず大成するでしょう。」

　翌日、仲人を送って婚約を交わし、九月十五日に婚礼を挙げることにした。崔陟は大いに喜び指折り数えてその日を待った。

【6】それからまもなく、南原府の人で前参奉であった辺士貞《ピョンサジョン》が倭兵討伐のための義兵を起こし、嶺南《ヨンナム》に向かった。崔陟は弓馬の才能があったので、これに同行することになった。崔陟は陣中で思い悩んで病気になった。玉英との結婚を約束した日が近づいたので休暇願を出し、暇を請うと、辺士貞は大義を説いて怒って言った。

「今がどのような時だと思って、結婚などしようというのか。宣祖《ソンジョ》は都を逃れて遠く彷徨《さまよ》っていらっしゃる。臣下たる者は戦いの準備に暇があろうはずもない。ましてやお前はまだ結婚する年齢にもなっていないのだから、敵兵を滅ぼしてから結婚しても遅くはない。」

　辺士貞はついに許さなかった。

　玉英もまた崔陟が従軍して帰って来ないまま、虚《むな》しく約束の日は過ぎた。玉英は食が細り眠れず、日増しに悩みが深まっていった。家の近所に梁《ヤン》氏という大変裕福な家があった。梁氏は玉英が聡明であることと、婚約者である崔陟が従軍したまま帰って来ないことを聞き、この隙に乗じて求婚しようと、ひそかに鄭の妻に賄賂を渡してたぶらかした。それからは毎日、鄭上舎の妻は夫に梁氏との結婚話を勧めた。

「崔陟は貧しく、朝に夕方のことを考える程の余裕もなく、父親一人を養うことも難しい。いつも他人にお金を借りてばかりでは、どうやってこの家族を養い、心配なく暮らすことができるでしょうか。ましてや崔陟は従軍してまだ帰ってこないので、その生死すらもわかりません。それに対して梁氏はなにより裕福で財産も多いと評判で、さらに息子さんも崔陟に劣らず賢いそうですよ。」

　こうしてその後、鄭夫妻が入れ替わり立ち替わり梁氏との結婚を勧めたので、沈氏夫人は判断に苦しんだが、とうとう十月の吉日を選んで婚礼を挙げることになり、もはや約束は反故《ほご》にできなくなった。夜、玉英は母に訴えた。

「崔陟様は義兵として従軍しており、将軍に行動が制限されているだけで、婚約を破ったわけではありません。崔陟様の言葉を待たずにこちらからすぐ約束を破るならば、不義理なのはいったいどちらでしょうか。もし私の意思を無理矢理に変えさせようというおつもりならば、私は死ぬしかありません。お母さまも、天も、私の気持ちをわかっていただけないでしょうか。」

　母が言った。

「お前はどうしてそんなにわからずやなんだ。結婚は家長が決めるもの、私の言う通りにしなさい。お前に何がわかるというのです。」

そう言うと母は床に就き寝入ってしまった。夜深く夢の中で、息も絶え絶えにあえぐ声がした。目を覚まして娘を撫でようとすると、娘はいなかった。驚いて起き上がって探すと、玉英は窓壁の下に布で首を絞めて伏していた。手足はみな冷たく、喉の中から絶え絶えにあえぐ声が次第に弱まり、今にも止まりそうであった。母は慌てて娘に呼びかけながら布の結び目を解いた。春生は不安そうに灯火を持って来て、玉英を抱きしめてひどく泣き叫んだ。水を口に含ませるとしばらくして生き返った。鄭上舎もまた驚いてやって来て看護した。その後は誰も梁氏の事を口にしなくなった。

【7】崔淑は手紙を息子に送り、玉英のことを伝えた。すでに崔陟の病は重かったが、このことを聞いて驚いて命も危なくなった。辺士貞がこれを聞いてすぐに崔陟を帰した。家に帰って数日経つと、重い病もたちまち治った。そこで十一月一日に鄭上舎の家で結婚式を挙げた。似合いの二人が一緒になったその喜びはどれほどのものであったか、お分かりでしょう。崔陟は妻となった玉英と沈氏夫人とを連れて家に帰った。門を入ると召使たちが悦び、堂に上がると親戚一同が祝福をした。その喜びは家中に溢れて、評判は隣近所に聞こえた。

玉英は礼節を尽くして、自ら水汲みや米搗《つ》きの仕事をした。舅《しゅうと》を養い夫に仕え、心を込めて孝行を尽くした。目上を敬い、下の者をよく統率し、人情と礼儀も弁えていた。遠近の人々はこれを聞いて、皆、裕福な家から嫁いだが、粗末な姿で夫を支えた「梁鴻《りょうこう》の妻」や「鮑宣《ほうせん》の婦」も及ばないほどであると思った。崔陟は妻を迎えてからは、物事が思うとおりになり、財産も増えて行った。しかし、いつも後継ぎが生まれるのが遅いと心配していた。毎月の一日に、夫妻は万福寺に行って祈った。

翌甲午の年（一五九四）一月、また参詣して祈ったその夜、金色の丈六仏《じょうろくぶつ》が玉英の夢に顕れて言った。

「我は万福寺の仏である。お前の誠意に感動したので、優れた男子を授けよう。生れる子には必ず普通の子とは違う徴《しるし》があるだろう。」

臨月になって男子が生れたが、背中にちょうど子供の掌くらいの赤い痣《あざ》があった。そこで夢釈《モンソク》と名づけた。

【8】崔陟は簫《しょう》の笛を吹くのが上手だった。月の出た夕べ、花の咲いた朝、月や花を愛でながら簫を吹いた。その年の晩春の清らかな夜半、微かに風が吹き、明るい月が上り輝いていた。舞い散る花びらが服の上に落ち、闇に漂う微かな花の香りが鼻を刺激した。崔陟は瓶を開け、盃に酒をいっぱいに注いで飲んだ。机に寄りかかって「梅花三弄《ばいかさんろう》」という笛の曲を三曲続けて吹くと、余韻が嫋嫋《じょうじょう》と響いた。玉英は物思いに沈んでいたが、しばらくしてから言った。

「私は以前から婦人が詩を詠むことをよからぬことと思っていました。しかし、このような時には、詩を詠まずにはいられません。」

そこで七言絶句を詠んだ。

王子吹簫月欲低
碧天如海露凄凄
會須共御青鸞去
蓬島烟霞路不迷

王子喬《おうしきょう》が簫を吹くと月も降りて聴こうとする
碧天《へきてん》からは海のように露が冷たく降りる
私はあなたと一緒に青鸞《せいらん》に乗って去りましょう
蓬莱に行く烟霞《えんか》の路も迷うことはないでしょう

崔陟は玉英が詩をこれほど詠めると思わなかったので、これを聞いて大変驚いた。そこで詩を褒めて、これに応えて七言絶句を詠んだ。

瑤臺縹緲曉雲紅　　瑶台《ようだい》は遠く広がっているが暁の雲は紅に染まる
吹徹鸞簫曲未終　　鸞簫《らんしょう》を吹き通しても曲はいまだ終らないのに
餘響滿空山月落　　その余韻は空に満ち山上の月が沈むまで響く
一庭花影動香風　　庭には花のような人とともに香風が香る

詩を詠み終わっても、玉英の歓びは尽きなかったが、感興が尽きると悲しみが訪れた。寂しげに泣いて言った。

「世の中には色々なことがありますが、良い事には邪魔が付きものです。百年の内には離れたり一緒になったりする困難が常のことです。それゆえに思い迷い、あれこれどうしようもない事を考えてしまうのです。」

崔陟は袖で涙をぬぐってやり、慰めて言った。

「物事がすべて変化してゆくのは、天の例外のない道理です。何事にも吉凶があり悔やんだり恨んだりするのは、人間に当然の事です。たとえ不幸にあっても運命だと悟るべきです。どうして今平穏な状態でいるのに、むやみに悲しむ必要があるでしょうか。古人は『憂い無くして戚《うれ》う』と戒めています。また『吉と言いて凶と言わず』という諺もあります。心配して悩んで、この歓びを阻むべきではありません。」

これ以降夫婦の情愛はいっそう深まり、互いを伯牙《はくが》と鐘子期《しょうしき》のような知音《ちいん》の仲と言って、一日として離れることはなかった。

【9】丁酉《ていゆう》の年（一五九七）八月に倭兵が南原を攻め落とした。人々はみな逃げ隠れ、崔陟の一家も智異山《チリサン》の燕谷《ヨンコク》に避難した。崔陟は玉英を男装させ、群衆の中に紛れ込んだ。人々は玉英を見ても、誰も女子であるとは気付かなかった。燕谷に入って数日もすると食料も尽きて、餓えが眼前に迫ってきた。崔陟は男数人と一緒に、山を降りて食料を探し求め、倭兵の動向を探ろうとした。求礼《クレ》に着いた時、突然倭兵に遭遇したが、岩藪に身を潜めて逃れた。この日、倭兵は燕谷に入って山や谷をくまなく捜索し略奪の限りを尽くした。一方、崔陟は家族のもとに帰ろうと思ったが、路がふさがっていて、身動きがとれなかった。三日が過ぎ、倭兵が退散した後、燕谷に帰って見ると、そこには死体があちこちに積み重なり、血が川のように流れていた。その時、林の中から苦しみ泣き叫ぶ声が聞えた。崔陟が近づいてみると、老人や子供数人が全身傷だらけになっていた。崔陟を見ると泣きながら言った。

「倭兵が智異山に入って三日間、財物を略奪し、人々を斬り殺し、女を連れて、昨日すでに蟾津江《ソムジンガン》に退いて駐屯した。もし家族を探すのなら、河辺に行って聞いてみるといい。」

崔陟は天を仰いで号泣し、地を叩き、血を吐きながら蟾津江の方へ走って行った。まだ数里も行かないうちに、死体を見ると、その中から呻き声が断続して、生きているのか死んでいるのかもわからず、しかも顔中血まみれで、誰ともわからない人がいた。ただその着ている服は、まさしく春生のそれであった。崔陟は大声で呼びかけた。

「ああ、お前は春生ではないか。」

春生は目を見張り、崔陟を見て、喉の奥から声を振り絞って言った。

「旦那様。旦那様。ご家族は皆倭兵に連れ去られてしまいました。私は夢釈様を負ぶっていたので走って逃げられず、倭兵に斬られてしまいました。地に倒れて死にかけていましたが、半日経って意識を取り戻した時には、負ぶっていた夢釈様の生死も行方もわからなくなってしまいました。」

　春生は言い終わると息を引き取った。崔陟は胸を叩き、地団駄を踏み、気絶して倒れた。もはやどうしようもなかった。崔陟が起きて蟾津江へ向かうと、岸のほとりに老人や子供の怪我をした者が数十人集まって泣いていた。崔陟が近づいて尋ねると答えた。

「俺たちは山中に隠れていたが、倭兵に捕えられ連れてこられた。船に着くと倭兵は丈夫な者を選んで船に乗せ、怪我人や老いぼれは船から降ろしたのだ。」

　崔陟はひどく嘆いて、一人で生きていくことなど到底考えられず、自殺しようとしたが、周囲の人に止められた。川辺を一人でとぼとぼ歩き始めたが、行くところもなかった。故郷の家に帰ろうと路を尋ねて三昼夜をかけ、ようやく南原に戻った。家の垣は壊れ、瓦は砕けて、生き残った人々が休める所もなく、死体が丘のように積まれ、足の踏み場もなかった。

【10】金石橋《クムソクキョ》の傍で休んでいたが、連日食事もとらずに走ってきたので、力尽きて倒れたまま起き上がれなかった。その時、明の将軍が十余騎を率いて、南原城中を出て、金石橋の下の川で馬を洗わせていた。崔陟は義兵の陣にいた頃、明の兵士の応対に長らく当たっていたので、少し明の言葉を話せた。そこで崔陟は、一家が滅び、身を寄せるところもないので、明軍に同行して明に行き、暮らしたいと訴えた。明の将軍はこれを聞いて同情し、その気持ちを憐れんで言った。

「私は明の摠兵《そうへい》の千摠という官にある者で、余有文《よゆうぶん》という。家は浙江の紹興府にある。貧乏ではあるが、食べていく程度には事足りている。人として生まれたら互いの心を知ることを大切にするものだ。思うままに互いに楽しめれば、あれやこれや話す必要もない。そなたはすでに家族もなく未練もないのだから、ひとつ所に固執して、他の地へ赴くことに躊躇《ちゅうちょ》することもないだろう。」

そう言うと、余有文は崔陟に馬一頭を与え、それに乗せて陣に戻った。崔陟は容貌が衆に抜きんでて優れており、思慮深く、弓馬にたけていて、文書もよく書けた。余有文は崔陟を愛し、寝食を共にした。やがて軍が明へ撤収する時、崔陟を戦死者と入れ替えて名簿に載せ、国境を越えて紹興に入り、そこで暮らすことになった。

【11】一方、崔陟の家族は捕えられて蟾津江まで連行された。倭兵は崔陟の両親が老いて病気だったので、きびしく看視することがなかった。二人は倭兵が油断している隙に蘆の中に逃げ隠れた。倭兵が去ってから村に行って物乞いをしながら、燕谷寺《ヨンコクサ》にたどり着いた。その時、僧房から幼い子供の泣き声が聞こえてきた。沈氏夫人が泣きながら崔淑に言った。

「この泣き声はどこの子供でしょう。夢釈の声とよく似ていますね。」

崔淑が急いで扉を開けて見るとまさしく夢釈であった。夢釈を懐中に抱き、撫でて泣きながら時の移るのも知らなかった。そこで尋ねた。

「この子はどこから連れてきたのでしょうか。」

僧の慧正《ヘジョン》という者が進み出て答えた。

「私が道端の死体の中から泣き声を聞き、哀れに思って連れてきて、両親が探しに来るのを待っていたのです。今思っていた通りに再会できたのは天の力にほかなりません。」

崔淑は孫を連れて沈氏夫人と交代で負ぶって帰り、召使を集めて暮らし始めた。

【12】その頃、玉英は倭兵の頓于《とんう》に捕えられた。頓于は老兵で、元々殺生を好まなかった。慈悲深く仏を信じ、商売を生業《なりわい》としていた。頓于は船の操縦に習熟していたので、倭将小西行長《こにしゆきなが》が船主として乗船してきた。頓于は玉英の機敏さを愛していたので、逃げられることを心配していた。そこで華やかな服や美食を与えて、その気持ちを慰めた。しかし、玉英は海に身を投げて死のうと思っていたので、再三船から出たが、その度に気付かれてしまった。ある晩、金色の丈六仏が玉英の夢に顕れて告げた。

「我は万福寺の仏である。決して死んではいけない。将来きっと良い事があるだろう。」

玉英は目が覚めて夢について考えてみると、ひょっとしたら望みがまったくない訳ではないと思い直した。そこで無理にも食事をとり死ぬことはやめた。頓于の家は狼姑射にあったが、妻は老いて娘は幼く、他に息子はいなかった。頓于は玉英を家に住まわせたが、外出はさせなかった。そこで玉英は嘘をついた。

「私は元々小柄な男の子で弱弱しく病気がちでしたので、本国にいた頃は、成人男性の仕事に従事することはできませんでした。ただ裁縫や炊事を自分の仕事として、他のことは全くできませんでした。」

頓于はこれを聞いて大変かわいそうに思い、玉英を沙于《さう》と名づけた。乗船して商売に行くたびに、玉英を航海長として船に乗せ、福建省と浙江省の間を往来した。

【13】この時、崔陟は紹興府にいた。余有文は崔陟と兄弟の契りを交わし、自分の妹を崔陟の妻にしようとしたが、崔陟は固く断わって言った。

「私の家族は倭兵に連れさらわれ、老いた父やか弱い妻の生死もいまだわかりません。葬式を出し喪服を着ることもできないのに、どうして自分だけ安らかに結婚し、楽しく暮らしていけるでしょうか。」

余有文はこれを聞いて妹との結婚を諦めた。

この年の冬に余有文が病死した。崔陟はまた帰る所がなくなり、さびしく長江や淮水のあたりの名勝地を周遊した。龍門を窺い、禹王の遺跡を探り、沅江や湘江を巡って、洞庭湖を渡り、岳陽楼に上り、姑蘇台に登り、湖や山のほとりで詩を詠み、雲水の間を歩き回り、彷徨っている内に遁世したいと思った。その時、海蟾道士、王用が青城山に隠居し、不老不死の薬を作り、日中に空を飛ぶことができると聞いた。そこで蜀に赴き、その術を学ぼうとした。

その時たまたま宋佑《そうゆう》という人に出会った。鶴川《かくせん》と号し、家は杭州の湧金門《ゆうきんもん》の内にあった。博識で経史に精通し、立身出世には関心がなく、本の執筆を生業としていた。人に恵みを与えることに喜びを感じ、義侠心があり、崔陟と友人になった。崔陟が飛昇の術を学びに蜀に赴くと聞き、酒を持ってやって来た。酒を飲んで酔いが回ってくると、宋佑は崔陟を字《あざな》で呼びながら言った。

「伯昇よ、人がこの世に生まれたら、誰もが永遠に生きたいと思うだろう。しかし、昔も今も、そのような道理はあるだろうか。むしろ死ぬことが当然です。我々の余生はどれ程あるだろうか。それなのに、あなたはどうして丹薬で飢えをしのぎ、自らを苦行し、山鬼と共に暮らそうとするのだろうか。私と一緒に帰るべきです。小舟に乗って呉や越に行き、絹や茶を売って、余生を楽しもう。これもまた達人の生き方です。」

崔陟はこれを聞いて心が洗われたようになり、宋祐と同行することにした。

【14】庚子《こうし》の年（一六〇〇）の春、崔陟は宋佑と一緒に杭州の商船に乗って、安南《あんなん》に往来した。当時そこには日本船も十余艘来ており、これも浦口《ほこう》に停泊していた。十日あまり経った四月二日、空には一点の雲も無く、水は絹のように光り、風はやみ波も静かであった。やがて人々の声も聞こえなくなり姿も見えなくなっ

た。船上の人々は寝入り、時折鳴く海鳥の泣き声以外には、日本船の中から念仏の声が聞こえるだけであったが、その声はとても悲しかった。崔陟は一人でぼろぼろの窓にもたれ、自分の境遇について考えた。そして旅装の中から簫を取りだし、「界面調」の一曲を吹き、胸中の哀怨の気持ちを託した。ちょうどその時、天気が一変し、荒れ模様になった。船中の人々が驚いて目を覚まし、みな不安げな面持ちをしていた。日本船から聞こえていた念仏の声もぴたりと止んだが、まもなく朝鮮語で七言絶句を詠む声が聞こえた。

王子吹簫月欲低　　王子喬が簫を吹くと月も降りて聴こうとする
碧天如海露凄凄　　碧天からは海のように露が冷たく降りる
會須共御青鸞去　　私はあなたと一緒に青鸞に乗って去りましょう
蓬島烟霞路不迷　　蓬萊に行く烟霞の路も迷うことはないでしょう

詩を詠み終わると、今度は歎き悲しむ声がした。崔陟はその詩を聞くと驚いて、落ち着かず気を失わんばかりであった。思わず笛を投げ捨て、我を忘れたさまは死人のようだった。それを見て宋祐が言った。

「どうしたんだ。どうしたんだ。」

繰り返し聞いても、崔陟は答えない。三度聞いたところで、崔陟は語ろうとしたが悲しみで喉がふさがって、涙をはらはら流すばかりであった。しばらくして気を確かにして答えた。

「今の詩は私の妻が作った詩です。他人が聞いても分かる人はいませんが、その声も私の妻と酷似しています。どうしてこんなところまで来て、日本船にいることがありましょうか。ありえない事です。」

そうして倭兵に家族が連れ去られたことをすべて話した。これを聞いた船中の人々は皆驚いて不思議なことだと思った。そのなかに杜洪《とこう》という人物がいた。年が若く勇敢な青年であった。崔陟の話を聞いて、義侠心にかられていたのであった。杜洪は手で楫を撃ちながら奮然として立ち上がって言った。

「俺が行って奥様を探します。」

宋佑が杜洪を止めて言った。

「深夜に騒ぐと多くの人が動揺する。明日の朝、落ち着いて対処するのが上策だ。」

周りの者も皆、「その通りだ。」と言った。

崔陟は座ったまま朝を待った。東方に日が昇ると、岸を下り、日本の船に向かった。崔陟は朝鮮語で尋ねた。

「昨日の夜、詩を詠んだ人がいました。その人は朝鮮人に間違いありません。私も朝鮮人です。もし一度会うことができたら、外国で同郷の人に会うこと以上に嬉しいことはないでしょう。」

一方、玉英は昨夜船中で崔陟の簫の音を聞いて、朝鮮の曲調であると気づき、また昔聞きなれた曲調に似ていると思った。そこで密かに、夫がその船に乗っているのではないかと思って、試しに詩を詠んで探りをいれたのであった。そういうわけで今崔陟の言葉を聞くに及んで、玉英は我を忘れて船から転げ降りた。二人は互いに顔を合わせると、驚いて叫んで抱き合い、砂浜を転げまわった。声も出ず、息もつまり、ひと言も言葉にできなかった。涙が枯れ血の涙が流れ、見ることもできなかった。両国の船に乗っていた人々が垣のように囲み集まった。初めは二人が親戚なのか友人なのか見当がつかなったが、しばらくして二人が夫婦であると分かった。人々は大声で騒ぎ立て互いに言い合った。

「本当に不思議なことだ。本当に不思議なことだ。これは天の祐《たす》け、神の助けだ。今も昔もこんなことはなかった。」

【15】崔陟は父母の消息を玉英に尋ねた。

「捕まって山から河のほとりに連れていかれた時には、お父様もお母様もたしかに無事でしたが、日が暮れて船に乗ったときには慌てていて、見失ってしまったのです。」

二人は向かい合って泣き崩れた。この話を聞いて泣かない者はいなかった。宋佑が頓于に白金三錠を払って玉英を連れて帰りたいと申し出ると、頓于が怒って言った。

「わしがこの子と出会ってから四年が過ぎた。その誠実さを愛し、我が子のように思っており、寝食も共にし、片時も離れた事がない。しかし、この子が女であったとはまったく気が付かなった。今この事を目の当りにして、天地や鬼神ですら心を動かすに違いない。わしは愚かでも、木石のように人の気持ちが分からない人間ではない。どうしてこの子を売って、生活の糧とすることなどできようか。」

そういうと袋から、十両の銀を取り出して、これを餞別にして言った。

「共に暮らして四年になるが、突然の別れになってしまった。あまりのことに呆然《ぼうぜん》として胸がいっぱいだが、お前は万死の危機を乗り越え、生きて再び夫に会えた。これは人の世にはありえない事だ。わしがもし沙于の行くのを引き止めたら、天は必ずわしを罰するだろう。一緒に帰れ。沙于よ。元気でな。元気でな。」

玉英は手を挙げて感謝して言った。

「ご主人様の保護によって死なずに生き延び、ついには夫と再会できました。これまで多大なご恩を頂きました。ましてこのような贈り物までいただいて、何と御礼を申し上げたらよいのでしょうか。」

崔陟も何度も感謝の言葉を言って、玉英を連れて船に帰った。近隣の船から崔陟と玉英を見に来る人々が連日絶えなかった。なかには金銀や絹布などを餞別として贈ってくれる人もいた。崔陟はこれを全部受け取って感謝した。

【16】宋佑は家に帰ると、一室をきれいに清掃して、崔陟夫妻を住まわせた。崔陟は妻と再会し、安らかな気持ちになった。しかし、遠い異国に身を寄せているので、周りに親戚はおらず、老いた父と幼子のことを考えると、昼も夜も心が傷み、故郷に帰りたいと祈るばかりであった。共に暮らしてから一年経った頃、また一人の子を授かった。子供が生まれる前の晩、丈六仏がまた夢に顕れて言った。

「生まれてくる子供の背中にまた痣があるだろう。」

夫妻は感動して、これはまさしく夢釈の再来であろうと思った。そこで生れた子には夢仙《モンソン》と名づけた。夢仙がすっかり成長すると、父母は夢仙の妻に賢い女性を探した。隣の陳家に娘がいて、名前を紅桃といった。紅桃が生まれて一年も経たない頃に、父の偉慶は劉摠兵の軍に従って朝鮮に出兵したまま帰ってこなかった。成長すると母も亡くなり、そのため紅桃は叔母の家で育てられた。いつも父が異国で亡くなり、父の顔も覚えていないことを悲しんでいた。一度でよいから父が死んだ国に行き、哭礼を捧げたいと願っていた。これを思うと恨めしく悶々として、肝に銘じていたが、女の身ではどうしたら実現できるのか考えつかなった。紅桃は夢仙が嫁を探していると聞き、叔母に相談した。

「どうか崔家に嫁がせてください。一度でよいから朝鮮に行きたいのです。」

叔母は前から紅桃の願いを知っていたので、崔陟の家を訪ねてそれを伝えた。崔陟と玉英は感嘆して言った。

「女でこのような意志があるのは立派なことだ。」

そこで紅桃を嫁に迎えた。

【17】翌年の己未《きび》の年（一六一九）、後金（清）のヌルハチが遼陽《りょうよう》を侵略し、次々にいくつも陣地を陥落し、多くの将兵が死んだ。明の天子、神宗《しんそう》は激怒し、国中から兵を動員して、後金を討とうとした。蘇州の人で呉世英という人は、喬遊撃《きょうゆうげき》の軍の百摠として出兵したが、以前から余有文を通して、崔陟の知謀と武勇を知っており、書記として従軍させた。崔陟が出発しようとした時、玉英は崔陟の手を握って、泣きながら別れの言葉を言った。

「私は運が悪く早くに父母を亡くし、数えきれないほどの多くの辛苦を味わいましたが、九死に一生を得てなんとか生き残りました。天の助けにより、あなた様と再び巡り合い、切れた絃が再び結ばれ、割れた鏡が再び合わさって円くなるように再会できました。一度切れた縁を結び、幸いに祭祀を託せる息子を儲けることもできました。歓びを共にし、すでに二十四年になります。昔の事を振り返ってみれば、死んでも満足です。いつ死んでもよいと思い、あなた様に恩を返したいと思って、年を取るのも気にしませんでしたが、今またオリオン座とサソリ座のように離ればなれになろうとしています。ここから遼陽は数万里も離れており、生きて帰ることは難しく、この後いつ再び会えるかも分かりません。どうかこの別れの場で私が自ら命を断ち、あなた様の私を思う気持ちを断つと同時に、私が昼夜苦しむことから免れさせてください。これが私の望みです。ああ、さよなら。さよなら。」

　玉英は言い終わると泣きながら刀を取り出して首を刺そうとした。崔陟は刀を奪い慰めて言った。

「つまらない敵が身の程を知らずに攻めてきましたが、天子軍の征伐《せいばつ》の勢いはまるで卵をつぶすように強力です。従軍するのはただ時の経つ苦しみだけです。このようにむやみに煩悩をもたず、私が勝利して帰って来るのを待って、酒を傾け歓び合いましょう。ましてや夢仙はもう立派に成長し十分頼りになります。しっかり食べて、旅に出る私に心配をかけないでください。」

そして崔陟は身支度を整えて出発した。

【18】遼陽に着いて、胡地に数百里も進攻したところで、明軍は朝鮮の軍馬と共に牛毛寨で露営した。ところが、明軍の主将が敵を侮《あなど》ったために全軍が敗れ、ヌルハチは明の兵士を殺し、残党すらいなくなった。一方、朝鮮人も説得したり脅したりしながら、無数に殺傷した。喬遊撃は兵十余人を連れて、朝鮮の陣営に逃げ、朝鮮の衣服を求めた。朝鮮軍の元帥、姜弘立《カンホンリプ》は余りの衣服を与えて、彼らが殺されずにすむように図った。ところが、従事官の李民寏《イミンファン》は明の兵士が朝鮮人に扮したことをヌルハチに知られるのを恐れ、兵士の服を奪い、捕まえて敵陣に送った。崔陟はもともと朝鮮人なので、混乱の中で隊列の間にまぎれて一人だけ殺されずにすんだ。ついに姜弘立が投降すると、崔陟は朝鮮の将卒と一緒に捕虜となった。

　この時、夢釈も南原から兵学を修めて出兵し、元帥・姜弘立の陣中にいた。ヌルハチが降伏した兵士を分けて牢獄に入れた時、崔陟は夢釈と同じ牢獄に入られたが、父子は互いに向かい合ってもそれが誰であるかを知らずにいた。夢釈は崔陟の朝鮮語が流暢《りゅうちょう》ではないため、心中では朝鮮語の話せる明兵が殺されるのを恐れ、朝鮮人になりすましているのだろうと考えていた。そこで故郷がどこか尋ねた。崔陟もまた後金軍が自分を調べて事実を探ろうとしているのだろうと疑って、しらばくれてある時は全羅《チョルラ》と言い、ある時は忠清《チュンチョン》と言った。夢釈は怪しいとは思ったものの、真相を測りかねていた。数日が過ぎたころ、二人は気持ちが通じ合って大変親しくなり、同じ境遇に苦しむ者どうし互いに憐みあい、互いの疑念もなくなった。崔陟が自分の経験と生涯を吐露すると、それを聞いた夢釈は顔色が変わり心底驚いて、一方で信じ一方で疑い、半信半疑の様子であったが、突然尋ねた。

「亡くなった息子さんの年はおいくつですか。体つきはどのようでしたか。」

崔陟が答えた。

「甲午《こうご》の年（一五九四）の十月に生れ、丁酉《ていゆう》の年（一五九七）の八月に死んだ。背中に子供の掌くらいの赤い痣があった。」

それを聞いて夢釈は驚きのあまり声も出なかった。そして上着を脱ぎ背中を見せながら言った。

「私がお父様の息子です。」

崔陟も今目の前にいる青年がまさしく自分の息子であることを認めた。それから互いに崔淑と沈氏夫人や玉英の無事を確かめ合い、抱き合って何日も泣き続けた。後金の老兵がしきりにやって来ては崔陟と夢釈の様子を見て、朝鮮語が理解できるのか、二人を憐れむ様子であった。ある日、後金の兵士が皆出かけると、その老兵がこっそりやって来て、崔陟のところに一緒に座り、朝鮮語で聞いた。

「お前たちの泣いている様子を見ると、最初ここに来た時とは違っている。特別の事情があるのだろう。わしに聞かせてくれないか。」

崔陟と夢釈は悪いことが起きるのではないかと恐れて、すぐには話さなかった。すると老兵が言った。

「心配することはない。わしもお前たちと同じく朔州《サクジュ》の兵士だった。府使があまりに無慈悲にわしらを虐《しいた》げるので、その苦しみに耐えられず、家族を連れて胡の地に入ってすでに十年が経った。胡の人々は率直で、人民を苦しめる政治はない。人生は朝露のようにはかないというのに、どうして人民をむち打つような故郷に帰ろうか。ヌルハチはわしに八十人の精兵を与え、朝鮮兵を取り締まらせ、逃亡に備えさせた。しかし、今お前たちの話を聞くと、本当に何とも不思議なことだ。わしはヌルハチに責められても、何としてもお前たちを逃してやろう。」

翌日、老兵は食料を用意して、自分の子に抜け道を案内させて見送らせた。

【19】崔陟は息子の夢釈を連れて故郷に二十年ぶりに帰ることになった。崔陟は早く父に会いたいと思い、一日に二日分の行程を南に下った。たまたま背中に腫物ができたが、治療する暇もなかった。恩津《ウンジン》に着いた頃には腫れが酷くなり、途中の宿で動けなくなった。息も絶え絶えになり、今にも死にそうだった。夢釈は心配して医者を探して走り回ったが、鍼《はり》も薬も探せなかった。その時、明人逃亡者がおり、湖右《ホウ》から嶺左《ヨンザ》に向かっていた。その明人が崔陟を見て驚いて言った。

「危ないところだった。一日でも遅かったら助からなかっただろう。」

そして袋の中から鍼を取り出し、腫物を刺すと忽ち治った。

それからわずか二日後には杖をついて家に帰った。すると家中の者が驚く様子はまるで死人を見たかのようであった。崔淑と崔陟父子は抱き合って泣き、まるで夢のようで現実ではないかのようだった。

沈氏夫人は娘の玉英が死んだと思ってからというもの、魂が抜け呆けたようだったが、ただ夢釈を心の支えとしていた。その夢釈もまた戦死したと思い、病床について何か月も起き上がれなくなっていた。そこに夢釈と崔陟が帰って来て、さらに玉英も生きていると聞き、狂ったように叫んだり倒れたりして、これまでの悲しみを忘れて喜んだ。

夢釈は明人が父の命を助けてくれた事に感謝し、家に連れてきて厚く恩返しをしようとした。崔陟が明人に聞いた。

「あなたは明の人でしょう。故郷はどこですか。姓名は何と言うのですか。」

明人が答えた。

「私の姓は陳《ちん》、名は偉慶《いけい》です。家は杭州の湧金門の内にあります。万暦《ばんれき》二十五年（一五九七）に劉提督の軍に入って順天《スンチョン》に陣を張っていました。ある日、敵を偵察しに行った際、主将の命令に従わなかったために、軍法にかけられました。そこで夜中にこっそり逃げ、朝鮮に留まり、今に至ります。」

崔陟は話をきいて大変驚いて言った。

「あなたの故郷には父母や妻子はいますか。」

陳偉慶が答えた。

「家には妻が一人おり、順天に来る前に一人娘が生れて数か月でした。」

崔陟がまた聞いた。

「娘さんの名前は何と言いますか。」

陳偉慶が言った。

「娘が生まれた日、たまたま隣人が桃を贈ってくれたので、紅桃と名付けました。」

崔陟は突然、陳偉慶の手をとって言った。

「不思議な事だ。不思議な事だ。私も杭州にいたのですが、あなたの家の隣に住んでいました。あなたの奥さんは辛亥《しんがい》の年（一六一一）の九月に病死し、一人残された紅桃さんは叔母の呉鳳林《ごほうりん》さんの家で育てられました。そして私の息子の嫁になりました。思いもかけず今日ここであなたに会いました。」

陳偉慶は驚き叫んでしばらくの間黙りこくった。それから言った。

「ああ、私は大邱《デグ》の朴《パク》という人の家に世話になっており、一人の老婆から針術を教えてもらい、糊口《ここう》を凌《しの》いできました。今あなたの話を聞いて、まるで郷里にいるような気がします。私もここに移って来たいのですが。」

それを聞いた夢釈が言った。

「あなたには父を助けて頂いたご恩があるだけではなく、お嬢さんには私の母や弟がお世話になっています。もう一家の一員です。何も問題はありません。」

すぐ陳偉慶を移住させた。一方、夢釈は母が生きていると聞いてから昼夜どうにかならないかと悩み、すぐにも明に行き、母を連れて帰りたいと思いめぐらしたが、自分にできる事はなく、ただただ泣くばかりであった。

【20】その頃、玉英は杭州で明軍が敗戦したと聞いて、崔陟も戦場で死んだのは疑いないと思い、その泣き声は昼夜絶えることがなかった。そして自分も死のうと思い、何も口にしなかった。そんなある夜、突然夢に丈六仏が顕れ、頭を撫でながら言った。

「決して死んではいけない。後にきっとよい事がある。」

玉英は夢から覚めると夢仙に語った。

「私が昔捕われて、海に身を投げて死のうとした時、南原の万福寺の金色の丈六仏が夢に顕われ、『死んではいけない。きっとよい事がある。』と告げられました。それから四年後、お前の父と安南の港で再会できたのでした。今、私が死のうとしたところ、また同じ夢を見たので、お前の父はひょっとすると戦死をまぬがれたかもしれない。お前の父がもし生きていたら、私は死んでも生きているのと同じです。何も恨むことなどありません。」

夢仙は泣きながら言った。

「最近、聞くところによると、後金のヌルハチは明軍は皆殺しにしたが、朝鮮人は死をまぬがれたとのことです。父上はもとより朝鮮人ですので、きっと生きているに違いありません。金の仏様が嘘をつくはずがありません。お母様も死のうなどと思わないでください。父上が帰ってくるのを待ちましょう。」

　それを聞いて玉英が突然決意を新たにして言った。

「ヌルハチの巣窟は朝鮮の国境からわずか四、五日の距離です。お前の父がもし生きているとしても、必ず本国に逃げるでしょう。どうして数万里も離れたこの地まで危険を冒して逃げて来るでしょうか。私がまさに本国に帰り、夫を探して、仮に戦死していたとしても、昌州《チャンジュ》の境に行き、彷徨う魂を呼び寄せて、先祖の墓の傍に葬り、長く沙漠の外で苦しんでいる魂を救ってやろうと思います。それが私の務めです。南の越から来た鳥は南側の枝を求めて巣をつくり、北方の胡の地から来た馬は北風に身を寄せると言うように、故郷を慕う心は切実です。今私自身の死期も近くなり、故郷を恋しく思う気持ちは耐えがたいものがあります。舅と母、幼い息子をみな戦乱の日に失い、その生死すら知ることができません。この頃商人の話によると、朝鮮人の捕虜が次々送還されていると言います。この話が本当ならば、家族の誰か一人でも生きて帰って来ているかも知れません。お前の父と祖父が皆異国で死んだとしても、先祖の墓は誰かが守らなければなりません。遠近の親戚もすべて戦乱で死んだのでしょうか。もし親戚の誰かに会うことができれば、これもまた一つの幸せです。お前は船を買い食料を準備しなさい。ここから朝鮮までは水路でわずか二、三千里です。天地の助けがあり、さらに順風ならば十日足らずで朝鮮に到着できます。私は帰ることに決めました。」

　夢仙が泣きながら訴えた。

「お母様はどうしてそのようなことをおっしゃるのでしょうか。もしうまくいって朝鮮に着けば最善です。しかし、広い海は小舟で渡れるような所ではありません。風や大波、蛟《みずち》や鰐《わに》の災難に遭うことは予測もできません。海賊は航海する船に向かって到る所で乱暴を働いています。母子が一緒に魚の餌になっては、死んだ父に対して何の利益があるでしょうか。私は愚かですが、事の大事さに理由をこしらえて反対しているわけでは決してありません。」

その時、紅桃が隣で夢仙に言った。

「これ以上は反対しないでください。お母様はよくお考えになってお決めになったことなので、災難を議論する時間はありません。もし水火や盗賊に遭っても逃れる方法はあるでしょう。」

玉英がまた言った。

「海路は困難ではあるが、私には多くの備えや経験がある。昔日本にいた頃、舟を家として、春は福建と広州で商売をし、秋は琉球で商売をしていた。逆巻く大波を乗り越え、星を占い、潮の流れを読んで海を渡ることには慣れている。風や大波が激しいときもあればそうでないときもあるけれども、私自身がこれに対処して舟は安全に制御することができる。不幸な心配はやめなさい。よい方法があります。」

玉英はすぐに朝鮮と日本の服を作らせ、毎日二人に両国の言葉を教えた。そして夢仙に厳しく言った。

「航行は帆柱と楫《かじ》にかかっている。必ず頑丈で精密なものでなければならない。さらになくてはならないものは羅針盤です。日を占って出航したら、私の意向に逆らわないように。」

夢仙は黙って引き下がったが、密かに紅桃を責めて言った。

「母は死を覚悟し、後先のことを顧みず、危険を冒して渡航しようとしている。死んだ父のことは仕方がない。いったい母はどこに置くのがよいのか。おまえまで賛成しているが、これが無謀なことだと思わないのか。」

紅桃が答えた。

「お母様は真心からこの大計画を立てました。初めから言い争うようなことではありません。今もしこの計画を止めても、お母様は結局実行なさいますから、後々言うことに従わなかったことを後悔することを思うと、お母様に従ったほうがよいでしょう。私の個人的な歎きは言葉に表すことができません。生まれてわずか数か月で父は戦死し、骨は異国にさらされ、魂には野草が絡みついています。このままではお天道様に顔向けできません。最近噂に聞くところでは、敗戦した兵士たちの中には脱出して朝鮮にとどまっている者が多いようです。子供の真心は必ず思いがけない幸をあたえます。もしあなたの力によって朝鮮にたどり着き、沙虫のように彷徨って、父を亡くした恨みを祓うことができたら、朝、朝鮮に入って、夜、死んでも、私は満足です。」

　紅桃は話し終わるとさめざめと泣いた。

【21】夢仙は母と妻の意志を知り、強引に辞めさせることができず、旅の支度をし、庚申《こうしん》の年（一六二〇）の二月一日に船を出発させた。玉英が夢仙に言った。

「朝鮮はちょうど東北にあるので、必ず西南風を待たなければなりません。お前はしっかりと座って櫓《ろ》を握り、私の指揮に従いなさい。」

　すぐに旗を竿に懸け、羅針盤を船の前方に置いた。それから船中を点検したが、必要な物は完備していた。突然、イルカが現れて戯れた。旗が南東に向いたので、次々と三人は力を合わせて帆を挙げると、その疾駆する様子は竹を割るように波をかきわけ、夜昼となく船を走らせた。矢竹を切り裂くように波に入り、雷も路を譲るような速さで、一瞬のうちに登州と萊州を過ぎ、わずかな時間で青州と斉州をも過ぎ、大海に島々が現れてはあっという間に消えていった。

　ある日、明の警備船に遭い、兵が来て質問した。

「お前たちはどこの船で、どこに向かっているのか。」

玉英が答えた。

「私たちは杭州の者です。山東へ行ってお茶を売ろうとしているだけです。」

警備船はすぐたち去った。また一日が経って、倭船が近付いてきた。玉英はすぐに日本服に着替え、倭人に会った。倭人が尋ねた。

「どこから来たのか。」

玉英が日本語で答えた。

「漁のため海に出ましたが、風のせいで漂流してしまい、船を棄て、杭州の船を雇って帰るところです。」

倭人が言った。

「それは大変だった。しかし、この海路は日本への道ではない。進路を南方に向けて行くがよい。」

この日の晩、南風が激しく吹き、大波が天に巻き上がり、雲霧が四方を塞ぎ、一寸先も見えなかった。帆柱は砕け、帆は裂け、どこに行くかも分からなかった。夢仙と紅桃は恐ろしさのあまりに腹這いになり、船酔いに苦しんでいたが、玉英だけは一人で座って天に祈り、念仏を唱えていた。夜半になって風と波がややおさまり、小島に停泊することができた。船具を修理するため、数日停泊していたが、出航できなかった。海岸から沖を眺めると、船がみるみる近付いてきた。玉英は夢仙に船中の袋を岩穴に隠すよう言った。突然、船から人々が大声で騒ぎながら降りてきた。その言語も衣服も朝鮮でも日本でもなく、明人に近かった。手には武器は持っておらず、ただ白い棒で叩きながら貨物を探していた。玉英が明の言葉で言った。

「私たちは明人で漁のために海に出ましたが、ここに漂着してしまいました。最初から荷物なんてありません。」

そして泣きながら命乞いをしたので、殺されずに済んだ。しかし、彼らは玉英の船を奪い、自分たちの船に繋げて去っていった。玉英が言った。

「彼らは海賊です。私が聞いたところによると、その海賊は明と朝鮮との間に出没して略奪はするが、人を殺す事は好まないという。彼らがまさにその海賊でしょう。私が息子の言葉を聞かずに無理やりこの航海に出たため、ついに天も助けてくれず、にっちもさっちもいかなくなりました。船も失い、どうにもなりません。大空と広い海を飛び越えて行くことはできません。木や竹のいかだでは航海はできません。もはや死ぬだけです。私の死ぬのが遅すぎました。かわいそうなのは子供で、私のせいで死ぬことになりました。」

玉英はそう言うと、息子夫婦と一緒に寄り添って泣き続けた。その泣き声は岩岸を震わせ、恨みは幾層もの波となり、海も縮み、山鬼も顔をしかめて呻くようだった。玉英は断崖絶壁に登って身を投げようとしたが、夢仙夫妻が引きとめたので、身を投げることができなかった。玉英が夢仙の方を振り向いて言った。

「お前は私が死ぬのを引きとめて、いったい何を待とうとするのですか。袋の中の食料もわずか三日分です。ただ座って食料が尽きるのを待ったところで、死ぬ以外にどうにもなりません。」

夢仙が答えた。

「食料が尽きてから死んでも遅くはありません。その間にもし生きのびる方法がわかれば、悔やんでも悔やみきれません。」

夢仙は母を助けて絶壁から降り、夜は岩穴で休んだ。

【22】空がちょうど明るくなってきた時、玉英が夢仙夫婦に言った。

「私が疲労困憊《こんぱい》し、意識が朦朧《もうろう》としている間に、丈六仏がまた顕れ、『決して死んではいけない。後にきっとよい事がある』と言いました。本当に不思議なことです。」

三人は一緒に念仏を唱えて祈った。

「世尊よ。世尊よ。私たちを助けてください。私たちを助けてください。」

それから二日が過ぎた。風を帆に受けた船が遠くから近付いてきた。夢仙がこれを見て驚いて言った。

「あの船は今まで見たことのない船です。とても心配です。」

玉英が船を見て喜んで言った。

「私たちは助かった。あれは朝鮮の船です。」

すぐ朝鮮の服に着替え、夢仙を岸に登らせ、服を持って振らせた。船の人たちが船を停めて尋ねた。

「お前たちは何者だ。この孤島に住んでいるのか。」

玉英が朝鮮語で答えた。

「私たちはもともと京城の士族です。羅州へ向かっている途中、突然風波に遭い、舟は転覆してみな死んでしまい、私たち三人だけが帆にしがみついて漂流してここにたどり着きました。」

船の人はこれを聞いて憐れんで、碇を下して三人を乗せてから言った。

「これは統制使の貿易船である。役所の旅程が決まっているので、他所には寄れないが、途中まで送ってやろう。」

順天の港に着くと三人は船を降りた。時は庚申《こうしん》の年（一六二〇）の四月になっていた。

【23】玉英は夢仙夫婦を連れて、苦しい旅を続けて、五、六日かけて南原にたどり着いた。一家は滅んだと思っていたので、玉英は夫の家の跡だけでも見て、万福寺を尋ねて、南原を去ろうと思った。金石橋《クムソクキョ》に着い

て見渡すと、城郭はあたかも昔のままで村も以前と変わらなかった。夢仙の方を振り返って泣きながら一つ一つ指をさして言った。

「これがお前の父の家だったが、今は誰が住んでいるか分からない。ただ行って宿を借り、今後の事を考えよう。」

　家の門に着くと、その外で崔陟がちょうど客に対面して柳の木の下に座っているのが見えた。近付いてよくよく見ると、なんと夫の崔陟その人であった。玉英と夢仙が同時に号泣した。これを聞いて、崔陟は初めて妻と子だと気付き、大声をあげて言った。

「夢釈の母が来た。これは天だろうか人だろうか。神だろうか夢だろうか。」

　夢釈がこれを聞いて裸足で慌てて出て来た。母子が再会する場の光景がどのようなものか分かるであろう。母子が抱き合って部屋に入ると、沈氏夫人は長患いの最中であったが、娘が戻って来たと聞き、驚いて息もできず青ざめていた。玉英が母を抱くと意識を取り戻し、しばらくしてから落ち着いた。崔陟が陳偉慶を呼んで言った。

「お嬢さんもいらっしゃいましたよ。」

　そして紅桃に今までのことを語らせた。一家の人が各々息子や娘を抱き、生死を越えて再会したことに、皆驚いて一緒に泣いた。昔も今も世にこのように不思議で珍しいことがあっただろうか。泣き声は近所中に聞こえたので、近所の人たちが垣のように集まって、一方では怪しみ、一方では不思議がる。玉英と紅桃の今までの経緯を聞いて感激したり感歎したりしない人はなく、争ってみな語り伝えたのだった。

　玉英が崔陟に言った。

「私たちが今日のような日を迎えられたのは、まさに丈六仏のお蔭です。今聞きますと、金の丈六仏は壊されて、祈禱をする所もないそうです。しかし、神は天にいて、滅びないものは必ずあります。私たちは恩返しをしなければなりません。」

御礼のお供えをしようと、廃寺になった万福寺に詣でて、身を清め祭った。崔陟と玉英は父母に仕え、息子夫婦を世話し、府西の旧家で暮らした。

【24】ああ。父子、夫妻、兄弟、舅姑が四か国に離散して、三十六年間を歎き悲しみ、敵地を経巡《へめぐ》り、死地をくぐってきたが、最後には一家が仲睦まじく再会し、一人も亡くなった人はいない。これは人力によるものではない。天神地祇《てんじんちぎ》は必ず真心に感動すると、このように奇異なことをもたらすのである。婦人であっても誠があれば、天は助けてくれる。誠というものが隠れることなく必ず現れるということは、この通りである。

私は南原の周浦《ジュポ》に一時身を寄せていた。崔陟がたまに私を訪ねて来ては、上記のような話をした。崔陟からその顚末を記し、失われないようにしたいと頼まれたので、やむを得ずその概略を記した。天啓《てんけい》元年辛酉《しんゆう》（一六二一）閏《うるう》二月某日、素翁《ソオン》が記す。素翁は趙緯韓《ジョウィハン》の号である。また玄谷《ヒョンコク》とも号す。

原文・書き下し・語釈

【原文1】

崔陟、字伯昇、南原人也。早喪母、獨與其父淑、居于府西門外萬福寺之東。自少倜儻*、喜交遊、重然諾、不拘齪齪小節。其父嘗戒之曰、「汝不學無賴、畢竟做何等人乎。況今國家興戎、州縣方徵武士。無以射獵爲事、以貽老父憂。屈首受書、*從事於擧子業、雖未得策名登第、亦可免負羽從軍。城南有鄭上舍者。余少時友也、力學能文、可以開導初學。汝往師之。」陟即日、挾冊及門、請業不輟。浹數月、詞藻日富、沛然如決江河、鄕人咸服其聰敏。

〈校異〉＊倜儻…底本「倜倘」。＊從事於擧子業…底本「從事於儒子業」。

【書き下し1】

崔陟、字《あざな》は伯昇、南原の人なり。早く母を喪《うしな》い、独り其の父淑と、府の西門の外万福寺の東に居す。少《おさな》きより倜儻《てきとう》して、交遊を喜《この》み、然諾《ぜんだく》を重んじ、齪齪《しゅくしゅく》たる小節には拘らず。其の父嘗《かっ》て之を戒めて曰く、「汝学ばずんば無頼なり、畢竟《ひっきょう》何等の人と做《な》らんとするや。況や今国家に興戎して、州県方《まさ》に武士を徴す。射猟を以て事と為し、以て老父に憂いを貽《のこ》すこと無かれ。屈首受書し、挙子の業《わざ》に従事せば、未だ策名登第を得ずと雖も、亦羽《やばね》を負い軍に従うことを免るるべし。城南に鄭上舎となる者有り。余の少き時の友なりて、学を力《つと》め文を能くし、初学を以て開導すべし。汝往きて之を師とせよ」と。陟は即日、冊を挟み門に及び、業を請い輟《や》めず。数月を浹《めぐ》るに、詞藻日に富み、沛然《はいぜん》として江河を決するがごとし、郷人咸《きょうじんみな》其の聡敏に服す。

【語釈1】　○南原　全羅北道《チョルラブクト》の東南端の地域。朝鮮の南海から忠清道《チュンチョンド》や京畿道《キョンギド》へと入る際の通り道にあたり、その地理的背景から慶長の役の際には要害の地となった。パンソリなどで著名な『春香伝』の舞台となった地でもある。○萬福寺　南原の麒麟山にあった寺。新羅末期、道銑によって創建された説（世伝）と高麗時代に創建されたとする説（『新増東国輿地勝覧』）がある。南原の大刹として数百人の僧侶が布施を終え、一斉に寺に帰る行列は壮観であり、南原八景の一つである「万福寺帰僧」という。金時習《キムシスプ》（一四三五〜一四九三）の『金鰲新話《きんごうしんわ》』「万福寺樗蒲記《まんぷくじちょほき》」の舞台となっている。○倜儻　物事にこだわらないさま。世俗の礼儀にしばられないさま。○然諾　一度、約束した事は必ず実行する。○齷齪　『新唐書』杜牧伝に「牧剛直にして奇節有り、齷齪小謹を為さず」。「齷齪」は小さいの意。○無頼　才能がなく、使いものにならないさま。○興戎　戦争を始める。○屈首受書　師に従って教えを受ける。○挙子　科挙の受験者。○上舎　朝鮮時代、小科（儒教経典の知識や文芸創作の才能に関する試験で合格すると一種の学位を与える）に合格した者を指す。○沛然　ぱっとふき出て広がるさま。

【原文2】

每講學之時、輒有丫鬟。年可十七八、眉眼如畫、髮黑如漆。隱伏于窓壁間、潛聽焉。一日、上舍方食不出、陟獨坐誦書。忽然窓隙中、投一小紙。取而視之、乃書摽有梅末章。陟心魂飛越、不能定情。思欲昏夜唐突、以窃而抱、即悔之。以金台鉉之事自警、沈吟思量、義慾交戰。俄見上舍出來、遽藏其詩於袖中、卒業而退。門外有一靑衣、尾陟而來曰、「願有所白。」陟既見詩、心動之、及聞靑衣之言、甚怪之、頷首呼來、引至其家、詳問之。對曰、「兒是李娘子女奴春生也。娘子使兒請郎君和詩而來。」陟訝曰、「爾非鄭家兒耶。何以曰李娘子也。」對曰、「主家本在京城崇礼門外靑坡里、主父李景新早歿、寡母沈氏、獨與處子居。處子名玉英氏、投詩者是也。上年避亂、自江華乘舡、來泊于羅州會津、及秋、自會津轉來于此。此家主人與兒主母家族。待之甚厚。將*欲爲娘子求婚、而未得其佳婿耳。」陟曰、「爾娘子、以寡婦之女、何以能解文字也。豈因天得而然耶。」

曰、「娘子有兄、曰得英氏、甚有文章。年十九、未娶而夭。娘子嘗掇拾於口耳。故尚粗記姓名耳。」

〈校異〉＊將欲爲娘子求婚…底本「將欲娘子求婚」。

【書き下し2】

講学の時ごとに、輒《すなわ》ち丫鬟《あかん》有り。年十七八ばかり、眉眼画のごとく、髪黒きこと漆のごとし。窓壁の間に隠れ伏して、潜かに聴く。一日、上舎方に食して出でず、陟独り坐して誦書す。忽然として窓隙の中より、一小紙を投ぐ。取りて之を視るに、乃ち摽有梅《ひょうゆうばい》の末章を書す。陟心魂飛越すれども、定情する能わず。思うに昏夜唐突にして、以て窃《ぬす》みて抱かんとすれども、即ち之を悔ゆ。金台鉉の事を以て自警するも、沈吟《ちんぎん》思量すれば、義慾交《こもごも》戦う。俄かに上舎出で来たるを見て、遽かに其の詩を袖中に蔵《かく》して、業を卒え退く。門外に一青衣有り、陟に尾《つ》きて来たりて曰く、「願わくは白《もう》す所有り」と。陟既に詩を見て、心之に動けば、青衣の言を聞くに及びて、甚だ之を怪《あやし》み、頷首して呼び来りて、其の家に引き至り、詳らかに之を問う。対えて曰く、「児は是李娘子《じょうし》の女奴《じょど》春生なり。娘子児をして郎君の和詩を請いて来さしむ」と。陟訝《いぶか》りて曰く、「爾《なんじ》鄭家の児に非ずや。何を以て李娘子と曰うか」と。対えて曰く、「主家本より京城の崇礼門の外青坡里に在り、主父の李景新早く歿し、寡母《かぼ》沈氏、独り処子と居す。処子の名は玉英氏、詩を投ぐる者是なり。上年乱を避け、江華より舡に乗り、羅州の会津に来りて泊り、秋に及びて、会津より此に転じて来たる。此の家の主人と児の主母とは家族なり。之を待すること甚だ厚し。将に娘子の為に婚を求めんとすれども、未だ其の佳婿《かせい》を得ざるのみ」と。陟曰く、「爾の娘子、寡婦の女を以て、何を以て能く文字を解するや。豈に天得に因り然らんや」と。曰く、「娘子に兄有り、得英氏と曰い、甚だ文章有り。年十九にして、未だ娶らずして夭せり。娘子嘗て口耳に掇拾《てっしゅう》す。故に尚粗《あらあら》姓名を記すのみ」と。

【語釈2】　○丫鬟　あげまきに結った髪。転じて、その髪を結った少女をいう。○摽有梅　『詩経』召南所収の詩。その末章は「我を求むる庶士、其の之を謂ふに迨《およ》べ」。結婚適齢期の女性が自分の恋しい人に求愛をしてくれるように促す歌。○定情　男女が誓い物を交わし、結婚の契りを結ぶこと。○金台鉉之事　金台鉉が通っていた所の師の娘が寡婦になって求愛の詩を送ってきたので、師の許に二度と行かなくなったこと。（『高麗史』列伝二十三・金台鉉）。○青衣　下女をいう。○和詩　他人の詩を読んでその主題や題材を踏まえて新しい角度から詠んだ漢詩。○京城崇礼門外青坡里　現在、ソウル市龍山区青坡洞《ヨンサングチョンパドン》にあたる。崇礼門《スンネムン》はいわゆる南大門《ナムデムン》。○上年乱　文禄の役。一五九二年。○江華　江華島。文禄の役の際には西海岸の要地として義兵が島を守備し水路を塞いでいたので、倭軍の被害を受けなかった。○羅州　全羅南道《チョルラナムド》に位置し、全州と羅州を合わせて「全羅」と名付けるほど当時の中心都市であった。○会津　栄山江付近にあるので渡船場が発達し、平野から物資を集め、海に出る通路であった。玉英たちも西海から会津の渡船場に着いたのであろう。

【原文3】

陟饋酒食慰喩。因以*赫蹏報曰、

朝承玉音、實獲我心。即逢青鳥、*歡喜難勝。*每憑窓裏之影、難喚畫中之眞。非不知琴心可挑、篋香可偷。*而實未測蓬山幾重、弱水幾里。經營計較之際、*鬝已黃、而項已枯矣。不意今者、陽臺之雨、忽然入夢、王母之書、遽爾來報。倘成秦晉之好、以結月老之繩、則庶遂三生之願、不偸同穴之盟。書不盡言、言豈悉意。

玉英得書喜甚。

翌日、又以春生、報書曰、

妾生長輦轂之下、粗識貞静之行、而不幸早失嚴父。生丁亂離、獨奉偏慈、終鮮兄弟。漂淪南土、僑寄宗黨。年垂及笄、尚未移天。常恐一朝兵戈搶攘、盜賊横行。則難保珠玉之沈碎、不無強暴之所汚。以此老母傷心、以我為念。然而猶所患者、絲蘿所托、必在喬木、百年苦楽、實由他人。苟非其人、豈可仰望而終身。近觀郎君、辭氣雍容、擧止閑雅。誠信之色、藹然於面目。若求賢夫、捨子伊誰。與為人妻、寧為夫子之妾。而薄命崎嶇、恐不得當也。昨者投書、非為其誨淫之意也。欲試郎君之俯仰也。妾雖無状、初非倚*市之徒、寧有鑽穴之逃。必告父母、終成委禽之礼、則貞信自守、敢*解擧案之敬。投詩先瀆、已犯自媒之醜行、欲往復私書、尤失幽閑之貞操。今既肝膽相照、不須書札浪傳。自此以後、必以媒妁相通、而毋令妾重貽行*露之譏。千万幸甚。

〈校異〉＊赫蹏…底本「赫號」。＊歡喜難勝…底本「勸喜難勝」。＊毎憑窓裏之影…底本「毎憑鏡裡之影」。＊而實未測蓬山幾重…底本「而實未側蓬山幾重」。＊顑已黄…底本「醎已黄」。意味が通じないため「顑」に改める。＊倚市之徒…底本「依市之徒」。＊敢解擧案之敬…底本「敢懈擧案之敬」。＊行露之譏…底本「行路之譏」。

【書き下し3】

陟酒食を饋《おく》り慰喩《いゆ》す。因りて赫蹏《かくてい》を以て報《こた》えて曰く、

朝に承《う》くる玉音、実に我が心を獲《うば》う。即ち青鳥に逢い、歓喜勝《た》え難し。窓裏の影に憑《よ》る毎に、画中の真を喚ぶこと難し。琴心《きんしん》挑むべく、篋香偸《ぬす》むべくを知らざるに非ず。而るに実に未だ蓬山の幾重なる、弱水の幾里なるを測らず。経営計較の際、顑《かお》已に黄ばみ、項《くび》已《すで》に枯れんとす。忽然として夢に入り、王母の書、遽爾《にわか》に来報す。倘《も》し秦晋の好《よしみ》を成し、以て月老の縄を結《ゆ》わば、則ち三生の願を遂げ、同穴の盟《ちぎり》を偸《かりそめ》にせざらんことを庶《こいねが》わん。書は言を尽くさず、言は豈に意を悉《つく》さんや。

玉英書を得て喜ぶこと甚だし。

翌日、又春生を以て、書に報えて曰く、

妾輦轂《れんこく》の下に生れ長じ、粗《ほぼ》貞静の行を識る。而るに不幸にして早く厳父を失う。生は乱離に丁《あた》り、独り偏慈を奉じ、終に兄弟を鮮《すくな》くす。南土に漂淪《ひょうりん》して、宗党に僑寄《きょうき》す。年及笄《きゅうけい》に垂《なんなん》とするも、尚未だ移天せず。常に恐るるは、一朝兵戈搶攘《へいかそうじょう》し、盗賊の横行せば、則ち珠玉を保ち難く之れ沈砕し、強暴の汚すところ無からざらんや。此を以て老母心を傷め、以て我が念と為す。然るに猶患うる所は、糸蘿《しら》の托す所、必ず喬木在り、百年の苦楽、実に他人に由る。苟《いや》しくも其の人に非ずんば、豈に仰ぎ望みて身を終うべけん。近くに郎君を観るに、辞気雍容にして、挙止閑雅なり。誠信の色、面目に藹然《あいぜん》たり。若し賢夫を求めば、子を捨《お》いて伊《こ》れ誰かあらん。人の妻と為るよりは、寧《むし》ろ夫子《ふうし》の妾《しょう》と為らん。而して薄命崎嶇《きく》、当を得ざるを恐るるなり。昨、書を投ずるは、其れ誨淫《かいいん》の意を為すには非ざるなり。郎君の俯仰《ふぎょう》を試さんとするなり。妾無状と雖も、初め倚市《いし》の徒に非ず、寧《なん》ぞ鑽穴の逃有らんや。必ず父母に告げ、終に委禽の礼を成さば、則ち貞信自ら守り、敢えて挙案《きょあん》の敬を解《さと》らん。詩を投じて先に瀆《けが》れ、已に自媒《じばい》の醜行《しゅうこう》を犯し、私書を往復せんとし、尤も幽閑の貞操を失う。今既に肝胆相照らし、書札浪伝を須《もち》いず。此より以後、必ず媒妁を以て相通じ、而して妾をして重ねて行露《こうろ》の譏《そしり》を貽《のこ》さしむること毋《な》かれ。千万幸甚なり。

【語釈3】　〇赫蹏　薄く小さい紙。〇玉音　他人からの手紙の敬称。〇青鳥　使者、書簡のこと。西王母の故事による。『漢武故事』「王母使いを遣わし帝に謂いて曰く、『七月七日我当に暫く来たるべし』」と。帝日に至り、宮内を掃い、九華灯を然す。七月七日、上承華殿に齋し、日正中なれば、忽ち青鳥の西方より来たる有りて殿前に集するを見る。上東方朔に問えば、朔対えて曰く、『西王母暮なれば必ず尊像の上に降る、宜しく灑掃し以て之を待つべし』と」。○知琴心可挑　『史記』司馬相如列伝に「而うして琴心を以て之に挑む」とある。司馬相如が琴に心を託して卓文君を誘惑したこと。○篋香可偸　賈午（賈充の娘）は父が王から賜った香を盗んで恋仲であった韓寿に渡す（『晋書』賈充伝）。親の知らないところで男女が出会うことを示す。○蓬山　仙人が住む蓬萊山。○弱水　仙堺にあるという川で渡り難いという。ここでは、蓬山と弱水は相手に会いたいが現実的に困難であることの比喩。○陽臺之雨、忽然入夢　「陽台」は宋玉・「高唐賦」の序に、「旦に朝雲と為り、暮に行雨と為る。朝朝暮暮、陽台の下にありと」（『文選』巻十九）とあって、楼閣の名とも陽台山のことともいう。かつて楚の懐王が高唐に遊んだとき、夢の中で巫山の神女と契った「高唐賦」の故事から、「陽台雨」が男女の情交を指すことが多いが、ここではその意は含まれない。○馘已黄、而項已枯矣　「黄馘」は黄ばんで憔悴した顔。「枯（槁）項」はやせ細った首筋。いずれも病軀をあらわす。『荘子』列禦寇「槁項黄馘」。○王母之書　「王母」は崑崙山に住む仙女である西王母。前掲「青鳥」を参照。○秦晋之好　春秋時代の秦と晋の二つの国が代々婚姻を結ぶことによってできた両家のよしみを指す。○月老之縄　月老は月下老人の略。『続玄怪録』定婚店には、韋固という人物がある老人に告げられた運命を変えようとしたが、結局何も変わらず運命の相手と結婚したという話が載る。「赤縄子なるのみ、以て夫妻の足を繋ぐ。其の生まるるに及んで則ち潜かに相繋ぐ」とあり、老人が懐に赤縄を持っており、それで運命を決めるという。○遂三生之願　三生は前世、現世、後世をいう。○同穴之盟　『詩経』王風「大車」に「穀きては則ち室を異にするも、死しては則ち穴を同じうせん」とある。生きて一緒に暮らせなくても死んだら同じ墓に入るという意。ここの「同穴之盟」は死んでも一緒にいようという、偕老の契りである。○書不盡言、言豈悉意　『易経』繋辞上には「書は言を尽くさず、言は意を尽くさず」と記した上、聖人は易の一書に全ての表していると述べるが、朝鮮における受容をみると、「書不盡言、言豈悉意」のみを用い、意思を表現することの難しさをあらわす。○輦轂之下　皇居のある土地。都。○貞静　みさおが正しくしとやかなさま。○乱離　世の中が乱れて離れ離れになること、戦争や兵乱をいう。○漂淪　おちぶれてさすらう。○偏慈　独り身の母。○及笄　女の子が笄をさす年で十五歳をいう。また、成人になって結婚できる年であることを示す。○移天　嫁ぐ事。『儀礼』喪服に三従の義として「故に父は子の天なり。夫は妻の天なり」とあり、天である父の庇護下から夫へと移ることを指す。○兵戈搶攘　「兵戈」は戦争。「搶攘」は紛乱。戦争による社会の混乱を指す。○糸蘿　『虬髯客伝《きゅうぜんかくでん》』「絲蘿は独生に非ず、願わくは喬木に託せんと」。菟糸と女蘿のことで、菟糸は根無葛、女蘿は苔の種類で両方とも寄生植物である。○百年苦楽、實由他人　白居易『新楽府』「太行路」に、夫の気持ちが離れたことを訴え、「人生まれて婦人の身と作る莫れ、百年の苦楽は他人に由る」と、女の人生の苦しみを嘆く。○辞気　話しぶり。○挙止　立ち振る舞い。○藹然　気持ちが和らいで穏やかなさま。○妾　正妻ではない妻。○崎嶇　人生の混乱なさま。○俯仰　態度。振る舞い。○無状　良いところがないさま。○倚市　倚市門。売春の意。○鑽穴　男女の野合、駆け落ちの意。○委禽之礼　婚礼の納采に雁を送ること、正式な婚礼。○挙案之敬　『後漢書』逸民伝に「挙案斉眉」とある。梁鴻の妻孟光が夫への敬を示すために膳を眉の上まであげたことをいう。○自媒之醜行　『管子』形勢に「自媒の女、醜にして信ぜられず」とある。媒酌人なしで押しかけてくる嫁は人から軽蔑されるだけで信頼されないことをいう。○肝膽相照　互いに心の底まで打ち明けて親しく交わること。○浪伝　むやみに話を広げる。○行露之譏　『詩経』召南「行露」に「厭浥たる行露、豈に夙夜せざらんや、行に露多きを謂えばなり」とある。「行露」は女が男の所に通って衣を濡らすこと。

【原文4】

陟、得書喜悦、請問於其父曰、「聞有寡母。自京城來寓鄭家者。有一處子。年皃俱妙。誠爲不肖、求於上舍。必不爲疾足者之先得。」父曰、「彼以華族、千里浮寄、其志必欲求富。吾家素貧、彼必不肯。」陟反復申告曰、「第往言之。其成與否、天也。」

明日、父往問之。鄭曰、「吾有表妹。自京逃亂、窮迫而歸我。其女姿行、秀出閨闈、我方求婿、欲作門楣。固知令子才俊、不負東床之望。而所患者、寒儉耳。吾當與妹、商義更通。」

淑、歸語其子。陟惱燥數日、苦待其報。上舍入言于沈、沈亦難之曰、「我以盡室流離、孤危無托。只有一女、欲嫁富人。貧家子雖賢、不願也。」

〈校異〉＊自京逃亂…底本「自京潛乱」。＊窮迫而歸我…底本「窮來歸我」。

【書き下し4】

陟、書を得て喜悦して、其の父に請問して曰く、「聞くところ寡母《かぼ》有り。京城より来たりて鄭家に寓《やど》る者なり。一処子有り。年皃倶《としかおとも》に妙《たえ》なり。誠に不肖の為に、上舎に求めよ。必ず疾足の者、之を先に得るを為さざらしめよ」と。父曰く、「彼華族を以て、千里浮寄し、其の志必ず富を求めんとす。吾が家素より貧なり、彼必ず肯せず」と。陟反復して申し告げて曰く、「第《た》だ往きて之を言え。其の成と否とは、天なり」と。

明日、父往きて之を問う。鄭曰く、「吾に表妹《ひょうまい》有り。京より逃乱し、窮迫して我に帰す。其の女の姿行、閨闈《けいい》に秀出すれば、我方に婿を求め、門楣《もんび》と作さんとす。固《もと》より令子《れいし》の才俊を知り、東床の望みに負《そむ》かず。而して患う所は、寒倹のみ。吾当に妹と、商義し更に通ずるべし」と。

淑、帰りて其の子に語る。陟悩み燥《かわ》くこと数日、苦しみて其の報を待つ。上舎入りて沈に言う。沈も亦之を難じて曰く、「我尽室を以て流離し、孤危して托るところ無し。只一女有り、富人に嫁がせんとす。貧家の子賢しと雖も、願わざるなり」と。

【語釈4】　○不肖　自分の謙称。○必不爲疾足者之先得　『史記』淮陰侯列伝に「是に於いて高材疾足の者先ず焉を得たり」とある。優れたものが先に獲物を得るの意。○華族　公卿や国に功勲がある家柄。○表妹　母方の従妹。○秀出　他より一段とすぐれること。○門楣　女子が玉の輿に乗って家門の名を表彰し、かがやかすこと。○令子　他人の息子に対する敬称。○東床　娘の婿。○寒倹　「寒」は貧乏で苦しい。「倹」は引きしめる。○商義　商議。互いに相談する。○流離　居所を失って諸処にさまよう。他国にさすらう。○孤危　独り身で助けのないこと。

【原文5】

是夜、玉英乃就其母、口欲有言、＊而囁嚅不發。母曰、「爾有所懷、無隱乎我也」。玉英赧然遲疑、強而後言曰、「母親爲我擇婿、必欲求富。其情則慽矣。第惟家富而婿賢、則何幸。而如或家雖足食、婿甚不賢、則難保其家業。人之無良、我以爲夫、而雖有粟、其得而食諸。窃瞯崔生、日日來學於阿叔。忠厚誠信、決非輕薄宕子。得此爲配、死無恨矣。況貧者、士之常。不義而富、吾甚不願。請決嫁之。此非處子所當言之事。而機關甚重。豈嫌於處子羞澁之態、潛默不言。而竟致嫁得庸奴、壞了一生、則已破之甑、難以再完、既染之絲、不可復素。＊事機一誤、則噬臍莫及。況今兒身、異於他人。家無嚴父、賊在隣境。苟非忠信之人、何以仗母子之身乎。＊寧從顔氏之請嫁、不避徐妹之自擇。豈可隱匿深房、但望人口、而置於相忘之地乎。」

其母不得已、明日告諸鄭曰、「我夜者更思之、崔郎雖貧、我顧其人、自是佳士。貧富在天、難可力致、與其圖婚於所不知之何人、寧欲得此爲婿。」鄭曰、「阿妹欲之、我必勸成。崔雖寒士、其人如玉、求之京洛、鮮有此輩。若志遂業成、終非池中物。」即日、送媒定約、以九月望、將行醮礼。陟大喜、屈指計日而待。

〈校異〉＊而囁嚅不發…底本「而囁濡不發」。＊事機一誤、則噬臍莫及…底本「啜泣何及、噬臍莫追」。

＊顔氏之請嫁…底本「顔氏之請家」。

【書き下し5】

是の夜、玉英乃ち其の母に就き、口に言有らんとすれども、囁嚅《じょうしゅ》して発せず。母曰く、「爾《なんじ》懐う所有らば、我に隠すこと無かれ」と。玉英、赧然《たんぜん》として遅疑《ちぎ》し、強いて後言して曰く、「母親《みずか》ら我が為に婿を択ぶに、必ず富を求めんとす。其の情則ち憾《うれ》うなり。第だ惟《おも》うに家富みて婿賢ならば、則ち何ぞ幸ならんや。而して如《も》し或る家の食足ると雖も、婿甚だ賢ならざれば、則ち其の家業を保ち難し。人の無良を、我以て夫と為せば、粟《ぞく》有りと雖も、其れ得て諸《これ》を食らわんや。窃かに崔生を瞷《み》るに、日日来りて阿叔《あしゅく》に学ぶ。忠厚誠信にして、決して軽薄なる宕子《とうし》に非ず。此を得て配《つれあい》と為せば、死して恨むこと無し。況や貧きは、士の常なり。不義にして富むこと、吾甚だ願わず。請う決《かなら》ず之に嫁がしめんことを。此れ処子の当に言うべき所の事に非ず。而れども機関甚だ重し。豈に処子の羞渋《しゅうじゅう》の態を嫌い、潜黙《せんもく》して言わざらんや。而して竟《つい》に嫁するに致って庸奴《ようど》を得、一生を壊れ了るれば、則ち已に破るる甑《こしき》は、以て再び完《まっと》うし難く、既に染むる糸は、復素《しろ》くすべからざるがごとし。事機一たび誤まれば、則ち噬臍《ぜいせい》及ぶこと莫《な》し。況や今児の身、他人に異なるをや。家に厳父無くして、賊は隣境に在り。苟しくも忠信の人に非ずんば、何を以て母子の身を仗《よ》らんや。寧《な》んぞ顔氏の請嫁に従わんや、徐妹の自ら択ぶを避けず。豈に深き房に隠匿《いんとく》し、但人口を望みて、相忘の地に置くべけんや」と。

其の母已むを得ず、明日諸《これ》を鄭に告げて曰く、「我夜更に之を思うに、崔郎貧しと雖も、我其の人を顧みるに、自《おのずか》ら是佳士なり。貧富は天に在れば、力致すべきこと難し、其の知らざる所の何人かに婚を図るより、寧ろ此れを得て婿と為さんとす。」と。鄭曰く、「阿妹《あまい》之を欲すれば、我必ず勧めて成さん。崔寒士と雖も、其の人玉のごとし、之を京洛に求むれども、此の輩有ること鮮《すくな》し。若し志遂げ業成ならば、終に池中の物に非ず」と。即日、媒《なかだち》を送り約を定め、九月の望《もち》を以て、将に醮礼《しょうれい》を行わんとす。陟大いに喜び、指を屈し日を計りて待つ。

【語釈5】　○囁嚅　物を言いかけてやめるさま。○赧然　恥じて赤面するさま。○遅疑　ぐずぐずして決しない。○無良　すぐれたものがいない。○而雖有粟、其得而食諸　『論語』顔淵篇に「信《まこと》に如《も》し君君たらず、臣臣たらず、父父たらず、子子たらずんば、粟《ぞく》有りと雖も吾得て諸を食らわんや」とある。○阿叔　叔夫をいう。「阿」は親しみを含めた接頭語。○忠厚　まめやかで手あつい。○宕子　放蕩者。蕩子。○況貧者、士之常　『列子』天瑞篇に「貧は士の常なり、死は人の終わりなり」とある。○羞渋　恥ずかしがってうじうじすること。○庸奴　愚かなしもべ。○噬臍莫及　『春秋左氏伝』荘公六年「若し早く図らずんば、後に君臍《ほぞ》を噬《か》まん、其れ之を図るに及ばんか」。後悔しても取り返しがつかないことをいう。○顔氏　顔氏の娘徴在のこと。叔梁紇が顔家に求婚すると、父顔氏は叔の身分は士であっても武力たぐいまれなる人物であると娘たちに婚姻を勧める。しかし、三人の娘の内、二人は沈黙し、三女の徴在が進み出て妻となった。徴在は孔子の母。(『孔子家語』本姓解)。○徐妹　徐吾犯の妹が美人であったために孫楚と公孫黒の二人が取り合いになりそうだったので、吾犯は妹に夫を選ばせたという。(『春秋左氏伝』昭公元年)。○相忘　我と物と一つになって自由無碍な心境をいう。○阿妹　妹。○醮礼　婚礼。○終非池中物　『三国志』呉志・周瑜伝「恐らくは蛟龍雲雨を得ば、終に池中の物非ず」。池中にいる龍も時期がくれば昇天するように、時運に巡り合って才能を発揮することをいう。

【原文6】

居*無幾何、府人前參奉邊士貞、起義兵、赴嶺南。以陟有弓馬才、遂與同行。陟在陣中、憂念成疾、及其約婚之日、呈状乞暇、則義將怒曰、「此何等時、而敢求婚娶乎。君父蒙塵、越在草莽。臣子當枕戈之不暇。而況汝未及有室之年、滅賊而圖婚、亦未晩也。」竟不許。玉英亦以崔生從軍不返、虛度約日。減食不寐、日漸愁惱。隣有梁姓者、家甚富。聞其玉英之賢哲、與其崔生之不來、乘間求婚、潛以貨賂、啗諸鄭妻。逐日*董成曰、「崔生貧困、朝不謀夕、一父難養。常貸於人、將何以畜此家累、以保無患。況從軍未返、生死難期。而梁氏殷富、素稱多財。其子之賢、不下於崔。」夫妻合辭、交口薦之、沈意頗惑、約以十月涓吉、牢不可破。玉英夜訴其母曰、「崔從義陣、行止係於主將。非故負約。不俟其言、而徑自破約。不義孰甚。若奪兒志、死而靡他。母也天只、不諒人只。」母曰、「汝、何執迷如此。當從家長之處分爾。兒女何知。」

就寢而睡、夜深夢間、忽聞喘息汨汨之聲、覺而撫其女、不在焉。驚起索之、玉英於窓壁下、以手巾結項而伏。手足皆冷、喉嚨間汨汨之聲、漸微且絕。驚呼解結。蹴春生點火而來、抱持痛哭。以勺水入口、小頃而甦。主家亦驚動來救、自後、絕不言梁家之事。

〈校異〉＊居無幾何…底本「居無何」。＊董成曰…底本「董成日」。

【書き下し6】

居ること幾何《いくばく》も無く、府人前参奉の辺士貞、義兵を起し、嶺南に赴く。陟に弓馬の才有るを以て、遂に与同《とも》に行く。陟は陣中に在り、憂念して疾と成り、其の約婚の日に及び、状を呈して暇を乞えば、則ち義将怒りて曰く、「此何等の時、敢えて婚娶《こんしゅ》を求めんや。君父塵蒙《じんもう》し、草莽《そうもう》に越在す。臣子当《まさ》に枕戈《ちんか》の暇あらざるべし。而るを況や汝未だ有室の年に及ばず、賊を滅して婚を図るも、亦未だ晩《おそ》からざるなり」と。竟《つい》に許さず。玉英も亦崔生の従軍して返らざるを以て、虚しく約日を度る。減食し寐ず、日に漸く愁悩す。隣に梁姓なる者有り、家甚だ富む。其の玉英の賢哲と、其の崔生の来たらざるとを聞きて、間に乗じ求婚し、潜かに貨賂《かろ》を以て、諸《これ》を鄭の妻に啗らわす。逐日董成して曰く、「崔生貧困にして、朝に夕べを謀らず、一父養い難し。常に人に貸り、将に何を以て此の家累を畜《やしな》い、以て患い無きを保たんや。況や従軍して未だ返らず、生死期し難し。而して梁氏殷富《いんぷ》にして、素《もと》より財多しと称す。其の子の賢なること、崔より下らず」と。夫妻合辞して、交《こもごも》口に之を薦《せん》すれば、沈意頗る惑う。約して以て十月の吉を涓《えら》べば、牢として破るべからず。玉英夜其の母に訴えて曰く、「崔義陣に従い、行止主将に係る。故に約に背くに非ず。其の言を俟《ま》たずして、径《ただ》ちに自ら破約すれば、不義なること孰《たれ》か甚し。若し児の志を奪わば、死して他靡《な》し。母や天や、人を諒とせざるや」と。母曰く、「汝、何ぞ執迷すること此のごときか。当に家長の処分に従うべきのみ。児女何をか知らんや」と。

　寝に就きて睡り、夜深く夢の間、忽ち喘息汩汩《ぜんそくべきべき》の声を聞けば、覚めて其の女を撫でんとすれども、在らず。驚き起きて之を索《もと》むるに、玉英窓壁の下に、手巾《しゅきん》を以て項《くび》を結びて伏す。手足皆冷え、喉嚨《こうろう》間の汩汩の声、漸微して且に絶えんとす。驚呼して結を解く。春生蹴《しゅく》して点火して来り、抱持して痛哭す。以て水を勺み口に入るるに、小頃《しばら》くして甦る。主家も亦驚動して来たりて救う。自後、絶えて梁家の事を言わず。

【語釈6】　○参奉　チャムボン。朝鮮時代の従九品の位、様々な官署に属する末端官職である。○辺士貞　一五二九～一五九六年。号は桃灘、文集に『桃灘集』がある。文禄の役の際は義兵将であった。文集では崔陟の記事が確認できる。○嶺南　鳥嶺《チョリョン》(慶尚北道《キョンサンブクト》と忠清北道《チュンチョンブクト》の間にある峰)の南の意。慶尚道《キョンサンド》を指す。○君父蒙塵、越在草莽　「君父蒙塵」は『春秋左氏伝』僖公二十四年に「天子外に蒙塵す」とあり、「蒙塵」は天子が都から逃げだし、荒野のほこりをかぶることをいう。「越在草莽」は『春秋左氏伝』昭公二十年に「社稷を守ることを失い、草莽に越在す」とあり、「越在」は居所を離れて流浪していることをいう。「君父」は、ここでは李氏朝鮮十四代国王の宣祖《ソンジョ》（一五五二～一六〇八）を指す。一五九二年、文禄の役が起こると、宣祖は四月三十日に都城を捨て、平壌《ピョンヤン》に赴くが平壌も陥落され、明に入り救援を求めた。『乱中雑録』宣祖三十年（一五九七）条に「国君播ちて草莽に越在す」とみえる。○枕戈　「枕戈寝甲」や「枕戈待旦」のように戦いの準備を怠らないこと。○有室　妻がある。○董成　仲を取り持つことをいう。『春秋左氏伝』桓公六年「随人、少師をして成を董さしむ」。○朝不謀夕　『春秋左氏伝』昭公元年、「朝に夕べを謀らず」。その場限りの生き方をしていることの意。○殷富　栄えて豊かなこと。○牢不可破　韓愈「平準西碑」、「大官臆決して唱声し、万口和附して、幷せて一談と為り、牢として破るべからず」。堅固で打ち破ることができないさまをいう。○死而靡他。母也天只、不諒人只。『詩経』鄘風「柏舟」に「死に之《いた》るまで慝《よこしま》靡《な》しと矢《ちか》いしに、母よ天よ、人を諒せず」とある。衛の太子・共伯の妻である共姜が、夫の死後、母から再婚を勧められ、それを拒んだことを呼んだ詩。○喉嚨　のどぶえ。○汨汨　不安なさま。

【原文7】

崔淑以書抵其子、道所以。陟方患病篤、聞此驚感、轉成危革。義將聞之、即令出送。還家數日、沈痾忽痊。遂以仲冬初吉、合巹于鄭上舍之家、兩美相合、喜可知也。陟載妻與沈氏、歸于其家。入門而僕隷懽悅、上堂而親戚稱賀。慶溢一家、譽洽四隣。*攝衽抱机、躬親井臼、養舅事夫、誠孝甚至、奉上御下、情礼俱稱。遠近聞之、皆以爲梁鴻之妻、鮑宣之婦、殆不能過也。陟娶婦之後、所求如意、家業稍足。而常患繼嗣之尚遲。每以月朔、夫妻往禱於萬福寺。明年甲午元月、又往禱之。其夜、丈六金身、見於玉英之夢曰、「我萬福寺之佛也。我嘉爾誠、錫以奇男子。生必有異相」。及期而果生男子、背上有赤痣、如小兒掌。遂名曰夢釋。

〈校異〉＊攝衽抱机…底本は「攝衽抱機」

【書き下し7】

崔淑書を以て其の子に抵り、所以《ゆえん》を道《い》う。陟方に患病篤くして、此れを聞き驚感し、転じて危革と成る。

義将之を聞き、即ち出で送らしむ。家に還ること数日、沈痾《ちんあ》忽ち痊《い》えり。遂に仲冬初吉を以て、鄭上舍の家に合巹《ごうきん》して、両美相合し、喜び知るべきなり。陟妻と沈氏とを載せ、其の家に帰る。門に入れば僕隷懽悦《ぼくれいかんえつ》して、堂に上れば親戚賀を称《たた》う。慶び一家に溢れ、誉は四隣に洽《あまね》し。衽《えり》を摂《おさ》め机を抱き、躬《みずか》親ら井臼し、舅を養い夫に事《つか》え、誠に孝甚だ至り、上を奉り下を御し、情礼倶に称う。遠近之を聞き、皆以為《おもえ》らく梁鴻《りょうこう》の妻、鮑宣《ほうせん》の婦なりとするも、殆ど過ぐる能わざるなり。陟娶婦の後、求むる所意のごとく、家業稍《ようや》く足る。而して常に継嗣の尚遅きを患う。毎に月朔を以て、夫妻万福寺に往き禱る。明年甲午元月、又往き禱る。其の夜、丈六金身、玉英の夢に見《あらわ》れて曰く、「我万福寺の仏なり。我爾《なんじ》の誠を嘉《よろこ》び、錫《たま》ふに奇男子を以てす。生るるに必ず異相有り」と。期に及びて果たして男子生れ、背の上に赤痣有り、小児の掌のごとし。遂に名けて夢釈と曰う。

【語釈7】◯沈痾　久しく治らない重い病。◯合巹　結婚式を挙げること。◯攝袵抱机　『史記』魯仲連列伝に、天子の巡狩にあたって、諸侯の礼法として「衽を摂め机を抱き、膳を堂下に視る」とある。◯躬親自らする。◯井臼　水をくんだり米をついたりする仕事。◯梁鴻之妻　貧しい梁鴻のもとに嫁いできた孟光が粗末な姿に替えると「此れぞ真の梁鴻の妻なり」と大いに喜んだという（『後漢書』逸民伝）。◯鮑宣之婦『後漢書』列女伝に「渤海《ぼっかい》の鮑宣の妻なる者は、桓氏の女なり。字は少君」とある。貧しい鮑宣に嫁いだ桓少君は父が送った嫁入り道具や持参金を返し、粗末な服を着、婦道を修め行った。◯丈六金身　丈六仏。高さ一丈六尺の仏像。万福寺の丈六殿に奉納された石仏の事。一九七九年から一九八四年の間に行われた調査により、万福寺遺址で発掘された。当初は金像であったようだが、現在の仏像からその痕跡を見ることはできない。◯奇男子　普通とは違ってすぐれた男子。

【原文8】

陟善吹簫。毎月夕花朝、相對而吹。時當暮春、淸夜將半、微風乍動、素月揚輝。飛花撲衣、暗香侵鼻。開缸灑酒、引滿而飮。據案三弄、餘音嫋嫋。玉英沈吟良久曰、「妾素惡婦人之吟詩者、而到此情境、不能自已。」

遂詠一絶曰、

王子吹簫月欲低　碧天如海露凄凄
會須共御靑鸞去　蓬島烟霞路不迷

陟初不知其*詞藻之如此。聞詩大驚、一唱三歎、即以一絶和之曰、

瑤臺*縹緲曉雲紅　*吹徹鸞簫曲未終
餘響滿空山月落　一庭花影動香風

吟罷、玉英歡意未央。興盡悲來。涕泣悄然而謂曰、「人間多故、好事有魔。百年之内、離合難常。以此忽忽、不能無感。」陟揮袖雪涕、慰解而言曰、「屈伸盈虛、天道之常理。吉凶悔吝、人事之當然。設或不幸、當付諸數、豈可居易、浪自爲悲。『無憂而戚』、古人所戒、『言吉不言凶』、諺亦有之。不須憂惱、以沮歡意。」自此、情愛尤篤、夫婦自謂知音、未嘗一日相離也。

〈校異〉＊詞藻…底本「藻詞」。＊縹緲…底本「繚緲」。＊吹徹…底本「吹澈」。

【書き下し8】

陟善く簫《しょう》を吹く。月夕花朝毎に、相対して吹く。時当に暮春、清夜将に半ばとせんとするとき、微風乍《たちま》ち動き、素月揚輝《そげつようき》す。飛花衣を撲《う》ち、暗香鼻を侵す。缸を開け酒を灑《そそ》ぎ、引満して飲む。案に拠りて三弄し、余音嫋嫋《じょうじょう》たり。玉英沈吟すること良久しくして曰く、「妾《しょう》素より婦人の吟詩する者を悪むも、此の情境に到れば、自ら已むこと能わず」と。遂に一絶を詠みて曰く、

王子簫を吹き月低《た》れんとす　碧天《へきてん》海のごとく露凄凄《せいせい》たり
会《かなら》ず須く共に青鸞《せいらん》に御して去るべし　蓬島烟霞《えんか》、路に迷わず

陟初め其の藻詞の此のごとくなるを知らず。詩を聞きて大いに驚き、一唱三歎して、即ち一絶を以て之に和して曰く、

瑶台《ようだい》は縹緲《ひょうびょう》として暁雲紅なり　鸞簫《らんしょう》を吹徹《すいてつ》するも曲は未だ終らず
余響は空に満ち山月落つ　一庭の花影、香風を動かす

吟罷《や》めども、玉英の歓意未だ央《つ》きず。興尽きて悲しみ来り。涕泣し悄然として謂いて曰く、「人間多故にして、好事に魔有り。百年の内、離合の難、常なり。此れを以て忽忽として、感ずる無き能わず」と。陟袖を揮《ふる》いて涕を雪《ぬぐ》い、慰解して言いて曰く、「屈伸盈虚《えいきょ》は、天道の常理なり。吉凶悔吝《きっきょうかいりん》は、人事の当然なり。設《たと》い不幸或《あ》れども、当に諸《これ》を数に付くべし。豈に居易にして、濫《みだ》りに自ら悲しみと為すべけんや。『憂い無くして戚《うれ》う』と古人の戒む所、『吉と言いて凶と言わず』という諺も亦之有り。憂悩し、以て歓意を沮《はば》むを須《もち》いず」と。此れより、情愛尤も篤く、夫婦自ら知音《ちいん》と謂い、未だ嘗て一日として相い離れざるなり。

【語釈8】　○月夕花朝　「月夕」は陰暦八月十五日、「花朝」は花が咲く朝の意で、一年の中で春秋二季の最も楽しむべき時をいう。○三弄　梅花三弄の略称で、霜雪にもまけない梅花の気性を表した桓伊の笛曲。『晋書』桓伊伝では、桓伊が胡状に寄りかかって三つの曲調を演奏したという。○余音嫋嫋　蘇軾「前赤壁賦」に、「余音嫋嫋として、絶えざること縷のごとし」とあり、細く長く聞こえる音をいう。○沈吟　思いに沈むこと。○王子　王子喬《おうしきょう》のこと。「王子喬は周の霊王の太子晋なり。好んで笙を吹き、鳳凰の鳴を作す」（『列仙伝』王子喬）。王子喬は嵩高山《すうこうざん》に登ってから三十年後に白鶴に乗って山頭に顕れ、人々に別れを告げて飛び去った。『崔陟伝』では「御青鸞」と青鸞に乗る。○凄凄　寒く冷たい様子。○一唱三歎　よい詩文・音楽をほ

めるのに用いる。〇瑶台　仙人が住んでいたところ。〇縹緲　遠くかすかではっきりしないさま。〇鸞簫　「鸞簫」は楽器の美称として用いられる。『列仙伝』によれば、秦の穆公《ぼくこう》の娘・弄玉《ろうぎょく》が蕭史《しょうし》に嫁ぎ、夫に教わった簫を吹くと鸞の声がし、後に二人は神仙になって天に昇ったという（蕭史）。この故事は鳥の鳴き声がする笛や天に昇ったことが「王子喬」と共通する。〇興盡悲來　「興尽き悲しみ来つて、盈虚の数有るを識る」（王勃「滕王閣序」）。〇悄然　憂へ悲しむさま。物淋しいさま。〇忽忽　言う事やする事にとりとめないさま。〇屈伸盈虚　「屈伸」はかがむこととのびること。「盈虚」はみちることとかけること。転じて変化することを表す。〇吉凶悔吝　「吉」は福、「凶」は禍、「悔」は困厄、吝は「艱難《かんなん》」。〇数　運命。〇居易　『中庸』に「故に君子は易に居て以て命を俟ち、小人は険を行いて以て幸を徼《もと》む」とあり、君子としての平穏な心を持つこと。〇知音　自分の心をよく理解してくれる人。春秋時代の琴の名手・伯牙とその親友である鐘子期の故事による。伯牙が高山を思いつつ琴を弾けば、子期の心には泰山の姿が映じたというように、子期は伯牙の意図を十分に理解していたという（『列子』湯問篇）。

【原文9】

至丁酉八月、賊陷南原。人皆逃竄、陟之一家、避于智異山燕谷。陟令玉英着男服、雜錯於廣衆之中。人之見之者、皆不知其爲女子也。入山累日、粮盡將饑。陟與丁壯數三、出山求食、且覘賊勢。行到求禮、猝遇賊兵、潛身於岩藪而避之。

是日、賊入燕谷、彌山遍谷、搶掠無遺。而陟路梗、不得進退。過三日、賊退後、還入燕谷、則但見積屍遍横、流血成川。林莽間、隱隱有號咷之聲。陟就訪之。老弱數輩、瘡痍遍身、見陟而哭曰、「賊兵入山三日、奪掠財貨、芟刈人民、盡驅子女、昨已退屯蟾江。欲求一家、問諸水濱。」陟號天痛哭、擗地嘔血、即走蟾江。

未行數里許、見於亂屍中、呻吟斷續、若存若無。而流血被面、不知其爲何人也。察其衣裳、甚似春生之所着。大聲呼之曰、「爾、莫是春生乎。」春生張目視之、喉中作語曰、「郎君。郎君。主家皆爲賊兵所掠而去。吾負阿釋、不能趍走、賊引兵斫殺而去。吾僵地即死、半日而甦、不知背上之兒生死去留。」言訖而氣盡、不復生矣。陟搥胸頓足、*悶絶而仆。既已無可奈何。起向蟾江、則岸上有老弱創殘數十、相聚而哭。往問之、則曰、「俺等隱於山中、爲賊所驅。及舡、賊抽丁壯同載、推下羅鋒老羸者、如此。」陟大慟、無念獨全、將欲自裁、被傍人救止、踽踽江頭、而去無所之。還尋歸路、三晝夜、僅*到郷里。頽垣破瓦、餘燼未息。積骸成丘、無地着足。

〈校異〉＊悶絶而仆…底本「惘絶而仆」。＊僅到郷里…底本「菫達其□家」。

【書き下し9】

丁酉《ていゆう》八月に至り、賊南原を陥れり。人皆逃竄《とうざん》して、陟の一家、智異山の燕谷に避く。陟玉英をして男服を着、広衆の中に雑錯《ざっさく》せしむ。人の之を見る者、皆其れ女子為ることを知らざるなり。入山すること累日、粮尽きて将に飢えんとす。陟と丁壮数三とともに、山を出で食を求め、且に賊勢を覘《うかが》わんとす。行きて求礼に到るに、猝《にわか》に賊兵に遇うも、身を岩藪に潜めて之を避く。

是の日、賊燕谷に入りて、山に弥《あまね》し谷に遍し、搶掠《そうりゃく》して遺すところ無し。而して陟路梗《ふさ》がりて、進退するを得ず。過ぐること三日、賊退きて後、燕谷に還り入れば、則ち但だ積屍遍横たりて、流血川を成すを見るのみ。林莽《りんもう》の間、隠隠《いんいん》として号咷《ごうちょう》の声有り。陟就《すなわ》ち之を訪ぬ。老弱数輩、瘡痍遍身《そういへんしん》して、陟を見て哭して曰く、「賊兵山に入ること三日、財貨を奪掠して、人民を芟刈し、尽く子女を駆り、昨已に蟾江に退き屯す。一家を求めんとすれば、諸《これ》を水浜に問え」と。陟天に号《さけ》びて痛哭し、地を擗《う》ち血を嘔《は》きて、即ち蟾江に走る。

未だ数里許りを行かざるに、乱屍の中を見るに、呻吟《しんぎん》断続して、存するがごとく無きがごとし。而して流血面に被《かぶ》り、其れ何人たるかを知らざるなり。其の衣裳を察するに、甚だ春生の着る所に似たり。大声之を呼びて曰く、「爾、是春生なること莫しや」と。春生目を張りて之を視て、喉中に語を作りて曰く、「郎君。郎君。主家皆賊兵の掠《かす》める所と為りて去る。吾阿釈を負えば、趁走する能わず、賊兵を引きて斫《き》り殺して去る。吾地に僵《たお》れ即ち死せんとするも、半日にして甦《よみがえ》れば、背上の児の生死去留を知らず」と。

言い訖《おわ》りて気尽き、復生きず。陟胸を搥《う》ちて足を頓《ふ》み、悶絶して仆《たう》る。既已《すで》に奈何《いかが》ともすべく無し。起きて蟾江に向えば、則ち岸上に老弱創残数十有りて相い聚して哭く。往きて之に問えば、則ち曰く、「俺等は山中に隠れ、賊の駆る所と為る。舡《ふね》に及び、賊丁壮を抽して同じく載せ、罹鋒老羸《ろうえい》なる者を推し下ろすこと、此のごとし」と。陟大慟して、独り全しと念《おも》うこと無く、将に自裁せんとするも、傍人に救止せられ、江頭を踽踽《くく》して、去らんとするも之《ゆ》く所無し。帰路を尋ね還り、三昼夜、僅かに郷里に到る。垣頽《くず》れ瓦破れ、余燼《よじん》未だ息《や》まず、積骸《せきがい》丘を成して、地に足を着く無し。

【語釈9】　◯丁酉　一五九七年。慶長二年にあたる。◯逃竄　にげかくれる。◯智異山　小白山脈の南端に位置。『三国史記』には「地理山」、『高麗史』には「智異山《チリサン》」と表記。金剛山《クムガンサン》・漢拏山《ハルラサン》とともに三神山の一つ。歴史上抵抗の地としても知られる。◯燕谷　智異山の谷。燕谷寺《ヨンコクサ》は華厳寺《ケオムサ》の末寺で統一新羅時代に創建された。新羅末より修禅道場として知られる。慶長の役の際、全焼した。◯丁壮　血気盛んな男。◯雑錯　いりまじる。◯求礼　全羅南道《チョルラナムド》の北東部に位置し、智異山の玄関口となっている。◯搶掠　強奪する。◯隠隠　憂いいたむさま。◯流血成川　「四十余万の衆を誅屠し、流血川を成す」（『戦国策』秦三「蔡沢見逐」）。◯号咷　なきさけぶ。◯芟刈　かりとる。◯蟾江　蟾津江《ソムジンガン》。全羅北道《チョルラブクト》の八公山《パルゴンサン》を発流とし求礼《クレ》盆地を流れ、慶尚南道《キョンサンナムド》と全羅南道《チョルラナムド》の境界を南下して光陽湾《クァンヤンマン》に流入する。高麗の禑王《ウワン》十一（一三八五）年、倭寇が蟾津江の河口に侵入した際、数十万の蟾《ひきがえる》が鳴いたので、倭寇は光陽湾へ逃げたという伝承がある。◯呻吟　苦しみうめく。◯老羸　老いて衰弱する。◯踽踽　独りとぼとぼ行く。◯余燼　燃え残り。戦争や災害などの後に生き残った人。○積骸成丘　『司馬温公稽古録』巻之十三、「積骸丘と成し、流血淵と成す」。

【原文10】

遂憩于金橋之側、不食累日、奔走力盡、昏倒不起。忽有唐將。率十餘騎、自城中出來、浴馬於金橋之下。陟在義陣時、與天兵、應接酬酢之久、稍解華語。因道其全家之見敗、且訴一身之無托、欲與同入天朝、＊以爲長生之計。唐將聞言惻然、且憐其志曰、「吾是呉摠兵之千摠余有文也。家在浙江姚興府。雖貧、足以自食。人生貴相知心。游息適意、無論遠近、爾既無家累之戀、何必塊守一方、蹴蹴靡所騁乎。」遂以一馬、載歸于陣。陟容皃俊爽、計慮深遠。便於弓馬、嫺於文字、余公愛之、共牢而食、同衾而寢。未幾、摠兵撤歸、以陟隷戰亡軍簿、而過關、至姚興居焉。

〈校異〉＊以爲長生之計…底本「以爲長往之計」。

【書き下し10】

遂に金橋の側に憩うも、食わずして累日、奔走して力尽き、昏倒して起きず。忽ち唐将有り。十余騎を率い、城中より出来し、馬を金橋の下に浴す。陟は義陣に在る時、天兵とともに、応接酬酢すること久しければ、稍や華語を解す。因りて其の全家の敗らるるを道《い》い、且つ一身の托するところ無きを訴え、与同《とも》に天朝に入りて、以て長生の計と為さんとす。唐将言を聞きて惻然《そくぜん》とし、且つ其の志を憐みて曰く、「吾是呉の摠兵《そうへい》の千摠余有文なり。家は浙江《せっこう》の姚興府《ようこうふ》に在り。貧しと雖も、以て自食するに足る。人生れて心を相知るを貴ぶ。游息《ゆうそく》適意すれば、遠近を論ずること無し。爾既に家累の恋《れん》無ければ、何ぞ必ず一方を塊守《かいしゅ》し、蹴蹴《しゅくしゅく》として騁する所靡《な》からんや」と。遂に一馬を以て、載せて陣に帰す。陟容皃俊爽《ようぼうしゅんそう》にして、計慮深遠、弓馬に便にして、文字に嫺なり。余公之を愛し、共牢して食し、同衾して寝る。未だ幾ならずして、摠兵撤帰し、陟を以て戦亡の軍簿に隷《つ》け、関を過ぎ、姚興に至りて居す。

【語釈10】　○金橋　金石橋《クムソクキョ》。朝鮮・李朝時代の地誌『新増東国輿地勝覧』（一五三〇）の巻三十九、全羅道・南原都護府には、「橋梁　金石橋　府の西南四里に在り。姜希孟《カンヒメン》の詩に、『奔川の両岸に長橋駕り、波面沈沈して影動揺す、千尺の玉虹腰背闊し、緩かに帰路を尋ねて遥かなるを知らず』という」。○城中　南原城。○天兵　天子の軍兵。官軍。○酬酢　応対する。○惻然　あわれみいたむさま。○千摠　『甲寅燕行別録』（一七三四）聞見別録には明の武職について述べており、「千摠、千は兵数なり。之を命ずるもの摠と曰ふ。責を以て約束訓練す」と、千摠は千人の兵を管理する武官であることがわかる。実際に慶長の役へ派兵された明軍の千摠には斯天爵、王成、李輔国、李勝、李益喬、葉邦栄、葉朝桂がいる。○余有文　未詳。○人生貴相知心　『文選』李陵「答蘇武書」に「人の相知るは、心を相知るを貴ぶ」（巻四十一）とあり、人が知り合うとき互いの心を知ることが尊いという意。○共牢而食、同衾而寝　『礼記』昏義に「壻《せい》婦を揖《ゆう》して以て入り牢を共にして食らい、卺《きん》を合わせて酳《の》む。体を合わせ、尊卑を同じくして、以て之を親しむ所以なり」とあり、婚礼の儀式として「共牢而食、同衾而寝」がみえるが、ここでいう「共牢而食、同衾而寝」は寝食を共にしたということであろう。○蹴蹴　心のやすらかではないさま。○姚興府　紹興府。

【原文11】

初、陟家被擄至江。賊以陟之父與姑老病、不甚看護。二人伺賊怠、潜逸于蘆中。賊去、行乞村閭*、轉入燕谷寺。聞僧房有孩兒啼哭之聲、沈氏泣謂崔淑曰、「是何兒聲之、一似吾兒也。」淑遽推戸視之、果夢釋也。遂取置懷中、撫哭移時。因問、「此兒何處得來。」僧有慧正者、進曰、「吾於路傍屍中、聞啼聲、愍然收來、以待其父母。今果是也、豈非天耶。」淑既得孫兒、與沈氏、遞負而歸、收集奴僕、經紀家事。

〈校異〉＊村閭…底本「村閻」。

【書き下し11】

初め、陟家、擄われて江に至る。賊陟の父と姑の老病なるを以て、甚だしくは看護せず。二人賊の怠を伺いて、蘆中に潜逸《せんいつ》す。賊去り、村閭に行乞《こうきつ》し、燕谷寺に転入す。僧房に孩児の啼哭の声有るを聞くに、沈氏泣きて崔淑に謂いて曰く、「是何れの児の声か、一《もっぱ》ら吾が児に似るなり」と。淑遽《にわか》に戸を推し之を視るに、果して夢釈なり。遂に取りて懐中に置き、撫哭《ぶこく》し時を移す。因りて問う、「此の児何処より得来たるか」と。僧に慧正なる者有り。進みて曰く、「吾路傍の屍中に、啼声を聞き、愍然《びんぜん》として収め来りて、以て其の父母を待つ。今果して是なるや、豈に天に非ずや」と。淑既に孫児を得て、沈氏と与に、逓《たが》いに負いて帰り、奴僕を収集して、家事を経紀す。

【語釈11】　○被擄　さらわれる。奪われる。○愍然　いたましいさま。あわれなさま。○豈非天耶　『資治通鑑』巻六十九・魏紀一・文帝三年「吾乃ち陸遜の折辱する所と為れるは、豈に天に非ずや」。○経紀　一家の暮らしを立てる。

【原文12】

時、玉英則見執於倭奴頓于。頓于老倭、本不殺生。慈悲念佛、以商販爲業。習御舟楫、倭將行長、以爲舡主而來。頓于愛玉英機警、惟恐見逋。給以華衣美食、慰安其心。玉英欲投水溺死、再三出舡、輒有所覺。一夕、＊玉英夢見丈六金佛明言曰、「我萬福佛也。愼無死。後必有喜。」

玉英覺而諗其夢、不能無萬一之冀。遂強食不死。頓于家在狼姑射。妻老女幼、無他子男。使玉英居家、不得出入。玉英謬曰、「我本藐少男子、弱骨多病、在本國、不能服役丁壯之事。只以裁縫炊飯爲業、餘事固不能也。」頓于尤憐之、名之曰沙于、毎乗舟行販、以火長置舟中、往來于閩浙之間。

〈校異〉＊玉英夢見丈六金佛明言曰…底本「丈六金佛夢玉英而告曰」。

【書き下し12】

時に、玉英則ち倭奴頓于《とんう》に執らわる。頓于老倭にして、本より殺生をせず。慈悲にして仏を念じて、商販を以て業と為す。舟楫を御するを習えば、倭将行長を以て舡主と為して来たる。頓于玉英の機警を愛し、惟だ逋《にげ》らるることを恐る。華衣美食を以て給し、其の心を慰安せんとす。玉英投水して溺死せんとし、再三舡を出づるも、輒《すなわ》ち覚《さと》る所有り。一夕、玉英夢に丈六金仏を見、明言して曰く、「我万福の仏なり。慎みて死ぬこと無かれ。後に必ず喜び有らん」と。

玉英覚めて其の夢を諗《おも》えらく、「万一の冀《ねが》い無くすること能わず」と。遂に強いて食して死せず。頓于の家は狼姑射に在り。妻老いて女幼く、他に子男無し。玉英をして家に居り、出入するを得ざらしむ。玉英謬《あざむ》きて曰く、「我本より藐少《びょうしょう》なる男子にして、弱骨多病、本国に在るとき、丁壮の事に服役する能わず。只裁縫炊飯を以て業と為し、余事固より能くせざるなり」と。頓于尤も之を憐れみ、之を名づけて沙于と曰い、乗舟行販する毎に、火長を以て舟中に置き、閩浙《びんせつ》の間を往来す。

【語釈12】　〇頓于　未詳、日本人名として不明。頓于が玉英に名付けた「沙于」も不明。〇行長　小西行長（?～一六〇〇）。行長は慶長二（一五九七）年正月十三日、肥前名護屋を出、八月には左軍の一将として南原を攻略、九月からは順天城の守りを固めた。翌三年、秀吉の死後二か月を経、順天城において明軍を迎撃し、十一月十九日になってようやく軍を撤し、二十五日に釜山を出発して帰国の途についた。（『国史大辞典』「小西行長」）。〇機警　物事の悟りが早いこと。〇狼姑射　日本の地名として不明。韓国における研究では、長崎説・愛知の名古屋説・佐賀の名護屋説がある。「姑射」は『荘子』逍遥遊篇の「藐姑射の山に神人有りて居る」が典拠とされ、「藐姑射山」の読みに従い、「コヤ」とよむ。〇藐小　小さいこと。〇火長　火長は航海長のこと。病弱であった玉英が航海長になることには違和感があるが、後に息子夫妻を連れて帰港する際、操船を指揮する姿が描かれるので航海長の意味でよい。〇閩浙　福建と浙江。

【原文13】

是時、陟在姚興。與余公、結爲兄弟、欲以其妹妻之。陟固辭曰、「我以全家陷賊、老父弱妻、至今未知生死。縱不得發喪服衰、豈敢晏然婚娶、以爲自逸之計乎。」余公義*而止之。

其冬、余公病死。陟尤無所歸、落拓江淮、周遊名勝。窺龍門、探禹穴、窮沅湘、航洞庭、上岳陽、登姑蘇、吟咏於湖山之上、婆娑於雲水之間、有飄飄遺世之志。聞海蟾道士王用、隠居青城山、燒金煉丹、有白日飛升之術。將欲入蜀而學焉。

適有宋佑者、號鶴川、家在杭州湧金門内。博通經史、不屑功名、以著書爲業。喜施與、有義氣、與陟許以知己。聞其入蜀、載酒而來。飲至半酣、字陟而謂曰、「伯昇*、人生斯世、孰不欲長生而久視。古今天下、寧有是理。餘生幾何。而何乃服食忍飢、自苦如此、而與山鬼爲隣乎。子須從我而歸。浮扁舟、適呉越、販繒賣茶、以娯餘年、不亦達人之事乎。」陟洒然而悟、遂與同歸。

〈校異〉＊義而止之…底本「義以止之」。＊伯昇…底本「白昇」。【原文1】に合わせる。

【書き下し13】

是の時、陟姚興に在り。余公と与に、結びて兄弟と為り、其の妹を以て之に妻《めあわ》せんとす。陟固く辞して曰く、「我全家を以て賊に陥られ、老父弱妻、今に至るまで未だ生死を知らず。縦《たと》い発喪《はっそう》服衰するを得ず。豈に敢えて晏然《あんぜん》と婚娶し、以て自逸の計と為さんや」と。余公義して之を止む。

其の冬、余公病死す。陟尤も帰る所無くして、江淮《こうわい》に落拓して、名勝を周遊す。龍門を窺い、禹穴を探り、沅湘《げんしょう》を窮め、洞庭を航《わた》り、岳陽に上り、姑蘇に登り、湖山の上に吟詠し、雲水の間に婆娑して、飄飄として遺世の志有り。海蟾道士王用、青城山に隠居し、金を焼き丹を煉り、白日飛升の術有るを聞く。将に蜀に入りて学ばんとす。

適《たまたま》宋佑なる者有り、号は鶴川、家は杭州の湧金門の内に在り。博く経史に通じて、功名を屑《かえり》みず、著書を以て業と為す。施与《せよ》することを喜び、義気有りて、陟と知己を以て許す。其の蜀に入るを聞き、酒を載せて来たる。飲みて半酣《はんかん》に至るに、陟に字《あざな》して謂ひて曰く、「伯昇、人斯の世に生まれて、孰《た》れか長生して久視するを欲せざらんや。古今天下、寧《いず》くにか是の理有らん。余生幾何《いくばく》ぞ。而して何ぞ乃ち服食し飢を忍び、自ら苦しむこと此のごとくして、山鬼と隣を為さんや。子須《すべから》く我に従いて帰すべし。扁舟《へんしゅう》を浮かべ、呉越に適《ゆ》きて、繒を販《あきな》い茶を売り、以て余年を娯《たの》しむこと、亦達人の事ならずや」と。陟洒然《しゃぜん》として悟りて、遂に与同《とも》に帰す。

【語釈13】　○結爲兄弟　「四海の人、結びて兄弟と為ること、亦何ぞ容易せんや」（『顔氏家訓』巻第二「風操第六」）。○服衰　喪服の名。○自逸　心身ともに安らかであること。○江淮　長江と淮水。○落拓　ものさびしいさま。○龍門　黄河中流の陝西省と山西省の省境南部、山西省河津県の西北、陝西省韓城県の東北にある。禹王が龍門山を切り開いて通したものと伝えられる。司馬遷の生誕地でもあるが、以下の名勝遊覧の記述は『史記』太史公自序の「遷は龍門に生まれ、河山の陽に耕牧す。年十歳にして、則ち古文を誦し、二十にして南のかた江淮に游び、会稽に上り、禹穴を探り、九疑を闚ひ、沅湘に浮かび」に拠るか。○禹穴　浙江省紹興県の会稽山にある洞窟で禹王の遺跡である。○沅湘　沅江《げんこう》と湘江《しょうこう》。それぞれ湖南省を流れる川で洞庭湖に流れる。○洞庭　洞庭湖。湖南省四大河川といわれる湘江・資江《しこう》・沅江・澧水《れいすい》が流入する淡水湖。

○岳陽　岳陽楼。湖南省岳陽の町を囲む城壁の西門にある楼で、楼の三層から眺める洞庭湖は絶景とされ、多くの詩が詠まれた。○姑蘇　姑蘇台。江蘇省蘇州にある。春秋時代の呉王夫差が姑蘇山上に築いた台。○婆娑　歩き回るさま。○飄飄　さまよう様。○海蟾道士王用　海蟾は劉海蟾《りゅうかいせん》か。『列仙全伝』第二巻「宋の神宗熙寧《きねい》二年、蜀に遊ぶとき、劉海蟾に遇す。金液還丹火候の訣を授かる」。王用は未詳。○青城山　四川省灌県の西南。歴代の方士張道陵《ちょうどうりょう》・范長生《はんちょうせい》・孫思邈《そんしばく》・杜光庭《とこうてい》等がこの地に隠棲したとされる。○焼金煉丹『抱朴子』によると、丹薬は焼けば焼くほど霊妙が増し、黄金は火にかけ、何回鋳なおして地中に埋めても錆びないものであり、この二つを服用することで不老不死を得るという。○白日飛升　『魏書』釈老子、「行を積み功を立て、徳を累ね善を増さば、乃ち白日昇天し、長く世上に生くべし」。○湧金門　杭州府城の西門にあたり、西湖の東に位置する。○施与　恵み与えること。○字　冠礼した後の本名以外の名前。昔は本名を大事にして気軽に呼ばない慣習があり、本名の代わりに相手が呼ぶ。○半酣　半酔。なまよい。○孰不欲長生而久視　「世の人主貴人、賢不肖と無く、長生久視を欲せざる莫し」（『呂氏春秋』孟春紀・重己篇）。貴賤に関係なく長生きを望むことをいう。○而與山鬼爲隣乎　「時に委ねて害を去り、丘山に依託し、寥廓に循い遊び、鬼と鄰をなす。形を化して仙となり、淪寂声なし」（『周易参同契』）。○呉越　呉の国と越の国。呉の都は蘇州、越の都は会稽。○縉　絹織物。○洒然　わだかまりがなく、さっぱりしているさま。

【原文14】

歳庚子春、陟隨佑、與同里商舡、往來於安南。時、有日本舡十餘艘。亦泊于浦口。留十餘日、因值四月旁死魄、天無寸雲、水光如練。風息波恬、聲沈影絶。舟人牢睡、渚禽時鳴。但聞日本舟中念佛之聲。聲甚悽惋。陟獨倚蓬窓、感念身世。即出裝中洞簫、吹界面調一曲、以舒胸中哀怨之氣。時、海*天変色、雲烟変態。舟中

驚起、莫不愀然。日本舡念佛聲、闃然而止、旋以朝鮮音、詠七言絶句曰、

王子吹簫月欲低　碧天如海露凄凄
會須共御靑鸞去　蓬島烟霞路不迷

吟罷、有*噓唏唧唧之聲。陟聞詩驚動、惝怳如失。不覺擲簫、嗒然如死人形。鶴川曰、「何爲其然耶。何爲其然耶。」再問、再不答。三問之、陟欲語而哽塞、涙簌簌下。移時、定氣而後、言曰、「此詩乃吾荊布所自製也。平日絶無他人聞知者、且其聲音、酷似吾妻。豈其來在彼舡耶。此必無之事也。」因述其陥賊事甚悉。一舟人、咸驚怪之。座有杜洪者、年少勇敢士也。聞陟之言、義形於色、以手撃楫、奮然而起曰、「吾、欲往探之。」鶴川止之曰、「深夜作亂、恐致生変。不如朝日從容處之。」左右皆曰、「然。」

陟坐而待朝、東方作矣。即下岸、至日本舡。陟以鮮語、問之曰、「夜聞詠詩者。必是朝鮮人也。吾亦鮮人。倘一得見、則奚啻越之流人見之相似者、而有喜者也。」玉英夜於舡中、聞其簫聲、乃是朝鮮之曲調、而一似疇昔慣聆之調。窃疑其夫之或來于其舡、試詠其詩而探之。及聞此言、惶忙失措、顚倒下舡。二人相見、驚呼抱持、宛轉沙中。聲絶氣塞、口不能言。涙盡繼血、目無所覩。兩國舡人、聚觀如堵。初、不知其親戚歟交遊歟。久然後、聞知其爲夫婦也。人人咋咋、相顧而言曰、「異哉。異哉。此其天祐而神助。古未嘗有也。」

〈校異〉＊海天変色…底本「海天惨色」。＊噓唏唧唧…底本「嘻噓唧唧」。

【書き下し14】

歳庚子《こうし》の春に、陟佑に随い、里の商舡と与同し、安南に往来す。時に、日本の舡十余艘有り。亦浦口に泊す。留まること十余日、四月の旁死魄《ぼうしはく》に値《あた》るに因って天寸雲《すんうん》無く、水光ること練のごとし。風息《や》み波恬《しず》かにして、声沈み影絶ゆ。舟人牢《かた》く睡り、渚禽時に鳴く。但だ日本の舟中より念仏の声聞ゆるのみ。声甚だ悽惋たり。陟独り蓬窓《ほうそう》に倚《よ》り、身世を感念す。即ち装中の洞簫《どうしょう》を出だし、界面調一曲を吹き、以て胸中の哀

怨の気を舒《の》ぶ。時に、海天変色し、雲煙変態す。舟中驚起して、愀然《しゅうぜん》とせざるを莫し。日本舡の念仏の声、闃然《げきぜん》として止み、旋《つ》いで朝鮮音を以て、七言絶句を詠じて曰く、

王子簫を吹くに月も低《た》れんとす
碧天海のごとく露凄凄たり
会《かなら》ず須く共に青鸞に御して去るべし
蓬島烟霞の路に迷わず

吟罷み、嘘唏喞喞《きょきしょくしょく》の声有り。陟詩を聞きて驚動し、惝怳《しょうきょう》なること失するがごとし。覚えずして簫を擲《な》げうち、嗒然《とうぜん》たること死人の形のごとし。鶴川曰く、「何為《す》れぞ其れ然るや。何為れぞ其れ然るや」と。再び問えども、再び答えず。三たび之を問えば、陟語らんとすれども哽塞《こうそく》し、涙籟籟《らいらい》として下る。時移りて、気を定めて後、言いて曰く、「此の詩乃ち吾が荊布《けいふ》の自製する所なり。平日他人の聞き知る者絶無にして、且つ其の声音、吾が妻に酷似す。豈に其れ来りて彼の舡に在らんや。此れ必無の事なり」と。因りて其の賊に陥らるる事を述ぶること甚だ悉《つく》す。一舟の人、咸《みな》之を驚怪《きょうかい》す。座に杜洪《とこう》なる者有り、年少くして勇敢の士なり。陟の言を聞き、義色に形《あらわ》れ、手を以て楫を撃ち、奮然として起きて曰く、「吾、往きて之を探さんとす」と。鶴川之を止めて曰く、「深夜乱を作さば、恐らく生変を致さん。朝日従容《しょうよう》として之を処するにしかず」と。左右皆曰く、「然り」と。

陟坐して朝を待ちて、東方に作《おこ》れり。即ち岸を下り、日本舡に至る。陟鮮語を以て、之に問いて曰く、「夜詩を詠ずる者を聞く。必ず是朝鮮人なり。吾も亦鮮人なり。倘し一たび見ゆるを得ば、則ち奚《なん》ぞ啻《ただ》に越の流人の相似る者を見て、喜ぶ者あるのみならんや」と。

玉英夜舡中に、其の簫の声を聞くに、乃ち是朝鮮の曲調にして、一《もっぱ》ら疇昔《ちゅうせき》の聆《き》き慣るるの調に似たり。窃《ひそか》

に其の夫の或いは其の舡に来るを疑いて、試みに其の詩を詠みて之を探る。此の言を聞くに及びて、惶忙失措《こうぼうしっそ》し、顚倒《てんとう》して舡を下り。二人相見ゆれば、驚き呼び抱持し、沙中に宛転《えんてん》す。声絶え気塞がり、口言うこと能わず。涙尽き血を継ぎ、目覩る所無し。両国の舡人、聚《あつま》り観ること堵《と》のごとし。初め、其の親戚なるか交遊なるかを知らず。久しくして然る後、其れ夫婦為るを聞き知る。人人咋咋として、相顧みて言いて曰く、「異なるかな。異なるかな。此れ其の天の祐けにして神の助けなり。古にも未だ嘗て有らざるなり」と。

【語釈14】　○庚子　一六〇〇年。慶長五年。○安南　ベトナム。この安南訪問談は『趙完璧伝《チョワンビョクジョン》』に依拠したとされる。趙完璧《チョワンビョク》は慶長の役で捕虜となり、漢字が読めたので日本の商船に乗ってベトナムなどの東アジアを見聞した。さらに、ベトナムで朝鮮の学者・李睟光《イスグァン》の漢詩が流行していたこともあり、酒宴に招待されるなど特別待遇をうける。十年に渡る海外の生活を経て朝鮮に帰国することができ、友人に話したベトナムでの経験談が李睟光本人に伝わり、伝記形式でまとめられた。○浦口　蒲口についての具体的な地名は記さないが、十六世紀から十八世紀にかけて日本の朱印船が寄港地としていたベトナム中部のホイアンの可能性が高いと指摘されている。この地には日本人町・中国人町・オランダ商館などが存在していた。○旁死魄　陰暦の二日をいう。死魄は朔日。魄は月の光の部分を指し、死はその消滅を表す。○渚禽　なぎさにいる鳥。○蓬窓　蓬に面した窓。ここは舟の窓。○界面調　朝鮮初期郷楽に用いられた旋法のひとつ。『楽学軌範』（一四九三）学朝総義によると、「「界面調」は中国の五調のうち、羽調がいわゆる界面調である」という。○愀然　顔に憂いの色があること。○嘘唏唧唧　「嘘唏」は太息してなげく。又すすり泣く。「唧唧」は歎息の声。「我琵琶を聞きて已に嘆息し、又此の語を聞きて重ねて唧唧たり」（白居易「琵琶引」）。○惝怳如失　茫然自失の意に近い。○嗒然　我を忘れるさま。○哽塞　悲しんで胸や喉がふさがる。○籟籟　かすかに物音がひびくさま。○荊布　いばらのかんざしと麻布の裳裾のことで婦人の粗末な衣服を言う。『太平御覧』巻七一八所引『列女伝』に「梁鴻妻孟光、荊釵布裙」とあり、自分の妻の謙称として用いられる。○奮然　気をひきたてるさま。○従容　静かにいう。○東方作　『漢書』李尋伝に「其の東方に日作《おこ》りて、初めて出づるの時（其於東方作日初出時）」とあり、その顔師古注に「作、起なり。日出の時、人物皆起く」とある。○越之流人見之相似者、而有喜者也　『荘子』徐無鬼篇に「子、其の越の流人を聞かず」とみえ、流人が故国から離れて数日になると知人を見つけて喜び、一か月になると都で見かけたことがある人を見つけて喜び、一年になると「人に似たる者を見て喜ぶ」とあるように、故郷を離れると同郷の人と会うだけで嬉しいという意。○疇昔　さきの日。前日。○惶忙　慌てる様子。○失措　どうすればいいかわからなくうろうろする。○咋咋　大きな声。

【原文15】

陟、問父母消息於玉英。玉英曰、「自山驅至江上、父母固無恙。日暮上舡、蒼黄相失。」二人、相對痛哭、聞者莫不酸鼻。鶴川請於頓于、欲以白金三錠買歸。頓于怫然曰、「我得此人、四年于茲。愛其端慤、視同己出、寢食未嘗小離。而終不知其是婦人也。今而目覩此事、天地鬼神、猶且感動。我雖頑蠢、異於木石。何忍貨此而爲食乎。」便於槖中、出十兩銀、贐之曰、「同居四載、一朝而別。悵惘之懷、雖切於中、而重逢配耦於萬死之餘、此人世所無之事。我若隘之、天必殛之。好去。沙于。珍重。珍重。」玉英擧手謝曰、「賴主翁保護、得不死、卒遇良人。受惠多矣。矧此嘉貺、何以報塞。」陟亦再三稱謝、携玉英、歸寓其舡。隣舡之來觀者、連日不絶。或以金銀綵繒相遺、以爲賀餞。陟皆受而謝之。

【書き下し15】

陟、父母の消息を玉英に問う。玉英曰く、「山より駆けて江上に至るとき、父母固より恙《つつが》無し。日暮れて舡に上るとき、蒼黄《そうこう》として相失せり」と。二人、相対して痛哭し、聞く者酸鼻《さんび》せざる莫し。鶴川頓于に請い、白金三錠を以て買い帰らんとす。頓于怫然として曰く、「我此の人を得て、茲《ここ》に四年。其の端愨《たんかく》を愛し、視るに己出と同じく、寝食未だ嘗て小離せず。而るに終に其れ是婦人なることを知らざるなり。今にして此の事を目覩するに、天地鬼神すら、猶且つ感動す。我頑蠢《おろか》と雖も、木石に異たり。何ぞ此れを貸《う》り食と為すに忍びんや」と。便《すなわ》ち橐中より、十両の銀を出して、之を贐《はなむけ》にして曰く、「同居すること四載なるも、一朝にして別る。悵惘《ちょうもう》の懐、中に切なりと雖も、配耦と万死の余に重逢す。此れ人世に無き所の事なり。我若し之を隘せば、天必ず之を殛《ころ》さん。好し去れ。沙于。珍重。珍重」と。玉英手を挙げ謝して曰く、「主翁の保護に頼り、死せざるを得て、卒《つい》に良人に遇す。恵を受くること多し。矧《いわん》や此の嘉貺《かきょう》、何を以て報塞せん」と。陟も亦再三称謝し、玉英を携えて、其の舡に帰寓す。隣舡の来観する者、連日絶えず。或るものは金銀綵繒を以て相遺《おく》り、以て賀餞と為す。陟皆受けて之に謝す。

【語釈15】　○無恙　無事に日を過ごすこと。○蒼黄　あわてるさま。○酸鼻　すすり泣くこと。転じて悲しみ痛む。○怫然　心中に怒るさま。○端愨　心が正しくて行いが誠な事。○己出　自分の産んだ子。実の子。○目覩　目にみる。○悵惘　憂悶して呆然となる形容。○万死　何度も死ぬ事。○隘　おさえてとめる。○珍重　人の身体を大切にする事を勧める語。○嘉貺　人からの贈り物を敬っていう。○報塞　むくい充たす。

【原文16】

鶴川還家、別掃一室、館陟夫妻、使之安頓。陟既得妻、庶有安樂之心。而遠托異國、四顧無親。係念老父稚子、日夜傷心、黙禱生還而已。

居一歳、又生一子。産兒之前夕、丈六佛又見于夢曰、「兒生亦有背痣」。夫妻感以爲夢釋再來。遂名之曰夢仙。夢仙既長、父母欲求賢婦。隣有陳家女、名曰紅桃。生未晬、其父偉慶、隨劉摠兵、*東征不還。及長、而其母繼歿。紅桃養於其姨家、常痛其父歿於異域、而生不知其面目也。願一至父死之國、復哭而來。耿耿寃恨、銘于心腑、身爲女子、計不知所出。及聞夢仙求婦、謀於其姨曰、「願得爲崔家婦。而冀一至於東國也。」其姨素知其志、即詣陟、語其故。陟與其妻、歎曰、「女而如是、其志嘉。」遂取而爲婦。

〈校異〉＊東征不還…底本「東征不」。

【書き下し16】

鶴川家に還り、別に一室を掃き、陟夫妻を舘《やど》し、之をして安頓《あんとん》せしむ。陟既に妻を得て、庶《もろもろ》安楽の心有り。而して遠く異国に托《よ》れば、四顧するも親無し。老父稚子を係念するに、日夜傷心して、生還を黙禱するのみ。

居ること一歳、又一子を生む。児を産む前夕、丈六仏又夢に見《あらわ》れて曰く、「児生まれて亦背に痣有らん」と。夫妻感じて以て夢釈の再来と為す。遂に之を名づけて夢仙と曰う。夢仙既に長じて、父母賢婦を求めんとす。隣に陳家の女有り、名は紅桃と曰う。生まれて未だ晬《さい》ならずして、其の父偉慶、劉摠兵に随い、東に征きて還らず。長ずるに及びて、其の母も継いで歿す。紅桃其の姨家《いけ》に養われ、常に其の父の異域に歿し、生れながらに其の面目を知らざるを痛むなり。願わくは一たび父の死せる国に至り、復《また》哭して来らんことを。耿耿寃恨《こうこうえんこん》、心腑《しんぷ》に銘ずれども、身は女子為れば、計の出づる所を知らず。夢仙の婦を求むるを聞くに及びて、其の姨に謀りて曰く、「願わくは崔家の婦と為るを得んことを。而して冀わくは一たび東国に至らんことを」と。其の姨《おば》素より其の志を知れば、即ち陟に詣り、其の故を語る。陟と其の妻と与に、歎じて曰く、「女にして是のごとし、其の志嘉し」と。遂に取りて婦と為す。

【語釈16】〇四顧　四辺をみまわす。〇係念　仏語。一つのことだけに心を集中させて他の事を考えないこと。〇晬　赤児が満百日、または満一年になること。〇劉摠兵　明の劉綎《りゅうてい》のこと。江西省出身。文禄の役には五千人を率いて出征し、慶長の役には「提督漢土官兵禦倭總兵官」として大軍を率いて戦う。一六一六年後金との戦いで戦死した。〇哭　人が亡くなったとき、悲しみをあらわすために声をあげて泣く礼。痛哭。〇耿耿　憂いの激しいこと。〇計不知所出　『史記』刺客列伝「於期、之を念う毎に、常に骨髄に痛む。顧《た》だ計、出づる所を知らざるのみ」。

【原文17】

明年己未、奴酋入寇遼陽、連陷數鎭、*多殺將卒。天子震怒、動天下之兵、以討之。蘇州人呉世英、喬遊擊之百摠。曾因有文、素知崔陟才勇、引而爲書記、倶詣軍中。將行、玉英執手涕泣、而訣曰、「妾身險釁、早罹憫凶、千辛萬苦、十生九死。賴天之靈、邂逅郎君、斷絃再續、分鏡重圓。既結已絶之縁、幸得托祀之兒。合歡同居、二紀于茲、顧念疇昔、死亦足矣。常欲身先溘然、以答郎君之恩、不意垂老之年、又作參商之別。此去遼陽、數萬里、生還未易、後會何期。願以不貲之身、自裁於離席之下、一以斷君閨房之戀、一以免妾夜朝之苦、志矣。郎君。千萬永訣、千萬永訣。」言訖痛哭、抽刀擬頸。陟奪刀慰諭曰、「蕞爾小酋、敢拒*蟷臂、王師濯征、勢同壓卵。從軍往來、只費時月之勤苦。無如是妄生煩惱、待吾成功而還、置酒相慶、可也。況仙兒壯健、足以爲倚。努力加飡、勿貽行路之憂也。」遂趣裝而行。

〈校異〉＊多殺将卒…底本「將卒」。＊蟷臂…底本「螗臂」。

【書き下し17】

明年己未《きび》、奴酋遼陽に入寇して、連りに数鎮をを陥れ、多くの将卒を殺す。天子震怒して、天下の兵を動かして、以て之を討たんとす。蘇州人呉世英、喬遊撃の百摠なり。曾て有文に因りて、素より崔陟の才勇を知り、引きて書記と為し、倶に軍中に詣《まい》らんとす。将に行かんとするに、玉英手を執り涕泣して、訣《わか》れて曰く、「妾《しょう》の身険釁《けんきん》にして、早く憫凶《びんきょう》に罹《かか》り、千辛万苦、十生九死す。天の霊に頼り、郎君に邂逅して、断絃再び続ぎ、分鏡重ねて円となる。既に已絶《いぜつ》の縁を結び、幸いにして祀を托する児を得たり。合歓同居して、茲に二紀、疇昔を顧念するに、死すとも亦足れり。常に身先ず溘然《こうぜん》として、以て郎君の恩に答えんとし、垂老の年を意わざれども、又参商《さんしょう》の別れを作す。此より遼陽を去ること、数万里、生還未だ易からず、後会は何れの期《とき》ぞ。願わくは不貲《ふし》の身を以て、離席の下に自裁し、一に以て君の閨房の恋を断ち、一に以て妾の夜朝の苦を免れんこと、志なり。郎君。千万永訣、千万永訣」と。言訖りて痛哭して、刀を抽き頸に擬す。陟刀を奪い慰諭して曰く、「蕞爾《さいじ》の小酋、敢えて螳臂《とうひ》のごとく拒《ふせ》ぐも、王師濯《おお》いに征して、勢い卵を圧するに同じ。従軍往来するは、只時月の勤苦を費やすのみ、是のごとく妄りに煩悩を生じること無く、吾の成功して還るを待ち、酒を置きて相慶ぶも、可なり。況んや仙児壮健にして、以て倚と為すに足れり。努力して加湌し、行路の憂いを貽すこと勿れ」と。遂に趣装して行く。

【語釈17】　○己未　一六一九年。○奴酋　ヌルハチ（奴爾哈齊・奴児哈赤、一六一六〜一六二六在位）を指す。一六一六年に後金国を建ててスレ・ゲンギエン・ハン（英明皇帝）と称した。やがて明と対立関係に入り、一六一八年、七大恨を宣言して軍事行動を起こした。明は十万の大軍を出して女直征討に向かったが、サルフの戦いに大敗を喫した。ついで最後まで残った海西女直のイェヘを滅ぼし、遼東平野に進出して瀋陽、遼陽を落とし、遼河以東の地を占領し、ここに旗地を設定して、満州人を移住させた。また国都を遼陽、ついで瀋陽に移した。○遼陽　漢代以来東北地方の政治・軍事上の要地で、一六二一〜一六二五年、後金の首都であった。○呉世英　未詳。○喬遊撃　喬一琦《きょういっき》（一五七一〜一六一九）の事か。喬一琦は後金との戦いで敗れて自殺した。遊撃は官職名。○険釁　運が悪い。不幸。○憫凶　父母の死にあう不幸。○断絃再續、分鏡重圓。『琵琶記』第五齣「南浦囑別」、「悲しみは豈に断絃のみならんや、愁いは分鏡のみにあらず」。「断絃」「分鏡」はともに離縁の意味。ここでは「再続」「重円」というので再会、復縁を表す。○二紀　一紀は十二支の一回りの十二年間。○死亦足矣　唐代伝奇『無双伝』に「無双は固より見る期無し、采苹を見るを得ば、死すとも亦足れり」とあり、死んでも本願であるという意。○溘然　俄かなさま。俄に死が訪れるさま。○垂老　七十歳近い老人。老は七十歳以上をいう。○参商　参星と商星。参は西南にある星、オリオン星座。商は東方にある星、サソリ座。二星は東西に背いて出で、同時に見ることができないので、会えないことに喩える。○不貲之身　はかることができない貴い身。○蕞爾　国や体が小さいさま。○螳臂　「汝、夫の蟷螂を知らざるか。其の臂を怒らして以て車轍に当たる。其の任に勝えざるを知らざるなり」(『荘子』人間世篇)。「螳臂当車」は己の力をはからずして軽々しく敵に向かうこと。

【原文18】

至於遼陽、渉胡地數百里、與朝鮮軍馬、連營于牛毛寨*。主將輕敵、全師致衄、奴酋殺天兵無遺類。諭脅朝鮮、無數殺傷。喬遊擊領敗卒十餘人、投入鮮營、乞着衣服。元帥姜弘立、給其餘衣、將免死焉。從事官李民寏、惧其見悟*於奴酋、還奪其服、執送賊陣。而陟本鮮人、遑亂之中、匿編行間、獨漏免殺。及弘立輩納降、陟與本國將士、就擒於虜庭。

是時、夢釋亦自南原、以武學赴西役、在元帥陣中。奴酋分置降卒之時、陟實與夢釋、同囚於一處。父子相對、莫知其爲誰某也。夢釋疑其陟之言語硬澁、意謂天兵之解鮮語者、惧其見殺、冒以爲鮮人也。詰其居住。陟亦疑其胡人之調得實状也、權辭詭説、或稱全羅、或稱忠清、夢釋心怪而不測。已過數日、情意甚親、同病相憐、少無猜訝。陟吐實歷陳平生。夢釋色動心驚、且信且疑、卒然問、「所亡之兒、年歲多少。身體皃樣。」陟曰、「生於甲午十月、亡於丁酉八月。背上有赤痣、如小兒掌。」夢釋失聲驚倒、袒而示其背曰、「兒實大人之遺體也。」陟始認其爲己子也。因各問其父母俱存、相持而泣、累日不止。主家老胡、頻頻來視、若有解聽其言、*而有憐色焉。一日、群胡皆出、老胡潛來。陟所同席而坐。作鮮語而問曰、「汝輩哭泣、異於前初。豈有別事耶。願聞之。」陟等恐生変、不直說。老胡曰、「無怖。我亦朔州土兵也。以府使侵虐無厭、不勝其苦、擧家入胡、已經十年。性直、且無苛政。人生如朝露、何必苟趣於捶楚鄉乎。奴酋使我、領八十精兵、管押本國人、以備逃逋。今聞爾輩之言、大是異事。我雖得責於奴酋、安得忍心而不送乎。」

明日、備給餱粮、使其子、指送間路。

〈校異〉＊牛毛寨…底本「中毛寨」。＊悟於…底本「忤於」。＊而有憐色焉…底本「而有矜憫色者焉」。

【書き下し18】

遼陽に至り、胡地数百里を渉り、朝鮮軍馬と与に、牛毛寨に連営す。主将敵を軽んずれば、全師衄《ぜんしじく》に致り、奴酋天兵を殺し遺類無し。朝鮮を諭し脅し、無数に殺傷す。喬遊撃、敗卒十余人を領して、鮮営に投入し、衣服を着るを乞う。元帥姜弘立、其の余衣を給い、将に死を免れんとす。従事官李民寏、其の奴酋に悟らるるを惧れ、其の服を還奪し、執りて賊陣に送る。而して陟本より鮮人なれば、遑乱の中、編行の間に匿れ、独り漏れて殺さるることを免る。弘立の輩の納降に及びて、陟と本国の将士と与に、就ち虜庭に擒《とら》わる。

是の時、夢釈も亦南原より、武学を以て西役に赴き、元帥の陣中に在り。奴酋降卒を分置する時、陟実に夢釈と与に、同じく一処に囚わる。父子相対するも、其の誰某為るかを知ること莫きなり。夢釈其の陟の言語の硬渋なることを疑い、意に謂《おもえ》らく天兵の鮮語を解する者の、其の殺さるるを惧れ、冒して以て鮮人と為すなりと。其の居住を詰《と》う。陟も亦其の胡人の実状を調べ得るやと疑い、権辞詭説にして、或いは全羅と称し、或いは忠清と称すれば、夢釈心に怪しみて測らず。已に過ぐること数日、情意甚だ親しく、同病相憐れみ、少しも猜訝《さいが》すること無し。陟実歴を吐き平生を陳《の》ぶ。夢釈色動き心驚き、且つ信じ且つ疑い、卒然として問う、「亡ずるところの児、年歳多少《いくばく》ぞ。身体皃様《ぼうよう》いかんぞ」と。陟曰く、「甲午《こうご》十月に生れ、丁酉《ていゆう》八月に亡す。背上に赤痣有り、小児の掌のごとし」と。夢釈失声驚倒して、袒《はだぬ》ぎて其の背を示して曰く、「児実に大人《たいじん》の遺体なり」と。陟始めて其れ己の子為るを認むるなり。因りて各問うに、其の父母倶に存す。相持して泣き、累日止まず。主家老胡、頻頻と来りて視て、其の言を解聴有るがごとくして、憐れむ色有り。一日、群胡皆出でて、老胡潜に来たり。陟の同席する所に坐す。鮮語を作して問いて曰く、「汝輩哭泣すること、前初に異なり。豈に別事有るや。願わくは之を聞かん」と。陟等変を生ずることを恐れて、直には説かず。老胡曰く、「怖るる無かれ。我も亦朔州の土兵なり。府使の侵虐厭《あ》くこと無きを以て、其の苦に勝えずして、家を挙して胡に入りて、已に十年を経る。性直、且つ苛政無し。人生朝露のごとく、何ぞ必ず苟しくも捶楚《すいそ》の郷に趣かんや。奴酋我をして、八十精兵を領し、本国人を管押し、以て逃逋《とうほ》に備はしむ。今爾輩の言を聞くと、大に是異事なり。我奴酋に責め得ると雖も、安んぞ忍心を得て送らざらんや」と。

明日、餱粮《こうりょう》を備給して、其の子をして、間路を指し送らしむ。

【語釈18】　○牛毛寨　ヌルハチの駐屯地。○姜弘立　一五六〇～一六二七。朝鮮の光海君《クァンヘグン》時代の武臣、字は君信。号は耐村。一六一九年、深川の戦いで五道都元帥として出征したが、後金の捕虜になった。九年間、後金に留まっていたが、丁卯胡乱《ていぼうこらん》(一六二七年)の時、後金の使臣として江華に帰国し、朝鮮に留まる。その後逆臣とされ断食して死んだ。○従事官　朝鮮時代の軍営。捕盗庁に属する従六品の位。朝鮮時代の通信使の臨時官職。○李民寏　一五七三～一六四九。字は而壮、号は紫巌、著書には『建州見聞録』『紫巌集』がある。一六一八年、明の要請によって姜弘立の幕下で出陣したが、後金の捕虜となった。十七箇月にわたって降伏を勧められたが従わず、一六二〇年に釈放され、隠遁生活を経て漢陽に戻った。『崔陟伝』では卑怯な人物として描かれており、民寘の弟である民宬《ミンソン》は「題崔陟伝後」で「或いは云う。話柄を資にするも、未だ必ずしも事実に憑らず」と、『崔陟伝』の事実性について批判した。〇硬渋　文章などがかたくてもたもたする。流暢の対。〇詭説　いつわりの説。〇猜訝　そねみ疑う。〇遺体　父母がのこし置いたからだ。〇朔州　朝鮮の平安北道《ピョンアンプクド》の西部、朔州郡《サクチュグン》。〇土兵　その土地で徴収した兵。〇府使　朝鮮時代には地方で行政実務を行っていた大都護府使（正三品）や都護府使（従三品）といった官職。〇捶楚　罪人をうつむち。〇管押　朝鮮に逃げた明兵を国に戻すことだが、ここでは朝鮮の兵士に逃げられないようにする意として用いられる。〇間路　抜け道。

【原文19】

於是、陟率其子、生還故國於二十年之後。急於省父、兼程南下。適患背疽、不遑調治。行到恩津、腫勢轉劇、委頓旅次。喘喘將死。夢釋奔遑憂悶、鍼藥難求。適有華人逃匿者、自湖右向嶺左。見陟而驚曰、「危哉。若過今日、不可救也。」拔其囊中鍼、決其癰、即日而愈。纔經二日、扶杖而還家、渾舍驚痛、如見死人。父子相抱嗚咽、似夢非眞。

沈氏一自失女之後、喪心如癡。只依夢釋。而釋又戰歿、沈綿床席、不起者累月。及見夢釋與父偕來、且聞玉英之生存、狂呼顚倒、專不省悲與喜也。夢釋感華人之活其父死命、與之偕來、將厚報。陟問、「爾是天朝人、家在何地。姓名云何。」答曰、「我姓陳、名偉慶。家在杭州湧金門内。萬曆二十五年、從軍于劉提督、來陣于順天。一日、以偵探賊勢、忤主將旨、用軍法。夜半潛逃、仍留至此。」陟聞言、大驚曰、「爾家有父母妻子乎。」曰、「家有一妻。來時產得一女、纔數月矣。」陟又問、「女名云何。」曰、「兒生之日、適有隣人、饋以桃實。因名曰紅桃。」陟遽執偉慶手曰、「*怪了。怪了。吾在杭州、與爾家、作隣而住。爾妻辛亥九月病死、獨紅桃、見養於其姨呉鳳林家。我娶以爲兒子婦。不圖今日値爾於此。」偉慶驚痛、嚄唶不怡者良久。既而曰、「唉。吾托大邱地朴姓人家、得一老婆、以鍼術糊口。今聞子言、如在鄕里。吾欲移來于此地。」夢釋曰、「公非但有活父之恩。吾母及弟、托在於令女。既爲一家之人、有何難事。」即令移來。夢釋自聞其母之生存、日夜腐心、將有入天朝、將母之計、而無以自達。徒切號泣而已。

〈校異〉＊専不省悲與喜也…底本「全不省其悲其喜也」。＊將厚報…底本「思有以重報之」。＊家在何地。姓名云何…底本「家在何處」。後に「偉慶」の名が突然出て来るので、諸本で補う。＊我姓陳、名偉慶。家在杭州湧金門内…底本「在於杭州湧金門内」。＊萬暦二十五年…底本「萬歴二十五年」。＊怪了。怪了…底本「怪心。怪心」。

【書き下し19】

是に於いて、陟其の子を率いて、故国に二十年の後に生還す。父を省みるを急ぎ、兼程南下す。適《たまたま》背に疸《たん》を患うも、調治に遑《いとま》あらず。行きて恩津に到るに、腫勢い転劇して、旅次に委頓《いとん》す。喘喘《ぜんぜん》として将に死せんとす。夢釈奔遑憂悶《ほんこうゆうもん》すれども、鍼薬《しんやく》求め難し。適華人の逃匿する者有り、湖右より嶺左に向かう。陟を見て驚きて曰く、「危きかな。若し今日を過ぐれば、救うべからざるなり」と。其の嚢中の鍼を抜き、其の癰《はれもの》を決すれば、即日にして愈ゆ。纔《わず》かに経ること二日、杖を扶《つ》きて家に還るに、渾舎《こんしゃ》驚痛すること、死人を見るがごとし。父子相抱き嗚咽《おえつ》して、夢のごとく真に非ず。

沈氏一たび女を失いての後より、心を喪《うしな》うこと痴のごとし。只夢釈にのみ依る。而るに釈も又戦没すれば、床席に沈綿し、起きざること累月なり。夢釈と父と偕《とも》に来たるを見て、且つ玉英の生存を聞くに及びて、狂呼顛倒して、専ら悲を省みずと与に喜ぶなり。夢釈華人の其の父の死命を活かすに感じて、之と偕に来りて、将に厚く報いんとす。陟問う、「爾是天朝の人、家は何れの地に在るや。姓名何と云うや」と。答えて曰く、「我姓は陳、名は偉慶なり。家は杭州の湧金門の内に在り。万暦二十五年、劉提督に従軍して、順天に来陣す。一日、賊勢を偵探するを以て、主将の旨に忤《さから》いて、軍法を用いらる。夜半潜かに逃げて、仍りて留りて此に至る」と。陟言を聞きて、大いに驚きて曰く、「爾が家に父母妻子有るや」と。曰く、「家に一妻有り。来たる時産みて一女を得て、纔かに数月なり」と。陟又問う、「女の名は何と云うぞ」と。曰く、「児生るる日、適隣人有り、桃実を以て饋《おく》る。因りて名づけて紅桃と曰う」と。陟遽《にわか》に偉慶の手を執りて曰く、「怪了。怪了。吾杭州に在りて、爾の家と、隣を作して住む。爾が妻辛亥《しんがい》の九月に病死して、独り紅桃のみ、其の姨《おば》呉鳳林の家に養わる。我娶りて以て児子の婦と為す。図らずも今日爾と此に値う」と。偉慶驚痛して、嚄唶して怡《よろこ》ばざること良久し。既にして曰く、「唉《ああ》。吾大邱の地の朴姓なる人家に托して、一老婆を得、鍼術《しんじゅつ》を以て糊口《ここう》とす。今子の言を聞きて、郷里に在るがごとし。吾此の地に移り来らんとす」と。夢釈曰く、「公但だ父を活かす恩有るのみに非ず。吾が母及び弟、令女に托して在り。既に一家の人と為れば、何の難き事有らんや」と。即ち移り来らしむ。夢釈其の母の生存を聞くより、日夜腐心して、将に天朝に入りて、母を将《ひき》いんとする計有るも、以て自ら達する無し。徒《ただ》切に号泣するのみ。

【語釈19】　○兼程　一日の間に二日分の道のりをいくこと。○恩津　朝鮮時代、忠清南道論山市《チュンチョンナムドノンサンシ》にあった地名。○旅次　旅の道中泊まる所。○委頓　衰弱する。○湖右　朝鮮の忠清道の西地域。○嶺左　朝鮮の慶尚道《キョンサンド》地域。○嚄唶　大きく叫ぶ。○大邱　慶尚北道《キョンサンプクト》の南に位置する都市。文禄・慶長の役以降、大邱《テグ》監営が設置され、交通が便利に優れていたのでソウル以南の物流が集中した。慶尚北道は薬料の生産量が多く、孝宗年間（一六四九～一六五九）には大邱に薬剤の市が開設され、現在も続いている。陳偉慶を大邱在住とするのは薬料を手に入れやすい地域であるからであろう。○糊口　ほそぼそと暮らしをたてること。○令女　他人の娘に対する敬称。〇腐心　心を苦しめわずらわす。

【原文20】

當是時、玉英在杭州、聞官軍陷沒。以爲陟橫屍戰場無疑也。晝夜哭不絶聲。期於必死、水漿不入口。忽於一夕、夢見丈六佛、撫頂而言曰、「愼無死、後必有喜。」覺而語夢仙曰、「吾於被擄之日、投水欲死、南原萬福寺丈六金佛、夢余而言曰、『無死、後必有喜』。後四年、得見爾父於安南海中。今吾欲死、而又夢如是。爾*父或免於鋒鏑歟。汝父若存、吾死猶生、顧何恨焉。」夢仙哭曰、「近聞、奴酋盡殺天兵。而鮮人皆脱云。父親本自鮮人。獲生必矣。金佛之夢、豈虚應哉。母親須臾無死。以待父親之來也。」玉英幡然曰、「奴酋窟穴、距朝鮮地界、纔四五日。汝父雖生、其勢必走本國。安能冒涉數萬里程、來尋妻孥哉。我當求於本國、苟死矣、親往昌州境上、招得旅魂、葬於先壟之側、*使免長餒於沙漠之外、則吾責塞矣。況越鳥巣南、胡馬倚北。今且死日將迫、尤不堪首丘之戀。獨舅偏母及弱孩、俱失於陷賊之日。其生其死、雖莫聞知、頃因賈人聞之、則鮮人被擄者、連續出送。斯言果信、亦豈無一人之生還乎。汝父汝祖、雖皆暴骨於異域、而先祖丘墓、誰復看護。内外親屬、亦豈盡歿亂離。苟得相見、是亦一幸。汝其雇舡舂粮。此去朝鮮、水路僅二三千里。天地顧佑、倘得便風、不滿旬朔、當到彼岸。吾計決矣。」夢仙泣訴曰、「母親何爲出此言也。若能得達、豈非大善。而萬里滄波、非一葦可航之地。風濤蛟鱷、爲禍不測。海寇邏舡、到處生梗。母子俱葬魚腹、何益於死父乎。子雖愚騃、當此大事、非敢為推托之説也。」紅桃在傍、謂夢仙曰、「無阻。無阻。親計自熟、外患不暇論也。雖在水火盗賊、其可免乎。」玉英又曰、「水路艱難、我多備嘗。昔在日本、以舟爲家、春商閩廣、秋販琉球。出沒於鯨波駭浪之中、占星候潮、涉歷已慣。風濤險易、我自當之、舟楫安危、我自御之。脱有不幸之患、豈無方便之道。」即裁縫鮮倭兩國服色、日令子婦、教習兩國譯音。因戒夢仙曰、「舡行專依於檣楫。必須堅緻。而尤不可無者、指南鐵。卜日開舡、無違我志。」夢仙悶黙而退。私責紅桃曰、「母親出萬死不顧一生之計、冒危而行。死父已矣。置母於何地。而汝且贊成、何不思之甚也。」紅桃答曰、「母親以至誠、出此大計。固不可以言語爭也。今若止之、以其所必不止、慮有難追之悔、不如順適之爲愈也。妾之私情、遑恤言乎。生纔數月、慈父戰沒、暴骨殊方、魂纏野草。擧顔宇宙、何以為人。*近聞道路之言、則戰敗之卒、或有遺脱、而留落於本国者、多矣。人子至情、不能無儌倖。*若以郎君之力、*得抵東土、彷徨於沙虫之場、小洩其終天之怨、則朝以入夕以死、實所甘心。」因嗚咽、泣數行下。

〈校異〉＊水奬醬不入口…底本「水醬不入口」。＊爾父或免於鋒鏑歟…底本「汝父豈或免於鋒鏑歟」。＊使免長餒於沙漠之外…底本「免使長餒於沙漠之外」。＊近聞道路之言…底本「近則道路之言」。＊若以郎君之力…底本「若以郎君之身」。＊得抵東土…底本「得抵同土」。

【書き下し20】

当に是の時、玉英杭州に在りて、官軍の陥没するを聞く。以為《おもへ》らく陟戦場に横屍《おうし》すること疑い無きなりと。昼夜哭して声絶えず。必死を期し、水奬《すいしょう》口に入れず。忽ち一夕に、夢に丈六仏を見《あらわ》れ、頂を撫でて言いて曰く、「慎みて死すること無かれ、後に必ず喜び有らん」と。覚めて夢仙に語りて曰く、「吾擄《とら》われし日に、投水して死せんとするも、南原万福寺の丈六金仏、余に夢みして言いて曰く、『死すること無かれ、後に必ず喜び有らん』と。後四年にして、爾の父を安南の海中に見るを得たり。今吾死せんとするに、又夢みること是のごとし。爾の父或いは鋒鏑を免かる。汝の父若し存すれば、吾死すとも猶生くるがごとし、顧みて何をか恨まんや」と。夢仙哭して曰く、「近く聞くに、奴酉尽く天兵を殺す。而るに鮮人皆脱すと云う。父親本より鮮人なり。生を獲ること必せり。金仏の夢、豈に虚応せんや。母親須臾死すること無かれ。以て父親の来たるを待つなり」と。玉英幡然と曰く、「奴酋の窟穴、朝鮮の地界を距《へだつ》ること、纔かに四、五日なり。汝の父生くると雖も、其の勢必ず本国に走《に》ぐ。安んぞ能く数万里の程を冒渉して、来たりて妻孥を尋ねん。我当に本国に求めて、苟しくも死せしかば、親《みずか》ら昌州の境上に往き、招きて旅魂を得て、先壟の側に葬り、長く沙漠の外に餒《う》うるを免れしめん。則ち吾が責塞なり。況んや越鳥南に巣《す》くい、胡馬北に倚る。今且に死するの日、将に迫らんとするに、尤も首丘の恋に堪えず。独舅偏母及び弱孩、倶に陥賊の日に失う。其の生くるや其の死するや、聞き知ること莫しと雖も、頃《このころ》賈人の之を聞くに因れば、則ち鮮人の擄わるる者、連続して出送す。斯の言果して信なれば、亦豈に一人の生還無からんや。汝の父汝の祖、皆骨を異域に暴《さら》すと雖も、先祖の丘墓、誰か復看護せん。内外の親属、亦豈に尽く乱離に歿せんや。苟しくも相見るを得ば、是亦一幸なり。汝其れ舡を雇い粮を舂《つ》け。此は朝鮮を去ること、水路にして僅か二、三千里。天地の佑けを顧みて、倘し便風を得ば、旬朔に満たずして、当に彼岸に到るべし。吾計を決す」と。夢仙泣き訴えて曰く、「母親何為れぞ此の言を出だすや。若し能く得達せば、豈に大善に非ずや。而れるに万里の滄波、一葦の航すべき地に非ず。風濤蛟鰐、禍を為すこと測らず。海寇の舡を邏《めぐ》り、到る処生梗す。母子倶に魚腹に葬むるは、何をか死父に益さんや。子愚騃《おろか》と雖も、此の大事に当りて、敢えて推托の説を為すに非ざるなり」と。紅桃傍に在りて、夢仙に謂いて曰く、「阻むこと無かれ。阻むこと無かれ。親ら計り自ら熟すれば、外患論ずる暇あらざるなり。水火盗賊在りと雖も、其れ免るべし」と。玉英又曰く、「水路艱難たれども、我多く備嘗す。昔日本に在るとき、舟を以て家と為し、春は閩広に商い、秋は琉球に販《あきな》う。鯨波駭浪の中に出没し、星を占い潮を候《うかが》い、渉歴すること已に慣る。風濤《ふうとう》険易なれども、我自ら之に当れば、舟楫の安危、我自ら之を御せん。不幸の患い有るを脱すれば、豈に方便の道無からんや」と。即ち鮮倭両国の服色を裁縫し、日子《ひび》婦をして、両国の訳音を教習せしむ。因りて夢仙を戒めて曰く、「舡行専ら檣楫《しょうしゅう》に依る。必ず堅緻《けんち》を須《もち》う。而して尤も無かるべからざるものは、指南の鉄なり。日を卜い舡を開けば、我が志に違うこと無かれ」と。夢仙悶黙《もんもく》して退く。私《ひそ》かに紅桃を責めて曰く、「母親万死に出で一生の計を顧みず、危きを冒して行かんとす。死父已《や》んぬかな。母を何れの地に置かんや。而るに汝すら且つ賛成して、何ぞ思わざること甚しきや」と。紅桃答えて曰く、「母親至誠を以て、此の大計を出す。固より言語を以て争うべからざるなり。今若し之を止むも、其を以て必ずしも止まらざる所なり。慮《おもんぱか》るに難追の悔有るとも、順適の愈《まさ》ると為すに如かざるなり。妾の私情、言を恤《うれ》うる遑《いとま》あらんや。生まれて纔か数月にして、慈父戦没し、骨を殊方に暴し、魂は野草を纏う。顔を宇宙に挙ぐるに、何を以てか人と為さん。近く道路の言を聞くに、則ち戦敗の卒、或いは遺脱して、本国に留落有る者、多し。人子の至情、微倖《ぎょうこう》無き能わず。若し郎君の力を以て、東土に抵《いた》り、沙虫の場を彷徨して、其の終天に怨みを小洩するを得ば、則ち朝に入るを以て、夕に死するを以てすとも、実に甘心する所なり」と。因りて嗚咽して、泣《なみだ》数行下る。

【語釈20】　○鋒鏑　ほこさきとやじり。転じて武器、戦争。○幡然　急に心を改めるさま。○冒渉　風や波などを冒しわたる。○妻孥　妻や子供。○昌州　平安北道昌城郡《ピョンアンブクドチャンソングン》。鴨緑江を渡ると中国である。○先壟　先祖の墓。○責塞　十分ではないが、責任をはたすこと。○況越鳥巣南、胡馬倚北　「胡馬は北風に依り、越鳥は南枝に巣くう」（『文選』古詩十九首「行行重行行」）。故郷の忘れ難いたとえ。○首丘　狐が死ぬ時にその首を故郷の丘の方に向けて死ぬ事。故郷を忘れない喩。○旬朔　十日間。○一葦　小舟。○生梗　到る処で乱暴を働く。○推托　理由をこしらえる。○備嘗　つぶさに経験する。○閩広　閩は福建。広は広州。
○鯨波　大波。○駭易　湧きたつ波。○渉歴　わたりあるく。○指南　指南車。古代の方向を指し示す車。
○万死　とても助かる見込みもなく、命を投げ出すこと。○難追　「駟馬難追」。取り返しのつかないこと。
○順適　道にしたがい人の心に逆らわないようにすること。○殊方　異国。外国。○道路の言　道ばたで話されている噂話。○微倖　こぼれ幸い。○沙虫　沙蟲。水中に棲む三尺の虫で人の影を見れば砂を含んで射る。〇終天之怨　『琵琶記』一門旌奨に「卑人極り罔きの思を懐い、徒に終天の恨みを抱く」とあり、親を亡くした恨みが広大無辺であること。〇甘心　心に満足すること。

【原文21】

夢仙知母妻之志、不可撓奪、結束治行、以庚申二月朔發舡。玉英謂夢仙曰、「朝鮮當在東北、必待西南風。汝堅坐執櫓、聽吾指揮。」遂懸羽於旗竿、置指南石於前頭。点檢舟中、無一不具。俄而、豚魚出戲。旗羽指巽、累然、三人齊力擧帆。疾馳横截、毋分昏晝。劈箭入浪、飛雷讓路。一瞬登萊、半餉青齊、蒼茫島嶼、轉眄已失。

一日、遇天朝邏舡。來問曰、「何処舡。向何方。」玉英應聲曰、「杭州人。將往山東賣茶耳。」即過去。又過一日、有倭舡來泊。玉英即変着日本服、而待之。倭人問、「從何來。」玉英作倭語曰、「以漁採入海、為風所飄。盡棄舟楫、雇得杭州舡而來矣。」倭曰、「良苦。此路去日本差。枉向南方而去。」亦別去。是夕、南風甚惡。波濤接天、雲霧四塞、咫尺不辨。檣摧帆裂、不知所届。夢仙與紅桃、惶怖匍伏、困於水疾、玉英獨坐、祝天念佛而已。夜半、風浪少息、轉泊小島。修葺舡具、留數日不發。望洋中、有舡、看看漸近。令夢仙、取船中裝槖、藏于岩竇。俄見船人、叫噪而下。語音衣服、倶非鮮倭、而畧與華人相似。手無兵器、惟以白梃敺打、索其貨物。玉英以華語對曰、「我以天朝人、漁採于海、漂泊於此。本無貨物。」涕泣求生、即不殺。只取玉英所乘舡、繫其舡尾而去。玉英曰、「此必是海浪賊也。吾聞海浪賊、在於華鮮之間、出沒搶掠、不喜殺人。此必是也。我不聽兒言、而強作此行、昊天不助、終致狼狽。既失舟楫、夫何爲哉。蒼天溟海、不可飛越。枯槎難信、竹葉無憑、但有一死。吾死晩矣、可憐吾兒、因我而死。」即與子婦、相扶哀號。聲震岩岸、恨結層波、海若瑟縮、山鬼嚬呻。玉英登臨絶岸、將欲投身、子婦共挽、不得投。顧謂夢仙曰、「爾止吾死、將欲何俟。槖中餘粮、僅支三日。坐待食盡、不死何爲。」夢仙對曰、「粮盡而死、亦未晩也。其間、萬一有可圖之路、則悔無及矣。」遂扶下來、夜伏于岩穴。

〈校異〉＊當在東北、必待西南風…底本「當在東南、必待西北風」。杭州から朝鮮は東北に位置するので改めたが、作者の地理感覚が窺える。＊俄而…底本「低而」。＊旗羽指巽…底本「旗羽搊翼」。＊劈箭入浪…底本「臂箭入浪」。＊枉向南方而去。亦別去…底本「枉向南方向去」。＊雲霧…底本「雲務」。＊檣摧帆裂…底本「檣捏帆裂」。＊匍伏…底本「葡伏」。＊修葺舡具…底本「修葺舡且」。＊取船中裝橐、藏于岩竇…底本「取舡中装藏、橐于岩竇」。＊俄見船人…底本「低而舡人」。＊蒼天溟海…底本「接天溟海」。

【書き下し21】

夢仙母妻の志を知り、撓奪すべからず、結束治行し、庚申《こうしん》二月朔を以て舡を発す。玉英夢仙に謂いて曰く、「朝鮮は当に東南に在り、必ず西北風を待つべし。汝坐を堅くして櫓を執り、吾が指揮を聴け」と。遂に羽を旗竿に懸け、指南石を前頭に置く。舟中を点検するに、一つも不具無し。俄かに、豚魚《いるか》出でて戯むる。旗羽巽《たつみ》を指せば、累然として、三人力を斉《そろ》えて帆を挙ぐ。疾馳横截《しっちおうせつ》して、昏昼《こんちゅう》を分くること毋《な》し。箭《や》劈《さ》き浪に入り、飛雷も路を譲るがごとし。一瞬にして登萊、半餉《はんしょう》にして青斉《せいせい》、蒼茫たる島嶼《とうしょ》、転眄として已《すで》に失す。一日、天朝の邏舡に遇う。来りて問いて曰く、「何処の舡ぞ。何方へ向かうぞ」と。玉英応声して曰く、「杭州の人なり。将に山東へ往きて茶を売らんとするのみ」と。即ち過ぎて去る。又過ぐること一日、倭舡有りて来泊す。玉英即ち日本服に変着して、之を待つ。倭人問う、「何より来たるか」と。玉英倭語を作して曰く、「漁採を以て海に入るに、風の漂する所と為る。尽く舟楫を棄て、杭州の舡を雇い得て来たる」と。倭曰く、「良苦。此の路日本を去りて差《たが》えり。枉《ま》げて南方に向いて去れ」と。亦、別れて去る。是の夕、南風甚だ悪し。波濤天に接ぎ、雲霧四塞し、咫尺弁ぜず。檣摧《くだ》け帆裂け、届く所を知らず。夢仙と紅桃と、惶怖匍伏《こうふほふく》し、水疾に困ずるに、玉英独り坐して、天に祝り念仏するのみ。夜半、風浪少し息《や》み、小島に転泊す。舡具を修葺《しゅうしゅう》せんとして、留まること数日なれども発せず。洋中を望めば、舡有り、看看として漸く近づく。夢仙をして、船中の装橐を取り、岩竇に蔵《かく》さしむ。俄かに船人を見るに、叫噪して下る。語音衣服、倶に鮮倭に非ず、略《ほぼ》華人と相似す。手に兵器無く、惟だ白梃を以て欧打し、其の貨物を索《もと》む。玉英華語を以て対えて曰く、「我、天朝の人を以て、海に漁採し、此に漂泊す。本より貨物無し」と。涕泣して生を求むれば、即ち殺さず。只玉英の乗る所の舡を取り、其の舡尾に繋《つな》ぎて去る。玉英曰く、「此れ必ず是海浪の賊なり。吾聞くに海浪の賊、華鮮の間に在りて、出没搶掠すれども、人を殺すを喜ばずと。此れ必ず是なり。我児の言を聴かずして、強いて此の行を作せば、昊天の助けず、終に狼狽《ろうばい》を致す。既に舟楫を失い、夫れ何をか為さん。蒼天溟海、飛越すべからず。枯槎信じ難く、竹葉憑《よ》る無く、但だ一死有るのみ。吾死すること晩きかな。憐れむべきは吾が児、我に因りて死す。」と。即ち子婦と与に、相扶けて哀号す。声岩岸を震わせ、恨み層波を結び、海瑟縮するがごとく、山鬼嚬呻す。玉英登り絶岸に臨み、将に身を投げんとするも、子婦共に挽けば、投ずるを得ず。顧みて夢仙に謂いて曰く、「爾吾が死を止め、将に何を俟《ま》たんとするか。橐中の余粮、僅かに支うること三日。坐して食の尽くるを待つよりは、死せずして何を為さんや」と。夢仙対えて曰く、「粮尽きて死するも、亦未だ晩からざるなり。其の間、万一に図るべき路有らば、則ち悔ゆるに及ぶこと無し」と。遂に扶けて下り来りて、夜は岩穴に伏す。

【語釈21】　○撓奪　不当な方法で強制的に奪うこと。○結束治行　旅の支度をする。○巽　南東の方角。○横截　横をたちきる。○豚魚出戯　「江豚、時に出でて戯れ、驚波、忽ち蕩濆」（韓愈「楼別竇司直」）。イルカが水面上に出て泳ぐ様子を描写する。○劈箭　「劈」は切り裂く。「箭」はヤダケ。「厳程、風帆に迫り、劈箭、高浪に入る」(韓愈「楼別竇司直」)。○登　登州。山東省にある地名。○萊　萊州。山東省にある地名。○餉　一度の食事をするだけの短い時間。半餉はさらに短い時間。○青　青州。山東省にある地名。○斉　斉州。山東省にある地名。○転眄　振り返って見るわずかな時間。○良苦　とても大変。○水疾　船酔い。○倏葺　屋根・壁などをつくろい直す。○看看　みるみる。次第に進むさま。○叫噪　さけびさわぐ。○狼狽　計画や期待通りにならず、うろたえ騒ぐ。○枯槎　竹や木などで造った筏。○層波　「層浪」。重なり合って押し寄せてくる波。○瑟縮　収縮して伸びない。○嚬呻　顔をしかめてうめく。○登臨　高いところに登って低いところを見渡すこと。

【原文22】

天且曉、玉英謂子婦曰、「我氣困神疲、彷彿之間、丈六佛又見。其言云云、極可異也。」三人相對、念佛而祝曰、「世尊。世尊。其念我哉。其念我哉。」

過二日、忽風帆、自杳茫中出來。夢仙驚告曰、「此舡曾前未覩之舡、甚可憂也。」玉英見而喜曰、「我生矣。此是朝鮮舡也。」乃着朝鮮衣、使夢仙登岸、以衣揮之。舡人停帆而問曰、「汝是何人。住此絶島。」玉英以朝鮮語應曰、「我本京城士族。將下羅州、猝遇風波、舟覆人死、獨吾三人、攀抱風席、漂轉至此。」舡人聞而憐之、下碇載去曰、「此乃統制使之貿販舡也。官程有限、不可迤往。」

至順天、到泊下舡。時、庚申四月也。

【書き下し22】

天且《まさ》に暁にならんとするとき、玉英子婦に謂いて曰く、「我気困神疲し、彷彿の間、丈六仏又見る。其の言云云とし、極めて異なるべきなり」と。三人相対して、念仏して祝りて曰く、「世尊よ。世尊よ。其れ我を念うかな。其れ我を念うかな」と。

過ぐること二日、忽ち風帆、杳茫《ようぼう》の中より出で来たる。夢仙驚き告げて曰く、「此の舡曾て前に未だ覩《み》ざる舡、甚だ憂うべきなり」と。玉英見て喜びて曰く、「我生たり。此れは是朝鮮の舡なり」と。乃ち朝鮮の衣を着て、夢仙をして岸に登り、衣を以て之を揮わしむ。舡人帆を停めて問いて曰く、「汝は是何の人ぞ。此の絶島に住むか」と。玉英朝鮮語を以て応えて曰く、「我本より京城の士族なり。将に羅州に下らんとするに、猝《にわ》かに風波に遇い、舟覆り人死して、独り吾三人のみ、風席を攀《すが》り抱きて、漂転して此に至る」と。舡人聞きて之を憐み、碇《いかり》を下し載せ去りて曰く、「此れ乃ち統制使の貿販舡なり。官程に限り有れば、迤《ななめ》に往くべからず」と。

順天に至り、泊に到りて舡を下る。時、庚申《こうしん》の四月なり。

【語釈22】　○神疲　心が疲れる。○彷彿　はっきりと意識できないさま。○風帆　風をはらんでいる帆。○杳茫　はるかとおいさま。○風席　風帆と同。○統制使　三道（慶尚道、全羅道、忠清道）水軍の統指揮官。一五九三年に李舜臣が初任。『朝鮮王朝実録』宣祖《ソンジョ》四十年（一六〇七）六月二十九日条に、「今は此の刷還中十三名、乃ち統制使の貿穀船の漂海人なり。統制使身ら主将と為り、因りて貿販の為、公文を成し給う。海を越え利を取り、一時に漂流の船、四隻に至ること多し」と、統制使が貿易していたことが窺える。

【原文23】

玉英率子婦、間關跋涉、五六日、方到南原。意謂一家皆爲陷歿、但欲求見夫家舊基、尋萬福寺而去。至金橋望見、城郭宛然、村閭依舊。顧謂夢仙、指點而泣曰、「此是汝父弊廬、今不知誰人入居。第往寄宿、以圖後計。」

到其門、門外見陟方對客、坐於柳樹之下。近前熟視、乃是其夫也。母子一時號哭。陟始知其妻與子、一聲大號曰、「夢釋之母來矣。此天耶人耶。神耶夢耶。」夢釋聞此、跣足顚倒而出、母子逢場、景光可知。相扶入室、沈氏於*沉涸之中、聞其女來、驚仆氣塞、已無人色。玉英抱救得蘇、久而獲安。陟呼偉慶曰、「令亦至矣。」命紅桃、語其事。一家之人、各抱子女、生死重逢、驚號相哭。古今天下、復豈有如此神異絶奇之事也。聲動四隣、觀者如堵、且怪且異。及聞玉英紅桃終始之事、莫不擊節歎嗟、爭相傳說。

玉英謂陟曰、「吾等之得有今日、寔賴丈六佛之陰隲。而今聞金像*、亦皆毀滅、無所憑禱。而神靈之在天、容有不泯者存。吾等豈不知所以報乎。」乃供具、詣廢寺、潔齊修享。陟與玉英、上奉父母、下育子婦、居于府西舊家。

〈校異〉＊沉涸…底本「病淹」。＊金像…底本「金□」。

【書き下し23】

玉英子婦を率いて、間関跋渉《かんかんばっしょう》すれども、五六日、方《まさ》に南原に到る。意に一家の皆陥没為ると謂《おも》えども、但だ夫の家の旧基を見るを求めんとし、万福寺を尋ねて去らんとす。金橋に至りて望み見るに、城郭宛然《えんぜん》として、村閭《そんりょ》旧に依る。顧みて夢仙に謂いて、指点して泣きて曰く、「此れは是汝が父の弊廬《へいろ》、今誰人か入居するを知らず。第だ往きて寄宿し、以て後の計を図らん」と。其の門に到るに、門外に陟方《まさ》に対客して、柳樹の下に坐すを見る。近前熟視するに、乃《すなわ》ち是其の夫なり。母子一時に号哭す。陟始めて其の妻と子とを知り、一声大号して曰く、「夢釈の母来れり。此れ天か人か。神か夢か」と。夢釈此れを聞きて、跣足《せんそく》顚倒して出で、母子の逢場、景光知るべし。相扶けて入室するに、沈氏沉涸の中に、其の女の来たるを聞き、驚仆気塞して、已に人色無し。玉英抱き救えば蘇るを得て、久しくして安を獲る。陟偉慶を呼びて曰く、「令も亦至れり」と。紅桃に命じて、其の事を語らしむ。一家の人、各《おのおの》子女を抱き、生死重ねて逢い、驚号相哭す。古今天下、復豈に此のごとく神異絶奇の事有らんや。声四隣を動かし、観る者堵《と》のごとく、且つ怪しみ且つ異しむ。玉英紅桃の終始の事を聞くに及び、撃節歎嗟《げきせつたんさ》せざるもの莫し、相争い伝説す。

玉英陟に謂いて曰く、「吾等の今日有るを得るは、寔《まこと》に丈六仏の陰隲《いんしつ》に頼るなり。今聞くに金像、亦皆毀滅《きめつ》し、憑禱《ひょうじゅ》する所無し。而れども神霊の天に在るは、泯《ほろ》びざる者存する有るべし。吾等豈に報ずる所以《ゆえん》を知らざらんや」と。乃ち供具《ぐぐ》して、廃寺を詣で、潔斎修享す。陟と玉英と与に、上は父母を奉り、下は子婦を育て、府西の旧家に居す。

【語釈23】　○間関　道を進むに難儀すること。○跋渉　苦しい長旅。○宛然　そっくりそのまま。○弊廬　荒れはてたいおり。○寄宿　宿をかりてとまること。○撃節　たたいて拍子をとること。転じて、共感したり力説したりするさま、感嘆するさまをいう。○陰隲　天が冥々の中にあって密かに民を安定すること。○供具　供え物。○潔斎　心身を清めること。法会、写経、神事などの前に、酒肉、五辛などの飲食をつつしみ、淫欲を断ち、沐浴などして身を清めること。

【原文24】

噫。*父子夫妻、兄弟舅姑、分離四國、悵望三紀、經營賊所、出沒死地、畢竟*團圓、無一零落。此豈人力之所致。皇天后土、必感於至誠、而能致此奇異之事。匹婦有誠、天且不違。誠之不可掩、如是夫。

余流寓南原之周浦。陟時來訪余、道其事如此。請記其顚末、無使湮沒。不獲已、畧擧其概。

天啓元年辛酉閏二月日、素翁題。素翁趙緯韓号。又号玄谷。

〈校異〉＊父子夫妻…底本「父母夫妻」。＊團圓…底本「團會」。

【書き下し24】

噫《ああ》。父子夫妻、兄弟舅姑、四国に分離し、三紀を悵望《ちょうぼう》し、賊所に経営し、死地に出没すれども、畢竟《ひっきょう》に団円して、一の零落《れいらく》無し。此れ豈に人力の致す所ならんや。皇天后土、必ず至誠に感じ、能く此の奇異の事を致す。匹婦に誠有らば、天すら且つ違わず。誠の掩《おお》うべからざる、是のごときかな。

余南原の周浦に流寓《りゅうぐう》す。陟時に来りて余を訪ね、其の事を道《い》うこと此のごとし。請う其の顚末《てんまつ》を記し、湮没《いんぼつ》せしむること無かれと。已むを獲ず、略《ほぼ》其の概《おおむね》を挙ぐ。

天啓元年辛酉《しんゆう》閏《うるう》二月日、素翁題す。素翁は趙緯韓の号。又玄谷と号す。

【語釈24】　○三紀　三十六年。○悵望　歎きのぞむ。悲しくながめやる。○經營　意外なことに出会って慌てること。○團圓　家族のむつましいこと。○誠之不可掩　『中庸』に「夫れ微の顕なる、誠の揜《おお》ふべからざる。此くのごときかな」とある。「揜」と「掩」は同じ。○流寓　所々にさすらいとどまること。流浪して他国に住む事。○湮没　跡形なく消えてなくなること。○天啓元年　明の第十六代熹宗《きそう》の年号。一六二一年。

相思洞記

李 興淑・金木利憲

作品解説

『相思洞記《そうしどうき》』(상사동기《サンサドンギ》)は韓国漢文伝奇小説の中で代表的な愛情、恋愛小説の一つである。『英英伝《えいえいでん》』(영영전《ヨンヨンジョン》)の名でも広く知られている。

作品のあらすじは次の通りである。朝鮮時代の弘治《こうち》年間（一四八八〜一五〇五）、成均館の進士になった金生《キムセン》という若者がいた。容姿端麗で品格もあり、学問にも優れていた。ある日、金生は成均館から家に帰る途中、偶然一人の美人、英英《ヨンヨン》を見て一目ぼれし、その後をつけて彼女が相思洞《サンサドン》のとある家に入るのを見て帰った。金生はその日から彼女を忘れることができなくなり、苦しんでいたが、莫同《マクトン》という下人がこのことを知り、彼女に会う策略を教えた。金生は莫同から教わったとおり、客をもてなすと偽って英英が入った家を借りて、数日その家に通い、家の主人の老婆と懇意になる。そこで金生が事情を話すと、それを聞いた老婆は、英英が自分の姪で、王子の檜山君《フェサングン》に仕える侍女なので会うことはできないと伝えた。そう聞いても金生は老婆に、なんとしても英英に会わせてくれるように懇願した。老婆は英英の両親の祭祀を口実に端午節句に英英を相思洞の家に呼んだ。二人は再会し、金生は英英に夜まで一緒に過ごそうと言い寄るが、英英は断わって帰ってしまう。しかし、英英は帰る際に、主人の檜山君が外出する十五日の夜に密かに来るようにと、金生に檜山君宅に忍び込む方法を教えた。当日の夜、金生は英英の言うとおりに檜山君宅に忍び込み、二人は愛を交わして朝まで語り明かした。

その後、老婆が亡くなると、英英との仲を取り持つ者もいなくなり、金生は文通もかなわぬまま、三年の年月が流れた。歳月が経つと、金生の英英に対する愛しさも少しずつ薄れてきて、再び学問に精進し、科挙試験に首席で合格した。金生は首席合格者が三日間馬に乗って漢陽の街を廻る「遊街」という儀式の折に、偶然英英の仕える檜山君の邸の前を通った。そのとき金生は昔のことを思い出し、わざと酔ったふりをして、馬から落ちて道端に倒れた。これを見た檜山君夫人が金生を邸内に引き入れて休ませ、英英に命じて金生に茶を進めた。こうして二人は再会した。その時、英英は人目に隠れて金生に手紙を渡した。

帰宅して手紙を読んだ金生は英英への思いが改めて募り、ついには病に臥してしまった。見舞いに来た友人の李正字《イジョンザ》は事情を聞くと、檜山君夫人は自分の叔母なので、会えるように叔母に話してやろうと言う。李正字から事情を聞いた夫人は、英英に金生の所に行くように命じ、二人は晴れて結ばれ、生涯を共にした。

この小説を鑑賞するための背景について簡単に触れる。まず冒頭で「弘治中」と実際の年号が記され、さらに檜山君という実在の人物名が語られるが、これが小説の時代設定である。弘治年間は、朝鮮の成宗《ソンジョン》から燕山君の時代であり、その初期には政治、社会とも比較的安定していたが、暴君の代名詞ともされる燕山君統治の中期以降混乱し始めた。特に不条理な租税制度のために、支配階層である両班《ヤンバン》の租税負担は大幅に減少した半面、農民の負担が極度に増大し、軍役の負担も大きくなった。燕山君は妓女の宿所とするために、宮廷からほど近い所にあった檜山君の邸宅を奪い、彼を別の邸に移したという。

檜山君、李恬《イヨム》（一四八一～一五一二）は成宗の五男で、燕山君の異母弟にあたるが、王には忠誠を、百姓には公平を、兄弟間には友愛をという教えを残した高邁な名士であったとされる。しかし、小説の中では檜山君の高邁な人柄が特に語られるわけではなく、檜山君が王子たちと観月会を行い、泥酔して帰宅する様子など、平和でのどかな日常が見られる。実在の年号や実在の人物の記述は、完全な虚構であるはずのこの小説に事実性を付与するための方法であったと考えられる。

作品名の「相思洞」とは街の名前であり、現在のソウル市鍾路区清進洞《チョンノグチョンジンドン》と鍾路一街《チョンノイルガ》の一帯に当たる。ここには当時、司僕寺という宮中に出入りする馬車や馬を管理する役所があった。そこで飼育されていた馬が発情期になると暴れ出すので、この狭い路地に追い込んで捕えた。その馬を相思馬と呼んだので、「相思洞」の名前はそれにちなむものだという。作品の中でも、金生が英英に対して、自分が初めてあなたを見た時のことを覚えているかと尋ねると、英英が「馬は覚えていますが、人は覚えていません」と答える場面がある。そこで金生は「私は馬以下ですか」と言い合うが、この馬問答には「相思洞」という街の名前の由来が軽妙に取り込まれていたことが分かる。小説のテーマは純愛である。

創作年代、作者は未詳であるが、権佺《クオンジョン》（一五八三～一六五一）の『釋老遺稿』に「余病に罹りて久し。病中無聊、甚だしきこと莫し。児輩をして英英伝を読ましむ。」という記事があり、これにより遅くとも十七世紀の初めには成立していたと見られる。

『相思洞記』の特色は、内容が『雲英伝』（作者・創作年代未詳）と類似する点があると指摘されている。朝鮮時代の十七世紀の愛情小説は、愛情は抑制すべきという当時の社会通念を批判している場合が多い。『雲英伝』の場合は、男女二人の主人公の悲劇的な死を通して、愛情の抑制という通念への批判が示される。『相思洞記』はこの問題に対して、科挙の首席合格者の金生と英英とのいわば身分違いの二人の幸福な結婚を語り収めたところに、作者の考えが示されていたと言えよう。特に結婚後の金生が立身出世の道を選ばず、英英一人を妻として、生涯連れ添ったと語られるところに、「純愛」のテーマの理想的な結末が示されたのだと言えよう。

もう一つ指摘しておきたい点は、唐代伝奇の『任氏伝』『鶯鶯伝』を踏まえていると見られることで、これらが朝鮮時代に愛情伝奇小説の古典として受容されていたことが分かる。

『相思洞記』の諸本は現在十九種確認されているが、諸本間の異同は語句の違いが大部分であり、あらすじ、構成、主題に及ぶような違いはない。

【参考文献】

・이상구《イサング》訳注『十七世紀愛情伝奇小説』月印、二〇一五年修正版
・金落孝「〈英英伝〉の構造と意味」『韓国学論集』十六輯、一九八九年
・李興淑「『英英伝』における主人公の滑稽と色好みについて」『古代学研究所紀要』二十六号、明治大学日本古代学研究所、二〇一八年六月

（李 興淑・日向一雅）

現代語訳

【1】朝鮮時代の弘治《こうち》年間のこと、成均館《ソンギュングァン》で学び、進士に合格した金生《キムセン》という者がいた。その名前は忘れた。顔はすがすがしく美しく、風采は人なみはずれて立派であった。文章にすぐれ、よく談笑し、まさしく世にぬきんでた好男子であった。郷里では風流な若者と噂されていた。二十歳で進士第一科に合格し、名声が都中にひろまると、公卿や権勢家が愛娘を嫁がせたいと願い、金生の貧しいことは問題にしなかった。

　ある日のこと、成均館から家に帰る道で、馬上から遠くを見ると、酒屋の青い旗が緑の柳や赤い杏の木々のあいだに見え隠れしていた。金生はたまらなく人恋しい思いに駆られて酒が飲みたくなり、着ていた白い麻の衣を質にして、真っ赤な酒を買い、花模様の盃に酌んで飲み、料理屋の二階で酔って寝てしまった。花の香りが衣をつつみ、竹の露が顔にかかったような気がして目が覚めた。

　早くも夕陽は嶺に沈もうとし、飛ぶ鳥は林のすみかをめざし、下男がしきりに帰りをせきたてていた。金生は起きて馬に乗り、鞭をあてて道を登ってゆくと、白い砂原が遠くまで広がり、川原には細い柳の枝がなよなよとゆれていた。道行く人は少なく、金生は風流な気分になって、小声で詩をくちずさんで、絶句を一首作った。

東陌看花柳　　東の畑の小道に花柳が見える
紫騮驕不行　　赤栗毛の駒は私の思い通りには歩まない
何處玉人在　　玉のような美人はどこにいるのだろう
桃夭無限情　　若々しい娘を思う心は果てもない

詩を詠みおわって、酔った眼をなかば開くと、前方に一人の美人が見えた。年のころは十六歳、歩く姿は軽やかで道に塵も立たず、腰のあたりはほっそりとしなやかで、姿はえもいわれぬ麗《うるわ》しさであった。行くかと思うと立ち止まり、東に進むかと思うと西に行き、道の小石を拾うと鶯に投げつけたりする。また柳の枝にもたれて夕陽に向かってたたずみ、玉のかんざしを抜いて軽く鬢をかき、緑の袂は春風にひるがえり、赤い裳は川原に照りはえた。

金生はこの様子を見ると、魂が体を抜け出て心がはやり、気持ちを抑えることができなくなった。馬に鞭をあてて女のもとに駆けつけ、じっと見つめると、口もとといい顔立ちといい、国中に二人といない美人である。金生は馬に乗ったまま女のまわりをぐるぐる回り、先に立ったり、後になったりして、女から目を離さずに見つめていると、とても立ち去ることができない。女は金生が抑えがたい気持ちでいることを知り、恥ずかしがって目を伏せたまま、顔をあげて見ようとはしなかった。女の行き先は遠かったが、金生は女の後を離れずについて行き、とうとう女の家に着いた。そこは相思洞《サンサドン》の街の道端の間口が数間の小さな家であった。

金生はぐずぐずしてそこを立ち去る気になれず、もの悲しさに堪えられない思いであった。しかし、日はすでに暮れてどうすることもできないので、恨めしい思いを抱いたまま帰った。気持ちは疲れてぼんやりし、正気をなくして、酔っているような、ばかになったような様子であった。夜中に枕をなで、床についても寝られず、食事時になっても食事を忘れ、食べてもむせて喉をとおらないといった状態で、体は憔悴《しょうすい》して枯れ木のように痩せ、顔色は心痛のあまり青白く生気をなくした。心は晴れず思い悩みながら、誰にも打ち明けることなく黙っていたので、家族も両親もそのわけが分からなかった。

【2】十日ばかり経ったころ、召使の莫同《マクトン》という者が折を見て進み出て、涙を流しながらたずねた。

「旦那様はふだんお話をしても、お笑いになっても、ご自分の思いのままのお振舞いで、学問にもすぐれて快活でいらっしゃいます。それがこのごろはどうして悲しく憂い顔をされているのでしょう。どうしてこんなにやつれてお苦しみなのでしょう。きっと心配ごとがおありになるに違いありません。」

金生は悲しげな様子で、莫同の言葉に打たれてありのままに話した。

莫同はしばらく考えてから言った。

「私にちょっとした計略があります。旦那様はご心配にはおよびません。」

金生、「どのようなことか。」

莫同、「旦那様は急いで美酒とおいしい料理を思いっきりたくさん用意してください。そしてその美人の家に行き、送別の宴をするふうになさってください。一間を借りて宴会の席を設け、下僕を呼んでお客様を招待してください。下僕は命を受けて出かけて行き、しばらくして帰ってきて、お客様はすぐに来ますと言います。そこで旦那様はふたたび下僕に命じて、お客様を招待してください。すると下僕はまた出かけて、日暮れに帰って来て、次のように言います。今日は送別をしてくれる人が多くて、すっかり酩酊してしまい、せっかくだが行けないので、明日には必ず行きますと。そこで旦那様は家の主人を呼んで座らせて、いっしょにその酒や料理を飲食し、相手の顔色は見ずにお帰り下さい。翌日も同じようにしてください。その次の日もまた行って同じようにすれば、主人は一度目は恵みを受けたと思い、二度目には恩に感じ、三度目にはかならず疑います。恵みを受けたと思えば報いようと思います。恩を返そうと思えば死も覚悟します。疑えばかならずそのわけを知ろうとします。そこで本心を打ち明ければ、きっとうまく行きます。」

金生はまことにもっともだと思い、喜んで笑って、「私の願いはかなったも同じだ」と言った。

金生は計略どおりに酒と料理を用意し、その家に行って送別の宴をもうけ、下僕に命じて客人を迎えに行かせた。もっぱら莫同の言ったとおりにしたのである。下僕が帰ってくると、同じように再三命じたのも莫同の計略通りであった。客人が来ないと、金生はわざと客人の悪口を言うふりをして言った。

「おやおや、客人はこのよい時節を無駄にするというのか。それにしてもせっかく新酒を用意してきたので、むざむざ帰るわけにはいかない。ここで主人と一献交わすのも悪くはあるまい。」

そう言って、主人を呼び出した。現れたのは七十歳の老婆であった。

金生は老婆をいたわって、「婆さんよ、ここにゆっくりお座りなされ。たまたま送別の宴をしようと思ってこちらに来たのだが、婆さんが快く受け入れてくれて、ありがたく感謝しているところだ。」と言って、莫同を呼んで、老婆に酒を勧め、いっしょに酒を酌み交わした。まるで旧知の仲であるかのようであったが、金生は自分の気持ちは一言も話さずに帰った。

金生は前に見た若い美しい女のことを考えてみるが、はたしてこの老婆の家の娘なのかどうか分からなかった。心は鬱々として楽しまず、生きて行けそうにない気持ちであった。そこで金生は老婆を深く感激させて、疑いを抱くように仕向け、その後で自分の気持ちを打ち明けようと考えた。翌日も怠らず訪ねて、再三同じようにすると、老婆ははたして不審に思い、うやうやしく席を下がって言った。

「年寄りの身ですが、ひそかにお伺いしたいことがございます。このあたりの道端の家々は魚のうろこや櫛の歯のように密集していて、送別の宴はどこでもできないところはありません。旦那様がお一人でこの狭くるしい家をお訪ねになるのはどうしてでしょう。旦那様は都のたいそうなご一族で、立派な方々の宗匠の家柄です。年寄りの私は辺鄙な街中のやもめの身で、草ぶきのそまつな家に暮らす賤しい者です。もとより貴賤の身分が違いますし、今知り合いになったからといって、昔からの知り合いのように親しくできるわけではありません。それなのに、こうしてこの上ないご厚恩を蒙りましては、老いの身として何ゆえにこのようにしていただけるのか、まったくそのわけが分かりません。」

金生は笑って言った。「私が送別の宴をしようとするのは別に他意はない。婆さんと気持ちを一つにしようとするのは客と主人との間の礼として当然のことだ。」

酒宴がたけなわになったころ、金生は紫緋《しひ》の鴛鴦《えんおう》の柄の服を脱いで老婆に与えて言った。「いつも婆さんの家に面倒をかけながら、何も報いることをしていないので、この服を私のしるしとして、後々まで忘れることのない大事な物として受け取ってくれ。どうか返さないでほしい。」

老婆は深く感激するものの、一方で疑いを深めて、立ちあがると繰り返しお辞儀をして言った。

「旦那様からこのような立派なものをいただきますと、年寄りはおやさしさに感じ入りますが、何かわけがおありなのでしょうか。このような年寄りの身で長年のやもめ暮らしで、およそ隣近所にも気にかけて大切にしてくれる者とていませんのに、まして旦那様がどうしてなのでしょうか。この年寄りにお望みのことがおありでしたら、死んでもお断りはいたしません。」

金生が笑って答えずにいると、老婆は無理にも言わせようとするので、にっこり笑って言った。「この街の名前は何というか。」

老婆、「相思洞です。」

金生、「私は相思洞という街の名前のために悩んでいるのだ。」

【3】老婆は微笑んで言った。

「旦那様は達者なお話しぶりですが、この年寄りに娘への口利きをお望みなのでしょうか。とはいえ、この街にはしとやかな美人はいませんし、まして魏郎の旦那のような風流な遊びなどは無理でございますよ。」

金生は恋いこがれている美人がここにはいないと分かると、悲しそうに顔色を変えて言った。

「私はすでに婆さんの厚意を受けているので、真実を話さないではいられなくなった。それというのは、その月のその日、ある所から帰るとき、路上で偶然若い娘を見たのだ。年のころは十五、六、翠の薄絹の上着に、紅の裳を着て、白綾の足袋に、紫の鞋《くつ》をはき、真珠のかんざしを編んだ髪にさして、雪のように白い玉の指輪を細い指にさして、弘化門《ホンファモン》の前の路をゆっくりと去って行った。私は若い男の常で、高まる恋心を抑えられず、後を付けてここに来た。すなわち婆さんの家だ。その時から無我夢中になり、酔っているようで、万事茫然としたありさまなのだが、それもこれもその娘を思うがゆえだ。娘のきれいな目と、白い美しい歯は、寝ても覚めても忘れられず、心は千々に乱れ、腸が断ち切られる思いで毎日を過ごしている。婆さんよ、私の顔色の痩せ衰えた様子を見れば、どうするかね。婆さんの家に面倒をかけて送別の宴を設けたのも、こういうわけだったのだ。他にどうしようもなかったのだ。」

老婆はこれを聞くと、深くあわれに思ったが、まだ金生の思っている娘が誰なのか分からなかった。老婆はしばらく考え込んでいたが、すっかり分かったふうで言った。

「そういう娘はいます。私の亡き兄の娘で、名は英英《ヨンヨン》、字を蘭香《ナニャン》という者です。その娘がお探しの者であれば、お逢いするのは本当にむずかしいことです。本当にむずかしいことです。」

金生、「なぜか。」

老婆、「英英は王子の檜山君《フェサングン》様のお屋敷に奉公している侍女です。宮中で生まれて、宮中で成長し、長い間、門前の道を歩くこともないくらいで、宮中の外に出ることもなく過ごしてきました。容姿は美しく、旦那様の見たとおりです。旦那様のおっしゃるほどではありませんが、優雅で従順な性格で、士族の家の娘と変わるところはありません。それだけでなく音楽や文学にもよく通じています。ですから、檜山君様はたいそうご寵愛になり、愛妾にしようとしましたが、夫人が世間によくあるように焼きもちを焼くという以上に、並外れて嫉妬深い方ですので、まだそうすることができないでいます。先日、英英がここに気兼ねなく来ましたのは、その日が寒食節《かんしょくせつ》に当たっていましたので、亡き父母の霊をここで祀《まつ》るためだったからです。夫人に休暇をいただいて来たのです。たまたま檜山君様もお出かけになりましたので、来ることができたのでした。そうでなければ、旦那様がどうして見ることができたでしょう。本当に旦那様に一度でも逢えるようにしてやろうとしても、こんなにむずかしいことはありません。本当にむずかしいのです。」

　金生は天を仰いでため息をついて言った。「もう自分は死にそうだ。」

　老婆も思い悩んで黙っていたが、ややあって言った。

「たった一つ手があります。端午の節句はひと月先ですが、その時に私が亡き兄のためにささやかな祀りをします。このことを夫人に申し上げて、英英に半日の休暇をいただきましょう。これが万に一つの機会ですが、見込みはあります。旦那様はお帰りになり、その日をお待ちになるのがよいでしょう。」

　金生は喜んで言った。「まったく婆さんの言うとおりなら、世間の五月五日は天上の七月七日だ。」

　金生は老婆と別れ、たがいにうまく行くように言い交わして、家に帰った。それからは金生は待ち焦がれる思いで日の傾くのを見、あくせくと夜の来るのを待ち望み、一日が過ぎるのが三年の長さのように思われて、逢える時を待ちきれずに、ひっきりなしに手紙を書いては、鬱々と沈んだ気持ちを訴えた。そこで「憶秦娥」という曲に詞を付けた。

春寂寂
一庭梨花風雨
花風雨
相思不見
音耗兩隔却悔
當年遇傾國
我心安得如石
空相憶
對花腸斷
臨風淚滴

春はひっそりとさびしく
庭の梨の花は風雨にうたれ
花は風雨にうたれ
君を思えども会えず
便りは通わずかえって悔やむ
当代傾国の美人に遇い
わが心の落ち着かざるを
むなしく君を憶う
花を見ては腸を断たれ
風に吹かれては涙のこぼるるを

【4】金生は、五月五日の端午の節句の日になると、老婆の家に行った。老婆は迎えに出た。金生は日ごろの挨拶をすますと、すぐにひと言、「事情はどうだろうか。」と尋ねた。

老婆は、「昨日夫人のもとに参りまして、英英の休暇を丁重にお願い申しましたところ、夫人がおっしゃいました。『夫の檜山君様はふだん英英の外出をたいへん厳しく禁じていますので、私がお前の願いを聞くことはできません。しかし、もし明日公卿や宰相の方々のお迎えがあって、夫がお出かけになるなら、端午の節句のために英英が暫時《ざんじ》の休暇を取ることはかまいません。』夫人はこのように親切にお許しくださいました。ただまだ檜山君様がお出かけになるかどうかはわかりません。」と言った。

金生は一方では信じ、一方では疑い、また喜んだり恐れたり、気持ちは定まるところがなかった。悄然《しょうぜん》として机にもたれて、戸を開けて英英を待っていたが、正午を過ぎようとするころになっても、影も形もあらわれない。胸はもだえ、断腸の思いで座り込んでいる姿は、まるで痴《し》れ者《もの》のようであり、霜の降りた後の蠅《はえ》のように力のない様子であった。金生は立ち上がると、扇を振って柱を打ち、老婆を呼んで言った。

「じっと外を見つめていると、悲しくて腸が断ち切れそうだ。道を行き来する人々は近くに来るが、通り過ぎて行き、私の願いは叶わないのだろうか。」

老婆は慰めて言った。「至誠は天に通じます。安らかな気持ちでもう少しお待ちください。」

しばらくすると、窓の外に鞋《くつ》の音が聞こえ遠くから近づいてくる。金生が驚いて振り返ると、あの英英である。

金生は手を打って、「まさしく天のなせるところだ。」

老婆も英英の来たのを喜んで、まるで赤子が慈母を見るかのようであった。

【5】英英が門前に来てみると、緑の柳につながれた赤栗毛の馬が長々といななき、庭のすがすがしい木陰には従者が並んでいるので、不審に思ってすぐに入るのを躊躇《ちゅうちょ》していると、老婆が取り繕《つくろ》って英英に言った。

「すぐに入って来なさい。何も疑うことはない。お前はこの旦那様を知らないのかえ。旦那様は私の亡くなった夫の親族なんだよ。たまたまこちらに来られて、送別の宴をしようとしていたところで、お前が来るのがこんなに遅かったのはどうしてなの。私は来ないのかと心配して、もうお前の両親の祀りはすませたのだよ。家の中に入って、すぐに盃やお盆を持ってきて、旦那様に一杯酌をしておくれ。」

英英が言われたとおりに盆を持ってくると、老婆と金生は盃を挙げてたがいに勧めあった。酒がほどよくまわったころ、金生は英英に言った。

「どうぞお座りください。私はやっとあなたにめぐり逢えた。」

英英は恥ずかしそうに顔を伏せてまともに見ようとしなかった。老婆が言う。

「お前は奥深い宮中で生まれて大きくなり、世間の事情を知らずにきました。たいそう教養はありますが、お酒を酌み交わす礼儀は知らないのでしょうか。」

英英は盃を受けたが、おもしろくなさそうであった。しぶしぶ香りのよい盃を取り、ちょっと唇につけただけであった。しばらくすると老婆は酔って疲れたふりをして、欠伸《あくび》をして眠そうな様子で、英英を見て言った。

「私は酒に疲れてしまい、気分もすぐれないので、すこし休みたい。お前はしばらくお相手をしなさい。」

そう言うと、立って奥に入り、寝台に横になると、雷のようないびきをかいて寝てしまった。

【6】そこで金生が英英に言った。

「以前、私が成均館の孔子廟《こうしびょう》から帰るとき、弘化門の前の路であなたに会ったのは、三月の朔日《ついたち》だったが、その時のことは覚えているだろうか。」

英英、「馬は覚えていますが、人は覚えていません。」

金生、「私は馬以下ですか。」

英英、「馬は見ましたが、人は見なかったのです。」

金生、「あなたはどうして私を覚えていないのだろうか。私の顔色がすっかりやつれて、体はやせ細り、前に会った者のようでないのは、理由もないのにそのようになったのだろうか。あなたは私ではないので、それがどうしてなのか、私の気持ちが分からないのだろうか。」

英英は笑いながら言った。「あなたこそ私ではありませんのに、どうして私の気持ちがお分かりになるでしょうか。」

金生は席を移って、英英のそばに馴れ馴れしく近づくと、本心を打ち明けた。

「ああ、蘭香、あなたは情けのない人なのだろうか。私はあなたに逢って話をすることもなかったあの時以来、あなたを思いながら逢うこともなく、今日までどれほどの月日が経ったことだろうか。ああ、蘭香、あなたはどうして悲しくないのだろうか。私はあなたを待ちこがれ、あなたが来てくれたので元気になった。」

英英は微笑んだままで答えなかった。金生は英英をここにとどめて、夜も一緒に枕をともにしようとしたが、英英はそれはできないと言った。

「主人の檜山君様は朝お出かけになり、夕方にはお帰りになります。お帰りになると、すぐに私を呼び、お召替えになりますが、私はこのようなか弱い身で万死に値するようなことはできません。ですから、ここには昼は来ても、夜来ることはありません。」

【7】金生は英英をいつまでもここに引きとめておけないことが分かると、ひそかに誘おうと思って言った。

「もしあなたの言うとおりであるならば、私の気持ちはどうすればよいのか。もう日は暮れて別れる時だが、この後再会するのは容易ではない。私をかわいそうだと思うなら、つかの間の歓びを惜しむなかれだ。」

遂には英英と戯れようとしたので、英英は襟を正して顔色を変えて言った。

「私は木石のような人でしょうか。あなた様のお気持ちが分からないとお思いでしょうか。ただ檜山君様が私をつまらない者だとはお思いにならず、日夜お側でお使いになり、信用してお任せくださいますので、門の外にも出ないのです。今日ここに来ましたのも厳命を破ったのです。もし自分の思うままに不法を犯すようなことをしましたら、私の醜聞《しゅうぶん》は広まり、死んでも晴らせない罪を受けることでしょう。たとえあなた様に従おうと思っても、できるでしょうか。」

金生は腿《もも》をたたき、ため息をついて言った。

「私は生きていけようか。死んだも同然だ。」そう言うと、英英の手をとり、やわらかな乳房をなで、きれいな脚を引き寄せ、思いのままに愛撫したが、情交の喜びはかなわなかった。

【8】金生は英英をその気にさせようと、心を込めてあらゆる方法で誘惑しようとして説得を試みた。

「烏が急いで飛び、兎が早く走るように、年月は流れるように過ぎて行く。紅の花が枯れ、よい香りがなくなると、蝶蝶も見向きしなくなる。それは人においても、どんな違いがあろうか。紅顔《こうがん》が頭をまわすほどのわずかの間に衰えやつれ、髪の毛が指をはじくほどの一瞬の間に白髪になる、これが人生というものではなかろうか。朝に雲となり、夕べに雨となったという、巫山《ふざん》で楚の襄王《じょうおう》が契った陽台の神女は、もともと定まった情というものがなかった。青い大空の月の中に住む姮娥《こうが》は、夫が西王母からもらった不死の薬を盗んで飲み、急に身が軽くなって、月に飛び去ったというが、今は後悔しているにちがいない。そのように心は変わりやすい。鳥の一生ははかないが、「比翼の鳥」となり、木は性質が頑固なものだが、「連理の枝」となるという。ましてや情欲の向かうところに人と物との違いがあるだろうか。春風に遊ぶ胡蝶になった夢を見ても、夢から覚めれば、一人寝の悩ましさは一段と身に沁《し》み、月夜に鳴く時鳥の声を聞いても、一人で目を覚ますのは寂しい。杜牧は春のかぐわしさを尋ねるのに、時を遅らせることはなかった。魏の寓言にも言う。『姮娥を求めるあまりに年を取ってしまい、青春を無駄にするのは、空しく黄泉の国に行く恨みを遺すことだ。

魏の武帝の西陵は緑の樹木にひっそりと覆われていたが、その後荒涼とした丘陵になって千年の時を刻み、漢の長信宮《ちょうしんきゅう》の門扉は寂しく閉ざされて、どれほどの夜、秋雨に打たれてきたことか』と。私は自分があなたを思う気持ちが惜しくてならず、あなたの無情が恨めしくてならない。生きていて何になろう。もう死ぬしかない。」

【9】それでも英英は従おうとはしなかった。

「もしあなた様が私にお心をお寄せくださるのでしたら、後日お会いしましょう。」

金生はそれはできないと言った。

「一度別れたら、お屋敷の門は幾重にも閉ざされていて、便りをしようにも届けるすべがないので、あなたの眼を喜ばせるような便りをすることを望めようか。」

英英、「それは私のことがお分かりにならないからですわ。今月の十五夜の晩、檜山君様と王子様方が観月の会をなさる約束をしています。檜山君様は必ず夜になってからお帰りになります。またお屋敷の垣根がたまたま風雨のために壊れてしまいましたが、檜山君様はあまり家のことを気にしませんので、まだ修理していません。あなた様はこの日にいらしてください。真っ暗になったころお出でになり、壊れた垣根から奥に進むと、すぐに低い垣根の門があります。門は私が開けておきます。その門から入って垣根に沿って下り、東の階段から十歩ほど行くと、別棟の間口数間の建物があります。あなた様はそこに隠れて、私が迎えに行くのを待っていてください。再会は難しいことがありましょうか。よい日ではありませんか。」

金生はまったくその通りだと思って、固く約束をかわして帰った。一気に道を登って南北に別れるところで、馬を止めて振り返ってみたが、すっかり気落ちして消え入るような気分であった。この時から金生は英英のことが心にかかり一瞬たりとも忘れられなくなった。

【10】そこで四韻の詩一首を作って、悲しい思いを詠んだ。

宮門深處鎖嬋娟　宮門は深窓に美女を閉じ込め
一別音容兩杳然　一たび別れると声も姿もかすかになってゆく
此日難忘情態度　この日の情けも様子も忘れがたく
前身應結好因縁　前世はよき夫婦だったに違いない
心勞往事愁如雨　往時を思い悩めば愁いは雨のごとく
若待佳期日似年　再会の日を待てば一日は一年に似る
正欲尋芳三五夜　美しいあなたを十五夜に訪ねようと思い
登樓看月幾時圓　楼に登って月を看《み》れば円くなるのはいつなのか

約束の日になり、金生が行くと、なるほど壊れた垣根があり、歯が欠けたようで、門になっていた。そこから入り、手探りしながら密かに奥まで行くと、小門があった。試しに推してみると、錠はかかっていなかった。小門を入って東に下ると、確かに別棟があった。金生は心中ひそかに喜んでつぶやいた。「蘭香の言ったとおりだ。」

その建物の中に入り、英英の迎えを待った。

この時、白く輝く月が高く昇ろうとしており、涼風が吹き、階段のあたりにはさまざまな芳香がどこからともなく漂い、庭先の緑の竹が清らかに涼しげな音をたてていた。急に扉の開く音が聞こえ、内から人が出てきた。金生は半信半疑で、息をひそめ耳を澄ましていると、足音がだんだん近づいて来て、衣にたきしめた香のかおりが襲う。目を開けて見れば、蘭香その人である。金生は物陰から出て行くと、背を撫でて言う。

「恋人の金某はここにいるぞ。」

英英が言う。「あなたは本当に信じられる方でした。」

そして金生の手を引き寄せるとまじかに座り、安否を問うた。金生は答えて言った。

「逢いたい思いに堪えかねて死にそうだった。もう虫の息だ。」

英英、「どうしてそんなになってしまったのかしら。」

金生、「近くにいるのに、はるか遠くに隔てられているからだ。」

二人は話し込んで、夜が更けるのにも気づかなかった。金生は月を仰ぎ見て、驚いて言った。

「ここに来た時、月は東にあったのに、今はもう中天にかかって、夜も半ばを過ぎようとしている。今この時に枕を共にしなかったら、私はいったい何を待っていたのか。」

そして英英の上衣の襟をとって解こうとしたが、英英が押しとどめて言った。

「あなたはどうして私を桑畑で密会する遊女のようにしようとするのですか。別に寝室がありますから、そこで落ち着いて、たのしい夜を過ごすのがよいでしょう。」

【11】金生は頭をふって無理だと言った。

「私は既に法を冒し、死罪にあたるほどの危険をかえりみず、やっとの思いでここに来た。一度だけでもこのようであるのに、どうしてまた別室に行けようか。およそ事に当たっては、万全を期すのが一番で、唐突に行動して、ことが漏れるのが心配でならない。」

英英は言う。「ことが漏れるも漏れないも、ただ私の責任です。あなたが心配するには及びません。」

そして金生の手を取って抱きかかえるようにして奥に入って行った。金生はしかたなく英英に付いて行ったが、抜き足差し足でびくびくして、門に入るのは深い淵をのぞき込むような思いであり、地を踏むのは薄氷を踏む思いであった。ひと足歩むごとに、必ずつまずいて倒れそうになり、汗が出て踵にまで流れても気がつかないほどであった。どことも知れない曲がりくねった石畳や回廊を経巡《へめぐ》って、何度も門をくぐって、そして奥まった建物にたどり着いた。召使いたちは熟睡しており、庭はひっそりとして、ただ薄絹を垂らした窓に明かりが明滅するのを見て、夫人の寝室であると分かった。英英は金生をここの一部屋に連れ込んで言った。

「しばらくおくつろぎになって下さい。」

こう言うとすぐさま内に入り、長いこと出てこなかった。金生は手持ちぶさたで、座ったり横になったり、内心どうしたことだろうと強く訝《いぶか》しんでいた。やがて誰か中門に走って行った者が伝えて、「ご主人様がお帰りになりました。」と言った。

庭中にかがり火が焚《た》かれ、きらきらと明るく輝き、召使いや下女下僕たちがあちこちを走り回り、檜山君を抱きかかえて入ってきた。檜山君は酔って庭に横たわり、いっこうに目を覚ます様子がなく、しばらくすると高鼾《たかいびき》をかいて熟睡したようだった。英英が夫人の仰せを承って言った。

「長いこと冷たい庭で寝ていらっしゃいますと、お風邪を召さないかと心配です。」

英英は檜山君を引き起こすと、身体を支えて建物の中に入った。人々の声もようやく止み、かがり火の光もまた消えた。英英は右手に灯火を持ち、左手に銀の瓶子を携えて、部屋の戸を開けたが、金生は恐れおののいて壁にへばりつくように足を重ねて立ち、もはや死んでしまいそうな気持ちであった。英英が笑って言った。

「あなたにはこんなに驚き恐れる気持ちがおありなのですか。わたくしは慰めて差し上げようと思って、お燗をお持ちしましたよ。」

そして金生に荷葉の盞《さかずき》で酌をして勧めたが、金生は断って言った。

「もうその気持ちだけで十分だ。酒は結構だ。」

そう言って酒を下げさせた。

【12】部屋の中を見まわしてみると、他に物はなくただ朱塗りの文机《ふづくえ》があって、杜甫の詩集一冊が置いてあり、白玉を文鎮代わりにしてこれを押さえ、また青緑色の美しい玉の卓上には短琴がひとつ横たえてあった。そこで金生は二句を口ずさんだ。

琴書蕭洒浄無塵　　部屋には琴と書があるだけ瀟洒《しょうしゃ》で浄《きよ》らかで塵ひとつなく

正稱空房玉一人　　まさしく誰もいない部屋は美しいあなた一人のためと言えよう

英英がこれに続けた。

今夕不知何夕也　　今夜はどのような夜なのかご存じないのでしょうか

錦衾瑤席對佳賓　　錦の衾《ふすま》と美しい宴席をしつらえてよき賓客を迎えるのです

そして互いに抱き合って床に入り、やっとのことで思う存分愛をかわすことができたのであった。夜もたけなわというところで、一番鶏が夜明けを告げ、遠くの時刻を知らせる鐘の音が鳴りやんだ。金生は起きて衣をとり、すすり泣いて言った。

「よき夜はなんと短いことか。こんなにも深く愛し合っているのに、別れの時が来ているのをどうしようか。いったん門を出てしまえば、再会するのは難しい。この思いをどうしようか。」

英英はこれを聞いて、悲しみのあまり声も出ず泣きながら、美しい手で涙をはらって言った。

「紅顔薄命《こうがんはくめい》、佳人は不幸せだと昔から申しますが、それは私だけではありません。生きていながらこのように別れたならば、死んでもこのように怨むことでしょう。生きるのも死ぬのも、花が枯れ葉が落ちるのが季節が寒くなるのを待ってからではないのと同じで、決まった時があるわけではありません。あなたは男子の鉄石の心をお持ちですから、どうして細かいことにこだわって、私ごとき児女の心中を思うあまりに、その性情を損なってよいでしょうか。伏してお願いします。あなた様には、ここでお別れした後は、お心の中に私の面影を忘れず、思慮分別をあやまつことをなさいませんように。どうか尊いお体を大切になさって、学問をやめず、最高の成績で科挙に及第し、出世の階段を上り、本懐を遂げてくだされば、まことに嬉しいことです。まことに嬉しいことです。」

【13】英英は筆をとって、龍尾の硯の蓋を開き、鸞鳳《らんほう》の詩箋を広げて、七言律詩を書き記し、それを吟じてはなむけとした。

幾日相思此日逢　　これまでいく日互いのことを思い合って、この日に逢うことができたのでしょう

綺窓綉幕接丰容　薄絹の窓、華やかな刺繍の幕の部屋で、美しいお姿にお会いできました
燈前不盡論心事　灯火の前で思いの丈を言い尽くさないうちに
枕上旋驚動曉鍾　枕もとでは暁の鐘に驚かされるばかり
天漢不禁烏鵲散　天の川に橋を掛けた鵲《かささぎ》が飛び去るのを禁じることはできず
巫山那復雲雨濃　巫山にはどうしてまた雲雨が濃くかかるのでしょう
遙知一別無消息　前から分かっていました、一度別れたなら消息は二度とないことを
回首宮門鎖幾重　振り返ってみれば、お邸の門は幾重にも固く閉ざされているのですから

金生はこれを読むと悲しみをこらえられず、思わず涙が流れ、即座に筆を執って詠んだ。

燈盡紗窓落月斜　灯火も燃え尽き　薄絹の窓の向こうには、沈む月が斜めに傾き
乖離牛女隔天河　牽牛《けんぎゅう》と織女《しょくじょ》は天の川を隔てて離ればなれになってゆく
良宵一刻千金直　良き夜の一刻は千金に値し
別涙雙行百恨和　別れの涙は両の目から流れて深い恨みに応える
自是佳期容易阻　これから先　あなたに逢うことは容易に阻まれ
由來好事許多魔　好事魔多しとなるばかりであろう
他年縱使還相見　後年たとえ再び逢うことが叶おうとも
無恨恩情奈老何　恩情を恨みはしないが　年老いてしまっているのをどうしよう

英は広げて読もうとするが、涙のしずくが字をにじませ、一篇を読み終えることができない。これを懐にしまうと、悲しみが胸に波うち、言葉にならず、手を握って見つめ合うばかりであった。明け方の灯火は暗くかげり、東の窓が明るくなってきた。英英は金生の手をとって部屋を出て、壊れた垣根の外に送った。二人はむせび泣くばかりで、涙も涸れはて、死別よりも辛く悲しい思いであった。

金生は家に帰ったものの、魂がぬけ正気をなくしたようにぼんやりとして、物を見ても見てはいず、声を聞いても聞いてはいないという有様であった。世の中のことは念頭から消え失せてしまい、英英に手紙を書き、深い思いの丈をしたためたが、しかし、相思洞の老婆はすでに亡くなっていて、手紙を英英に届ける手段はなく、遠くを眺めては物思いに沈み、空しく夢想するばかりであった。

【14】歳月はながれ、月日は矢のように移ろい、数えきれないほどの憂愁に沈んでいるうちに、三年がはやくも過ぎた。英英への愛情も逢えなくなると変って行き、懐かしく思う気持ちも少しずつ薄らいでいった。再び元の学業に励み、四書五経などの経籍の勉学に没頭し、文章の上達に心を奮い起した。科挙の試験の時が来ると、国で第一級の優れた人物たちと試験場で才覚を争い、数度の試験を勝ち進んで、千人の中から選ばれて主席合格者である壮元になった。その威光は世に輝き、肩を並べる者はいなかった。

三日間、遊街という壮元を披露する市街の行進を行った。頭には王様から賜わった木槿の冠をかぶり、手には象牙の笏を持ち、先導役は双つの蓋を差し、後ろには天童を従え、錦を着飾った芸人たちが左右で技を披露し、楽士は声をそろえて合奏した。それを見物する人々が家々の庭にあふれて、天上人を仰ぎ見るようだった。

金生は半分酔っているような、半分醒めているような気分で、意気は広く満ちあふれ、鞭を取って馬にまたがり、一日に千軒もの家々の前を行進した。突然道の片側に高い垣根が長々と百歩あまり遠くまで延び、碧い瓦と朱の欄干が建物の四面に輝やき、百千の草花の香が今を盛りと庭に漂よい、蝶が戯れ、飛び交う蜂が林園に羽音を響かせている邸宅を見た。金生が誰の家かと尋ねると、果たして檜山君の邸宅であった。金生はすぐさま昔のことを思い出し、心中ひそかに喜んで、酔ったふりをして馬から落ちると、倒れたまま起き上がらなかった。邸内から人が出てきて様子を尋ねるのを、多くの人々が見物する様は市場の賑わいのようであった。

この時、檜山君は亡くなって三年が過ぎ、喪が明けた。夫人はさびしい一人身となり、傷心を慰めるすべもなく、芸人の芸や唱を見ようと思っていたところだったので、門前で倒れた金生を侍女に命じて西の軒に助けて運ばせ、錦の刺繍の布団に寝かせ、竹夫人を枕にさせた。金生は昏昏と目を閉じたまま、一向に目覚める気配が無かった。

【15】この時、歌い手や楽士、芸人たちは庭に並んで列を作って、揃って音楽を演奏し、たくさんの芸を披露した。侍女たちは美しく化粧を凝らし、緑の黒髪を豊かに結い上げ、簾を巻き上げて見物する者が数十人にもなったが、英英という名の者は、その中にいなかった。金生は心中これを不思議に思ったが、その生死を知ることはできなかった。よくよく見ると、一人の若い娘がいて、西の軒に出てきては金生を眺め、奥に入っては涙をぬぐい、出たり入ったりして、やめることができない様子だった。まさしく彼女が英英であった。金生を見て我慢できず、涙が流れるのも抑えようがなかったが、人に気づかれるのを恐れていたのである。

金生はこの様子を見て、たいそう痛ましい気持ちになった。日はちょうど暮れようとしていた。金生はここに長く留まることはできないと悟り、あくびをして起き上がると、あたりを見回してわざと驚いた様子で、「ここはどこだ」と言った。

邸に仕える老いた召使いが、すぐさまやってきて言う。

「檜山君様のお屋敷です。」

金生はますます驚いた様子で、「私はどうやってここに来たのだ」と問う。

召使いはありのままを答え、金生は帰ろうとした。その時、夫人は金生が酒に酔ってのどが渇いているだろうと気遣って、英英に命じて茶を差し上げさせた。二人は近づいたものの、一言も話すことなく、ただ目くばせして心の内を伝えあうだけだった。

【16】英英が茶を差し上げ終わって、立って内に入ろうとしたとき、美しい紙の封書が一通、懐中から落ちた。金生は拾って袖の中に隠して辞去し、馬に乗って家に帰り、開いて見ると、封書には次のように記してあった。

不幸せな私英英が再拝して金様に申し上げます。

私は生きては添い遂げられず、また死ぬこともできず、抜け殻がわずかに息をしているような様子で、今に至るもなおこの世にいます。どうして私のわずかな誠の心があなた様に届かないのでしょうか。天はなんと広く果てしなく、地はなんと遠くはるかなのでしょうか。春風にさそわれて桃や李の花の開く日、私は奥深いお屋敷の外に出ることなく、秋の夜に雨が梧桐をうつ晩、私は独り寝の部屋に閉ざされています。長いこと琴を弾くこともなく、手箱には蜘蛛《くも》の巣が張ってしまいました。化粧鏡はしまったままになり、化粧箱には埃がいっぱいになりました。夕陽の沈む夕暮れの空は私の恨みにぴたりと添うようであり、夜明けの空に残る星や月のように消え入りそうな私の心を誰が分かってくれるでしょうか。楼に昇って遠くを眺めると、雲が私の目を覆い、窓によりかかって眠ろうとしても、愁いのために魂ははげしく痛みます。ああ、愛しいあなた様、どうして悲しまずにいられましょうか。私のもう一つの不幸は、相思洞のお婆さんが亡くなってしまい、便りを寄せようと思っても届けるすべがなく、空しくあなたの姿を思い描いては、腸を断つ思いでいるということです。たとえこの身が再びお目にかかれたとしても、美しい姿はすぐに変わります。どうして寵愛を受けられましょうか。わからないのです、あなた様が、私を思って下さっているのかどうか。天が荒れ地が老いるほど時が経ったとしても、私の恨みに終わりはありません。ああ、どうすればいいのでしょうか。死ぬだけでございます。手紙を書こうとしても悲しさがつのり、言い尽くせません。

【17】手紙の下に、また七言絶句五首があった。

好因縁反是惡縁　好《よ》き因縁がかえって悪縁となりましたが
不怨郎君只怨天　あなた様を怨まずただ天を怨みます
若使舊情猶未絶　もし昔の愛がまだ絶えていないのでしたら
他年尋我向黄泉　いつの年か私を訪ねて黄泉の国に来てください

一日平分十二時　一日は十二刻
無時無日不相思　いつも日々あなた様を思わない時とてありません

相思何日期相見　愛し合う二人がいつの日か再会の時を約束しても
深恨人間有別離　深く恨むのはこの世には死別があることです

柳憔花悴若有情　柳の花が萎れて行くのは　あたかも心があるかのよう
鏡裡猶憂白髪生　鏡には憂いのために白髪になった姿が見えることでしょう
自是佳人無好事　この後あなた様にも好いこともなく
墻頭晨鵲爲誰鳴　垣根のほとりで朝早く鵲は誰のために鳴くのでしょう

別來忍掃席中塵　別れて以来、私は人目を忍んで床の塵を払い
愛有郎君坐臥痕　あなた様の臥した跡を愛おしんでいます
寂寞深宮消息斷　ひっそりと寂しい奥の部屋には便りも絶え
落花春雨掩重門　落花が春雨に濡れて幾重もの門を覆っています

欲寄音書寄得難　便りを寄せようとしても寄せることは難しく
幾回呵筆緑窓間　窓辺で何度筆を執ろうとしたことでしょう
空教別後相思涙　むなしく別れた後のあなた様を思う涙は
點滴花牋一班班　美しい便箋にしたたり落ちて点々と染みとなっています

【18】金生はこれを見ると、口ずさみ大切にして手元に留め置いた。英英への思いは以前より倍増した。け

れども手紙は来ず、便りを送ることもできず、白雁の便りも絶えて久しくなり、音信不通になってしまった。切れた絃は継ぐことができず、破鏡は元どおりに丸くもどすことはできない。気持ちは愁いに沈み、眠れずに寝返りを打つが何の役に立とうか。身体はすっかりやせ衰え、病気になり寝付いて数か月が過ぎた。

偶然同年に科挙に合格した李正字《イジョンザ》という者がいて、病気見舞いにやってきた。金生は手を取って心中を述べ、病にとり憑かれたわけを話した。李正字は驚いて慰めて言った。

「君の病気は治るよ。檜山君夫人は私のおばだ。夫人は義理堅く親切で情にあついので、君の思いを必ず聞き入れてくれるだろう。しかも夫人は未亡人になってからというもの、因果応報の説を信じて、財産や宝物を愛さず、好んで施しをしているので、ぜひ君のために計らってもらえるよう話してみよう。」

金生は喜んで言った。「思ってもみなかった。今日再び茅山の道士に会えるとは。」

すると、気持ちがのびのびとなごみ、李正字と約束を交わすと、再拝して見送った。

【19】その日のうちに、李正字は夫人の前に行き、こう告げた。

「某月某日、壮元に及第した者が、酔って門前を通りすがった折に、落馬して人事不省になりましたが、おば様が西の軒に助け入れるようお命じになったと言います。そういう事がありましたか。」

「ありました。」

「英英に命じて、お茶を差し上げて渇きを癒やさせたという事もありましたか。」

「ありました。」

「彼は私の友人で、壮元の金某という者です。人物は才能も器量も人よりすぐれていて、気品は世に抜きんでた、まさにすばらしく有為な人物です。不幸にも病いにかかってしまい、家にこもって床に臥して苦しむこと、もう数か月になります。私は朝に夕に訪ねて見舞っていましたが、張りのあった肌はやせ衰え、息も絶え絶えで、命は旦夕に迫っています。私はとても気の毒に思って、病いのわけを尋ねたところ、英英の祟りであるとのこと。どうでしょう、英英を彼のもとに遣わしては。」

夫人は話を聞くと感激して言った。

「私はどうして英英一人を惜しんで、人を死に至らせるようなことをしましょうか。」

すぐさま英英に命じて、金生の家に嫁がせたのだった。

二人が再会したとき、その喜びは察するに余りあろう。金生の疲れ果てた気持ちはたちまち元気を回復し、わずか数日で起き上がった。この後、金生は立身出世して手柄や名声を求めることなく、生涯他に妻を迎えることもなく、英英と一生を添い遂げたということである。

原文・書き下し・語釈

【原文1】

弘治中、有成均進士金生者、忘其名。爲人容貌粹美、風度絶倫。善屬文、能笑語、眞世間奇男子也、鄕里以風流郎稱之。年甫弱冠、登進士第一科、名動京華。公卿大家、願嫁愛女、約不論財貨也。

一日、自泮宮還其第、馬上遙見、青帘隱暎於綠柳紅杏之間。生不勝春情之惱、思醉如渴。遂典白紵單衫、沽得眞珠紅酒、酌以花磁盞、飲之。醉臥酒樓之上、花香襲衣、竹露洒面。俄而、夕陽横嶺、飛鳥栖林、僕夫促歸。生起而上馬、揮鞭登道、則白沙平鋪乎遠近、細柳垂裊乎川原。遊歸、行路漸稀。生感興微吟、遂成一絶曰、

東陌看花柳　紫騮驕不行
何處玉人在　桃夭無限情

吟竟、半擡醉眼、則有一美人、年纔二八。蓮步輕移、陌塵不起、腰肢嫋嫋、態度婷婷。或行或止、或東或西、或拾瓦礫、打起鸎兒、或攀柳條、佇立斜陽、或抽玉簪、輕搔綠鬢、翠袂飄拂乎春風、紅裳照曜乎晴川。生望而視之、神魂飄蕩、不能自抑。促鞭馳詣、睨而視之、雅齒韶顏、眞國色也。生盤馬踟躕、或先或後、留神注目、終莫能捨去也。女知生不能無意、含羞低眉、不敢仰視。女行漸遠、生亦相隨。趁其所終到、則相思洞路傍蝸室數間、乃其所止也。生盤桓佇立、不堪惆悵、然日已夕矣。知其無可奈何、怏怏然而去、茫茫然而自失、如醉如癡。中夜撫枕、寢不安席、臨飱忘飯、食不下咽。形容憔悴似枯木、顏色慘惔如死灰。黯黯懷愁、默默不言、雖家人父母、莫曉其所以然也。

【書き下し1】

弘治中、成均の進士、金生という者有り、其の名を忘る。為人《ひととなり》は、容貌粋美にして、風度絶倫なり。善く文を属し、笑語を能くし、真に世間の奇男子なり。郷里は風流郎を以て之を称す。年、甫《はじ》めて弱冠にして、進士第一科に登り、名は京華を動かす。公卿、大家、愛女を嫁さんことを願い、約《つま》しき財貨を論ぜざるなり。

一日、泮宮より其の第《てい》に還《かえ》るとき、馬上に遥かに、青帘《せいれん》、緑柳と紅杏の間に隠暎するを見る。生、春情の悩に勝《た》えず、酔わんと思うこと渇くがごとし。遂に白紵の単衫を典《てん》し、真珠紅酒を沽得《ことく》し、花磁の盞を以て酌し之を飲す。酒楼の上に酔臥すれば、花香、衣を襲い、竹露、面に洒《そそ》ぐ。俄《にわか》にして、夕陽、嶺に横たわり、飛鳥、林に栖み、僕夫帰らんと促す。生、起ちて上馬し、鞭を揮《ふる》い道に登れば、則ち白沙は遠近に平鋪にして、細柳、川原に垂裊《すいじょう》たり。遊びし帰り、行路は漸《ようや》く稀《まば》らなり。生、感興し微《かす》かに吟じて、遂に一絶を成して曰く、

東の陌《みち》に花柳を看　紫騮《しりゅう》は驕《おご》りて行かず
何処に玉人在るや　桃夭の無限の情

吟じ竟《お》わり、半ば酔眼を擡《もた》げれば、則ち一美人有り。年、纔《わず》かに二八《にはち》なり。蓮歩軽やかに移し、陌に塵起たず、腰肢は嫋嫋《じょうじょう》、態度は婷婷《ちょうちょう》たり。或いは行き或いは止まり、或いは東し或いは西す。或いは瓦礫《がれき》を拾い鶯児《おうじ》を打ち起こし、或いは柳條に攀《すが》りて斜陽に佇立す。或いは玉簪《ぎょくしん》を抽き軽く緑鬢を掻《か》く。翠袂は春風に飄払《ひょうふつ》し、紅裳は晴川に照曜す。生、望みて之を視れば、神魂は飄蕩《ひょうとう》し、自ら抑うること能わず。鞭《むち》を促し馳《はせ》て詣《いた》り、睨《ね》めて之を視れば、雅《が》歯韶顔《ししょうがん》、真に国色なり。生、馬を盤して踟躕《ちちゅう》し、或いは先んじ或いは後れ、留神して注目し、終に能く捨去すること莫きなり。女、生の無意なること能わざるを知り、含羞して眉を低《た》れ、敢て仰ぎ視ず。女、行きて漸《しだい》に遠ざかれば、生も亦《また》相随《したが》う。趁《お》いて其の終に到る所は、則ち相思洞の路傍の蝸室《かしつ》数間、乃ち其の止まる所なり。生、盤桓《ばんかん》、佇立して、惆悵《ちゅうちょう》に堪えず。然れども日は已に夕たり。

其の奈何すべくも無きを知り、怏怏然《おうおうぜん》として去る。茫茫然《ぼうぼうぜん》として自失し、酔うがごとく癡《し》れるがごとし。中夜、枕を撫し寝《いぬ》れども安席せず。飱《そん》に臨めども飯を忘れ、食すれども咽を下らず。形容憔悴して枯木のごとく、顔色惨惔《さんたん》として死灰のごとし。黯黯《あんあん》として愁いを懐《いだ》き、黙黙して言わず。家人、父母と雖も、其の所以を暁《さと》ること莫きが然《ごと》し。

【語釈1】　○金生　金は姓、名は明かされない。生は一般的な敬称である。○弘治　中国、明代の元号（一四八八～一五〇五）。朝鮮時代の成宗十九年～燕山君十一年までの期間。○成均進士　朝鮮時代の科挙制度における小科の生員試に合格した成均館の生員のことであるが、自ら成均進士と名乗った。朝鮮時代の科挙制度は文科、武科、雑科があり、文科は、小科と大科に分かれ、小科は進士試と生員試に分かれる。小科に合格した者には、それぞれ進士と生員の称号および朝鮮時代の最高教育機関である成均館への入学資格が与えられた。彼らはそこで大科への受験準備をしたが、進士の方が生員より重んじられた。科挙試験は三年に一回、定期的に行われる式年試と不定期試がある。成均館は、朝鮮時代の最高の儒学の教育機関。国の人材を養成する目的で高麗時代末に設立された。○屬文　文章をつづる。○京華　みやこをほめていう言葉。○泮宮　朝鮮時代の成均館と孔子を祀る文廟の総称。○青帘　酒屋のかんばんの旗。○隱暎　隠れたり、あらわれて光に照りはえる。○典　質に入れる。○白紵單衫　麻の白い薄手の織物のひとえ。○眞珠紅酒　真珠のように赤みを帯びた酒。○陌　田畑の中を東西に通る小道。あぜ道。○紫騮　赤くり毛の馬。すぐれた馬をいう。李白に「紫騮馬」がある。○桃夭　嫁入りどきの若々しい娘を、みずみずしい桃に託して歌った『詩経』の「桃夭」詩に基づく。「夭」は、若くしなやかなさま。○二八　十六歳。○蓮歩　美人がしなやかに歩くさま。○綠鬢　黒々したびんの毛。○飄拂　軽くひるがえる。○照曜　光輝く。○神魂　心と魂。心、気分。○國色　国中で最もすぐれた美人。○生盤馬踟躕、或先或後　「盤」は金生が馬に乗って女の周りをぐるぐる回る意。「踟躕」は一、二歩、前に進んでとまり、先になったり後になったりする。ここは唐代伝奇『任氏伝《じんしでん》』冒頭の主人公鄭が任氏に遭う場面に似る。鄭は「容色姝麗」の任氏を見て「驚悦」し、「其の驢に策《むち》うち、忽ち之に先んじ、忽ち之に後れ」ながら、任氏の家に至る。○留神　留意する。○趁　おう。後からついていく。○相思洞　「解説」を参照。○蝸室　かたつむりのからのように小さな家。○盤桓　ぐずぐずして気持ちが定まらない。○惆悵　嘆き悲しむ。がっかり気落ちする。○怏怏　不満があって楽しめないさま。○茫茫　ぼんやりするさま。ここでは疲労のため。○枯木・死灰　活気、生気のないことのたとえ。○惨淡　あれこれと心を痛めるさま。見るも気の毒な、痛ましいさま。○所以　わけ。理由。

【原文2】

纔過十餘日、有蒼頭莫同者、乘間進謁、垂淚而問曰、「郎君平日、言笑豪縱、卓犖不羈、今乃戚戚、如有隱憂、是何憔悴悶怨如是耶。無乃有所思而然耶。」生悽然感悟、乃以實告莫同、莫同心思良久曰、「僕爲郎君、請獻麼勒之計、郎君無用自煎。」生曰、「然則將奈何。」曰、「郎君急辦美酒嘉肴、*須極侈、直之美人所到家、若將餞客之爲者然。借一間、設盤筵、呼奴請賓、奴亦承命而往。食頃而返曰、『且至矣且至矣。』郎君又命之、再請之、奴亦承命而往、日暮而返曰、『今日餞之者衆、故醉甚不得來、明日則定行。』云矣。於是、呼主人出、命之坐、以其酒肴、醉飮之、不視顏色而退。明日亦如之、又明日又往焉、亦如之、則一則懷惠、二則感恩、三則必疑之。懷惠則思報、感恩則思死、疑則必請其所以然也。於是、開襟吐款、則庶可圖矣。」生甚然之、欣然而笑曰、「吾事諧矣。」從其計、卽具酒肴、直詣其家、設餞、*送奴邀客、一如蒼頭之言。奴亦返命再三、一如所約。生佯罵曰、「咄咄、其人誤佳期如是、夫雖然、攜來春釀、不可虛還。於此、爲主人一*酬、亦非惡事也。」仍呼主人出、則七十老嫗、來見矣。生慰之曰、「嫗且安坐。適以餞客、來舍于此、而嫗善*迎接、多謝厚意。」

卽呼莫同、命進酒肴、與嫗相酬酢、若平生之舊、不出一言而退。生自料前所見少娥、不知實是嫗家女否。悒悒懷悶、如不能自存。然冀其深感嫗、而待其自疑、然後發吾私情。明日、乃往不懈。如是者再三、嫗果自疑、斂容避席曰、「老身窃有所請焉。路邊人家緝緝、如魚鱗櫛比、開樽送行、何處不可。獨尋區區之陋居如是乎。且郎君京華巨族、士林宗匠、老身窮閭嫠婦、草屋微生。前有貴賤之嫌、後無平生之舊、而猥蒙厚恩、以至此極、老身何以得此。實不識其然也。」生笑曰、「吾因餞客、而別無他意也。且不與嫗戛然者、賓主之禮、當然也。」酒闌、生輒解紫緋合歡單衫、投之於嫗、而與之曰、「每煩嫗家、無以爲報、以此爲信、以備他日不忘之資也。幸嫗勿却。」嫗感之深、又疑之甚、卽起而再拜曰、「君之賜至此、則老身之感滋甚。意者、或有所以然而然耶。丁寧老身、寡居多年、凡在隣里者、恒無顧藉、況於郎君乎。就令郎君有所望於老身、雖死不辞也。」生笑而不答、嫗之請强然後、莞爾而答曰、「此洞名云何。」曰、「相思洞也。」曰、「吾爲洞名所惱耳。」

〈校異〉＊須極侈…底本「須使極侈」。＊送奴邀客…底本「送奴往復邀客」。＊一酬…底本「一壽」。＊迎接…底本「延納」。

【書き下し2】

纔《わず》かに過ぐること十余日、蒼頭の莫同という者有り。間を乗《はか》り進謁し、垂涙して問いて曰く、「郎君、平日は言笑豪縦し、卓犖不羈《たくらくふき》なれども、今乃《すなわ》ち戚戚し、隠憂有るがごとし。是れ何ぞ憔悴し、悶怨すること是のごとくなるや。無乃《むしろ》思う所有りて然るや」と。生、悽然として感悟し、乃ち実を以て莫同に告ぐれば、莫同、心に思うこと良久《やや》しくして曰く、「僕、郎君のために麼勒《まろく》の計を献ずるを請わんとす。郎君は自煎すること無用なり」と。生曰く、「然れば則ち将に奈何せんとす」と。曰く、「郎君、急ぎ美酒嘉肴を弁じ、須く極めて侈《おご》るべし。直ちに美人の到る所の家に之き、将に餞客の為にせんとする者の然《ごと》くすべし。一間を借りて盤筵《ばんえん》を設け、奴を呼び賓を請えば、奴も亦《また》命を承けて往き、食頃《しょっけい》に返りて曰く、『且に至らんとす、且に至らんとす』と。郎君、又《また》之に命じて、再び之を請えば、奴、亦《また》命を承けて往き、日暮れて返りて曰く、『今日、餞の者衆《おお》し。故に酔うこと甚だしくして来ることを得ず。明日、則ち定めて行かん』と云うなり。是に於て呼びて主人を出ださしめ、之に命じて坐さしめ、其の酒肴を以て之と酔飲し、顔色を視ず退け。明日も亦《また》之のごとくし、又《また》明日又《また》往き、亦《また》之のごとくすれば、則ち、一たびすれば則ち恵を懐い、二たびすれば則ち恩を感じ、三たびすれば則ち必ず之を疑わん。恵を懐えば則ち報を思い、恩を感ずれば則ち死を思い、疑えば則ち必ず其の所以を請うこと、然るなり。是に於て、開襟《かいきん》、吐款《とかん》すれば、則ち庶わくは図るべし」と。生、甚だ之を然りとし、欣然として笑いて曰く、「吾が事は諧《かな》えり」と。其の計に従い、即ち酒肴を具えて直ちに其の家に詣り、餞を設けて、奴を送り客を邀えること、一に蒼頭の言のごとし。奴も亦《また》返命すること再三、一に約する所のごとし。生、佯《いつわ》りて罵りて曰く、「咄咄《とつとつ》、其の人、佳期を誤れること是のごときか。夫れ然りと雖も、春醸を携え来たりて、虚しく還るべからず。此に於て、主人と一酬を為すも、亦《また》悪き事に非ざるなり」と。仍りて、主人を呼び出せば、則ち七十の老媼、来たりて見《まみ》ゆ。生、之を慰めて曰く、「媼、且《しばら》く安坐せよ。適《たまたま》、餞客を以て此に来舎す。而るに媼、善く迎接したれば、厚意に多謝す」と。即ち莫同を呼びて、命じて酒肴を進ましめ、媼と相酬酢すること、平生の旧のごとし。一言も出ださず退く。生、自ら前に見る所の小娥を料るに、実に是の媼家の女か否かを知らず。悒悒《ゆうゆう》、懐悶し、自ら存すること能わざるがごとし。然うして冀わくは、其れ媼を深く感ぜしめ、其の自ら疑うを待ち、然る後に吾が私情を発せんとす。明日乃ち往くこと懈《おこた》らず。是のごときこと再三すれば、媼、果たして自ら疑いて、斂容し避席して曰く、「老身、窃《ひそ》かに請う所有り。路辺に人家緝緝《しゅうしゅう》し、魚鱗櫛比《しっぴ》のごとし。開樽、送行するに、何処か不可ならんや。独り、区区たる陋居《ろうきょ》を尋ぬること、是のごときか。且に郎君は、京華の巨族、士林の宗匠たり。老身は窮閭《きゅうりょ》の嫠婦《りふ》、草屋の微生たり。前に貴賤の嫌有り、後に平生の旧無し。而れども猥《みだ》りに厚恩を蒙り、以て此の極みに至らんこと、老身、何を以て此れを得たるか、実に其の然るを識らざるなり」と。生、笑いて曰く、「吾、餞客に因りて別るるに他意無し。且つ嫗と戛然《かつぜん》たらざらんは、賓主の礼なれば、当然なり」と。酒闌《たけなわ》にして、生、輒《すなわ》ち紫緋を解き、合歓単衫、之を嫗に投げて之を与えて曰く、「毎《つね》に嫗家を煩したれども以て報いと為すもの無し。以て此を信と為し、以て他日の不忘の資に備うるなり。幸わくは嫗、却《かえ》すこと勿れ」と。嫗、之を深く感ずれども、又《また》、之を疑うこと甚だし。即ち起ちて再拝して曰く、「郎君の賜、此に至り、則ち老身の感、滋《ますます》甚だし。意《おも》うに、或いは所以有るか、然うして然るや。丁寧、老身は寡居多年なり。凡そ隣里に在る者は、恒に顧藉すること無し。況んや郎君においてをや。就令《たとい》、郎君、老身に所望すること有らば、死すと雖も辞せざるなり」と。生、笑いて答えず。嫗、之を請うこと強くすれば、然る後、莞爾《かんじ》として答えて曰く、「此の洞名は云何《いかん》」と。曰く、「相思洞なり」と。曰く、「吾、洞名の為に悩まさるる所のみ」と。

【語釈2】　○蒼頭　下男。召使。○乗間　頃合いをはかる。○進謁　身分の高い人の前に進み出で面会する。○豪縦　おごりほしいままなこと。○卓犖不羈　他よりすぐれていて、何ものにも束縛されないこと。○麼勒之計　麼勒の計略。麼（磨）勒は『太平広記』巻一九四「崑崙奴」に登場する。内容は、磨勒という崑崙奴（黒人奴隷）が知恵と武芸を以て主人の崔生が思慕する女と会えるように手助けするという話。○自煎　「煎」は鍋で煎られるような辛い思いをすること。『玉台新詠』「孔雀東南飛」に「我に親父兄有り、性行暴なること雷の如く、我が意に任《た》へざるを恐れ、逆に以て我が懐ひを煎ず」とある。○侈　おごる。○餞　旅だつ人を送る酒宴。○盤筵　宴会の席。○食頃　食事をするほどの短い時間。しばらくの間。○開襟　本心をうち明けて話すこと。○諧　調子をあわせてうち解ける。○返命　返事をすること。○咄咄　意外なことに驚いて出る声の形容。おやおや。○春醸　春にかもされた酒、新酒。○娥　美人。○悒悒　心がふさぎ楽しまないさま。○斂容　乱れた姿を引きしめて整える。いずまいを正す。○避席　尊意を表すために相手の前で席から立つこと。〇緝緝　「緝」は繊維を寄せあわせてより糸にする。ここは人家が密集する意。〇櫛比　くしの歯のようにすきまなく並ぶ。〇區區　こまごまと狭苦しいさま。〇陋居　陋屋。せまくてむさくるしい家。〇舊　昔なじみであること。〇戛然　くいちがうさま。〇紫緋　紫と緋色の上着。〇合歡單衫　花模様の刺繡をしたひとえの下着。〇丁寧　誠に。本当に。〇顧藉　気にかけて惜しむ。たいせつに思う。〇莞爾　にこりと笑う。

【原文3】

嫗微哂曰、「郎君無乃以辯口之任、望於老身乎。但此洞無雲華之窈窕、其於魏郎之風流何。」生知其所思嬋娟、必不在此也。生愀然失色曰、「僕既爲嫗所厚、安得不以實告。果於某月某日、從某處來、路上適見少娘子。年甫若干、衣翠羅衫紅綺裳、着白綾襪紫的鞋、以眞珠鈿攀索頭、以雪色瑤環、約纖指、由弘化門前路、逶迤而去。僕以年少俠氣、不禁春情之駘蕩、尾而隨之、趁其所到、則嫗家是也。自此、心醉如泥、萬事茫然、惟其小娘是念。明眸皓齒、寤寐見之、心摧腸斷、非一朝一夕。嫗見我顏色之枯槁、爲如何哉。如是則煩嫗家餞客、不得不已。」嫗聞之、深憐其意。然未知生之所念、爲何人也。沈吟半餉、釋然頓悟曰、「有之。此乃亡兄之少女、名英英、字蘭香者也。若然則誠難矣。誠難矣。」生曰、「何故。」嫗曰、「是乃檜山君宅侍女也。生於宮中、長於宮中、不踏門前之路久矣。姿色之美、既爲郎君所覩、必不强爲郎君所道、雅心柔、無異於士族家處子、加以審音律、能解文、故進賜愛之憐之、將以爲綠衣、而夫人不能免妬忌之俗、甚於河東之吼、是以未果耳。曩日、英兒之來此、不憚者、以其時當寒食節、祀其亡父母靈於此。故請暇於夫人、而來耳。然適値進賜之出遊、以致此行、不然、郎君何由得接面目乎。噫。爲郎君更圖一會、誠難矣。誠難矣。」生仰天太息曰、「已吾當死矣。」嫗甚悶之、憮然爲間曰、「無已則有一焉。端午佳節、只隔一月、其時則老身當爲亡兄、復設小僉、以此告于夫人前、請阿英半日之暇、則尚可庶幾其萬一也。郎君且歸、待期會、可也。」生喜曰、「果如嫗言、人間之五月五日、乃天上之七月七日也。」

生與嫗相別、各道萬福而退。生歸家、喁喁然視日之斜、汲汲然望夜之至、度一日、如三秋、待佳期、如不及。頻寄翰墨、以宣其堙鬱、乃作憶秦娥一闋曰、

春寂寂　一庭梨花風雨
花風雨　相思不見　音耗兩隔
却悔當年遇傾國　我心安得如石
空相憶　對花腸斷　臨風淚滴

【書き下し3】

嫗、微《わず》かに哂《わら》いて曰く、「郎君、乃ち弁口の任を以て老身に望むこと無からんや。但《ただ》、此の洞、雲華の窈窕《ようちょう》無く、其れ、魏郎の風流に於て何ぞや」と。生、其の思う所の嬋娟、必ず此に在らざるを知る。生、愀然《しょうぜん》として色を失いて曰く、「僕、既に嫗の厚くする所の為に、安んぞ実を以て告げざるを得んや。果たして、某月某日に、某処より来たりて、路上に適《たまたま》、少娘子を見る。年、甫《はじ》めて若干なり。翠の羅衫、紅の綺裳を衣《き》て、白綾の襪《くつした》、紫の鞋《くつ》を着し、真珠の鈿を以て索頭に攀《よ》じ、雪色の瑤環《ようかん》を以て纖指《せんし》に約し、弘化門の前の路より逶迤《いい》として去る。僕、年少の俠気《きょうき》を以て、春情の駘蕩を禁ぜず。尾して之に随い、趁《お》いて其の所に到る。則ち嫗家、是れなり。此れより心酔すること泥のごとし。万事、茫然として、惟《ただ》、其の小娘を是念《これおも》う。明眸皓齒《めいぼうこうし》、寤寐《ごび》に之を見、心摧《くじ》け腸を断つこと一朝一夕に非ず。嫗、我が顔色の枯槁を見れば、如何せんとす。則ち、嫗家を煩し餞客すること是のごとし。已《や》まざるを得ず」と。嫗、之を聞き、深く其の意を憐れむ。然れども未だ生の念う所、何人たるかを知らず。沈吟すること半餉《はんしょう》、釈然と頓悟して曰く、「之に有り。此、乃ち亡兄の少

女、名は英英、字は蘭香なる者なり。若し然れば、則ち誠に難し。誠に難し」と。生、曰く、「何故か」と。媼、曰く、「是れ乃ち檜山君宅の侍女なり。宮中に生まれて宮中に長じ、門前の路を踏まざること久し。姿色の美、既に郎君の覩《み》る所と為り、必ずしも強いて郎君の道《い》う所と為さざれども、雅にして心柔らかく、士族の家の処子に異なること無し。加えて、音律を審らかにし、能く文を解するを以てす。故に、進賜之を愛し、之を憐み、将に以て緑衣と為さんとす。而れども夫人、妬忌の俗に免がるること能わず、河東の吼《く》甚だし。是れを以て未だ果さざるのみ。曩日《のうじつ》、英児、之、此に来たること、憚らざるは、其の時、寒食節に当たるを以て、其の亡父母の霊を此に祀らんとす。故に、夫人に暇を請いて来たるのみ。然るに、適《たまたま》、進賜の出遊に値《あ》い、以て此の行を致す。然らずんば、郎君、何に由りて面目を接するを得んや。噫《ああ》、郎君の為に更に一会を図るは、誠に難し。誠に難し」と。生、天を仰ぎ、太息して曰く、「已に吾当に死なんとす」と。媼、甚だ之を悶《もだ》え、憮然として間を為して曰く、「已む無くんば、則ち一有り。端午の佳節、只《ただ》一月を隔つ。其の時、則ち老身、当に亡兄の為に復《ふたた》び小奠を設くべし。此れを以て夫人の前に告げ、阿英の半日の暇を請わん。則ち尚お、其の万一を庶幾《こいねが》うべきなり。郎君、且《しばら》く帰りて期会を待てば、可なり」と。生、喜びて曰く、「果して、媼の言のごとくんば、人間の五月五日は、乃ち天上の七月七日なり」と。

生、媼と相別れ、各《おのおの》、万福を道《い》いて退く。生、家に帰り、喁喁然《ぎょうぎょうぜん》として日の斜くを視、汲汲然として夜の至るを望む。一日を度《わた》ること三秋のごとく、佳期を待てば及ばざるがごとし。頻りに翰墨を寄せ、以て其の堙鬱《いんうつ》を宣べ、乃ち秦娥を憶う一闋《き》を作りて曰く、

春寂寂たり　一庭の梨花に風雨あり
花に風雨あり　相思えども見ず　音耗両隔す
却りて当年傾国に遇うことを悔い　我が心　安くんぞ石のごときを得んや

空しく相憶う　花に対えば腸断し　風に臨めば涙滴す

【語釈3】

○辯口之任　仲人。○雲華　『剪燈餘話』「賈雲華還魂記」の女主人公、詩文に長けた美人。○窈窕　君子の良いつれあい。「窈窕たる淑女は、君子の好逑」（『詩経』周南「関雎」）。○魏郎　『剪燈餘話』「賈雲華還魂記」の男主人公、詩文に長けた風流男。○嬋娟　あでやかで美しい女性。○愀然　顔をしかめるさま。心配そうなさま。表情をひきしめるさま。○羅衫　うすぎぬのひとえ。○索　なわ、なわなう。「索頭」は編みこんだ髪。○弘化門　朝鮮時代の首都漢陽（現ソウル市）にあった昌慶宮《チャンギョングン》の正門。現存しており朝鮮時代の建築物の中で最も古い建物の一つである。○逶迤　ゆったりと落ち着いた様子。○駘蕩　とりとめもなく、まとまりのないさま。○明眸皓齒　美しい目と白い歯。美人の形容。○寤寐　ねてもさめても。○腸斷　はらわたがたちきれる。ひどくつらいこと。○枯槁　やせおとろえる。○半餉　しばらく。短い時間。○頓悟　ただちにすみやかに悟る。○檜山君　朝鮮時代の成宗の五男。李恬（一四八一～一五一二）。朝鮮の第十代国王である燕山君の弟。○進賜　庶民または下級の人が、自分より社会的身分や地位が高い人を敬って呼ぶ言葉。○綠衣　めかけの意味。○河東之吼　「河東獅吼」「河東獅子」「河東獅子吼」と同じ意味。嫉妬深い婦人をいう。○曩日　さきごろ。○寒食節　冬至から一〇五日目を寒食節といい、簡略な祖先祭祀を行う。寒食節の前後三日間は火の使用を禁じ、あらかじめ用意した冷たい物を食べる風習があり、これは中国では早く廃れたが、朝鮮では継続した。○憮然　むなしい気持ちになるさま。がっかりと失望する。○奠　そなえ物。「小奠」は小規模の簡単な祭祀。○阿英　英英のこと。「阿」は目下の人を呼ぶ時、親近感を表すために、姓や名前などの上につけて呼ぶ。○喁喁　人が仰ぎ慕うさま。待ちこがれる。○汲汲　忙しくせきたてる気持ち。○翰墨　筆と墨。文章のこと。○堙鬱　心がおさえつけられたようで気がめいる。○憶秦娥　詞牌の名。〇一闋　詞の一章段。

【原文4】

及期而往、則*嫗出而迎之。生問無恙外、不暇出一言、祇曰、「事勢若何。」嫗曰、「*昨日、爲進夫人前、請之甚懇、夫人爲言、『進賜平日、禁英兒出入甚嚴、故我不敢從汝所願。*若明日進賜爲卿宰所邀出遊、*而作令節會、則吾何惜一英兒暫時閑也。』夫人諾、則丁寧矣。但未知進賜之出遊乎否也。」生將信將疑、且喜且懼、心莫能定、而悄然憑几、開戶而待之。日將欹午、了無形影、胸煩腸熱、凝坐成癡、*正若霜後蠅也。生起立、揮扇擊柱、呼嫗而告之曰、「望眼欲穿、愁腸欲斷。多小行人、近而却、非吾望絶矣。」嫗慰之曰、「至誠感天、郎且少安。」有頃、窓外有曳履聲、自遠而近。生驚顧視之、乃英少娘也。生拍手曰、「豈非天也。」嫗亦喜之、如赤子之見慈母也。

〈校異〉＊則嫗出而迎之…底本「則嫗出而延之甚喜」。＊昨日…底本「日昨」＊若明日進賜爲卿宰所邀出遊…底本「若明日卿邀出」。＊而作令節會…底本「而作令節」。＊正若霜後蠅也…底本「有若霜後蠅然也」。

【書き下し4】

期に及びて往き、則ち嫗、出でて之を迎える。生、恙無《つつがな》きかを問う外、一言を出す暇もあらず、祇《ただ》曰く、「事勢は若何」と。嫗曰く、「昨日、夫人の前に進みたりて、之を請うこと甚だ懇《ねんごろ》なり。夫人言を為して、『進賜、平日、英児の出入を禁じること、甚だ厳し。故に、我敢えて汝の願う所に従わず。若し明日、進賜、卿宰の出遊に邀《むか》えらるる所となり、令節会を作《な》さば、則ち吾、何ぞ一英児の暫時の閑《ひま》を惜まんや』と。夫人、諾《うべな》うこと、則ち丁寧なり。但《ただ》、未だ進賜の出遊か否かを知らざるなり」と。生、将《はた》信じ、将《はた》疑い、且つ喜び、且つ惧れ、心能く定まること莫く、而して悄然として几に憑り、戸を開きて之を待つ。日、将《まさ》に午に欹《かたむ》かんとすれども、了《つい》に形影無し。胸は煩い腸は熱く、凝坐して癡を成し、正に霜後の蠅のごときなり。生、起立し、扇を揮《ふる》いて柱を撃ち、嫗を呼び之に告げて曰く、「望みては眼穿《ほじ》らんと欲し、愁いて腸断たんと欲す。多小の行人、近づきては却《しりぞ》けば、吾が望み絶えたるに非ざるや」と。嫗之を慰みて曰く、「至誠は天を感ぜしむ。郎、且に少《しばら》く安んずべし」と。頃《しばら》くして、窓外に履を曳く声、遠きより近づける有り。生、驚き顧みて之を視れば、乃ち英少娘なり。生、手を拍ちて曰く、「豈に天に非ざるや」と。嫗も亦《また》之を喜び、赤子の慈母を見るがごときなり。

【語釈4】 ○令節會　よい時節を楽しむための宴会。○霜後蠅　活気を失いぐったりする様子の比喩。○至誠感天　誠意をつくせば天にも通じ、いくら難しいことでも成し遂げられる意。

【原文5】

英見門前緑柳、紫騮長嘶、庭畔清陰、僕従羅列、怪而踟躕、不敢遽入。嫗詭阿英曰、「汝其速入、無疑。汝不識此郎君乎。郎君乃吾亡夫親族也、適來陋舍、將欲餞客。且汝來何暮也。吾恐汝終不來、故已祭汝父母耳。汝可入于內、速取杯盤來、以奉郎君一酌。」英如其言、奉盤而至、嫗與生擧盃相屬。酒半酣、生謂英曰、「娘亦就坐、吾巡及至矣。」英含羞低顏、不敢正對。嫗曰、「汝生長深宮、不知世情之乃爾、汝能識字、不知酬酢之有禮乎。」英乃受*酒、猶未快如也、澁把香卮、乍接朱唇而已。少焉、嫗佯醉倦坐、欠伸思睡、顧英而言曰、「吾爲酒力所困、氣甚不穩、且欲少安。汝暫侍坐。」即起入內、倒榻醉睡、鼻息如雷。

〈校異〉＊受酒…底本「受」。

【書き下し5】

英、門前の緑柳を見るに、紫騮《しりゅう》、長く嘶き、庭畔の清陰に僕従羅列す。怪しみて踟躕《ちちゅう》し、敢えて遽《にわ》かに入らず。媼、詭《いつわ》りて阿英に曰く「汝、其れ速く入り、疑うこと無かれ。汝、此の郎君を識らざらんや。郎君は乃ち吾が亡夫の親族なり。適《たまたま》、陋舎《ろうしゃ》に来たりて、将に餞客せんと欲す。且つ汝、来たること、何ぞ暮《おそ》きや。吾、汝が終に来たらざるを恐れ、故に已に汝の父母を祭りしのみ。汝、内に入り、速やかに杯と盤を取り来たりて、以て郎君に一酌を奉るべし」と。英、其の言のごとくし、盤を奉じて至れば、媼と生、盃を挙げ相属す。酒、半ば酣《たけなわ》にして、生、英に謂いて曰く「娘、亦《また》坐に就け。吾、巡りて至るに及べり」と。英、含羞し顔を低《た》れて、敢えて正対せず。媼曰く「汝、深宮に生長したれば、世情の乃爾《いかん》を知らず。汝、能く字を識れども、酬酢の礼有るを知らざるや」と。英、乃ち酒を受け、猶お未だ快《こころよ》からざるがごときなり。香の巵《さかずき》を把ることを渋り、朱唇に接し乍に已む。少《しばら》くして、媼、酔いて坐に倦《う》めりと佯り、欠伸し睡らんと思い、英を顧みて言いて曰く「吾、酒力に困しむ所となり、気、甚だ不穏たれば、且に少《しばら》く安んぜんと欲す。汝、暫く坐に侍せ」と。即ち起ちて内に入り、榻《とう》に倒れて酔睡し、鼻息は雷のごとし。

【語釈】5 ○紫騮 【語釈1】参照。○清陰 涼しいかげ。○踟躕 【語釈1】参照。○陋舎 狭い家。○乃爾 このように。○酬酢の禮 主人と客が互いに酒を酌み交わす時の作法。○榻 家具。現代で言うベッドとソファーを兼ね備えた機能を持つ。

【原文6】

於是、生謂英曰、「頃者、自夫子廟來、相見于弘化門前路、三月初吉、實維其時。記憶否。」英答曰、「記馬、不記人也。」生曰、「人不如馬耶。」英曰、「見馬、不見人也。」生曰、「汝豈徒不記人乎哉。顏色之憔悴、形容之枯槁、不如曩者之相見者、豈無所由然而然耶。汝非我、安知我之心哉。」英笑曰、「子非妾、安知妾之心乎。」

生移席狎坐、以實告之曰、「咨爾蘭香。汝豈無情人哉。自從相逢、不相話以來、相思不相見、今幾日月。咨爾蘭香。汝寧不悲乎哉。徯我娘、娘來其蘇矣。」英英微哂不答。生欲留英于此、仍以繼夜、要以同枕。英不可曰、「吾進賜主、朝以出遊、暮以當還、還則呼妾而解衣、不可以婉娩之弱質、陷於萬死之地也。是以只卜其晝、未卜其夜。」

【書き下し6】

是において、生、英に謂いて曰く、「頃者《このごろ》、夫子廟より来たるに、弘化門前の路において相見しは、三月の初吉なり。実に維《こ》れ其の時なり。記憶せしや否や。」と。英、答えて曰く、「馬を記《おぼ》ゆれども、人を記えざるなり。」と。生、曰く、「人は馬に如かずや。」と。英、曰く、「馬を見れども、人を見ざるなり。」と。生、曰く、「汝、豈に徒だ人を記えざらんや。顔色は之れ憔悴し、形容は之れ枯槁し、曩者《さきに》相見しにしからざるは、豈に由る所の無くして、然うして然らんや。汝は我に非ず、安んぞ我の心を知らんや。」と。英、笑いて曰く、「子は妾に非ず、安んぞ妾の心を知らんや。」と。生、席を移り狎坐《こうざ》し、実を以て之に告げて曰く、「咨《ああ》、爾、蘭香、汝は豈に情無き人ならんや。相逢う自従《より》、相話さざりし以来、相思えども相見ず、今、幾日月ならんや。咨、爾、蘭香、汝は寧ぞ悲まざらんや。我娘《なんじ》を徯《ま》ち、娘来たれば、其れ蘇《よみがえ》れり。」と。英英、微《かす》かに哂《わら》えども答えず。生、英を此に留めんと欲し、仍りて以て夜を継ぎ、要《もと》むるに同枕を以てす。英、不可として曰く、「吾が進賜の主は、朝に以て出遊し、暮に以て当に還るべし。還れば則ち妾を呼びて衣を解く。婉娩の弱質を以て、万死の地に陥るべからざるなり。是を以て只《ただ》其の昼《ひる》を卜し、未だ其の夜を卜せず。」と。

【語釈6】　○夫子廟　孔子廟。ここでは成均館に置かれた文廟のこと。○初吉　朔日。○記馬、不記人也　『論語』郷党篇に「厩焚けたり。子、朝より退きて曰く、『人を傷《そこな》えるか』と。馬を問わず」とあるのをもじった言。

【原文7】

生知其不可久留於此、仍以微意挑*之曰、「苟如若言、則當奈此心何。日已云暮、分*手之期已迫、後會不易*、良晤難再。汝其憐之、無吝乎半餉之歡。」遂欲狎之、英歛袵正色曰、「余其木石人哉。不知郎君心内事乎。但進賜不以妾爲菲薄、日夜使令於前、信而任之、不出中門之外。今之來此、已犯嚴令耳。若又恣行不法、醜聲彰聞、死有餘罪、縱欲從命、其可得乎。」生拊髀而歎曰、「予豈生乎。其爲泉下人哉。」遂執其素手、捫其酥乳、接其玉脚、唯心所欲、無所不爲、至於講歡、則不可也。

〈校異〉＊挑…底本「桃」。＊分手之期已迫…底本「分手已迫」。＊不易…底本「未易」。

【書き下し7】

生、其の久しく此に留むべからざるを知り、仍りて微意を以て之に挑みて曰く、「苟《いやしく》も若《なんじ》の言のごとくんば、則ち当に此の心を奈何《いかん》せん。日已に暮るると云い、分手の期已に迫らんとするも、後会易からず、良《まこと》に晤《あ》うこと再び難し。汝、其れ之れを憐み、半餉《はんしょう》の歓を吝《お》しむこと無かれ」と。遂に之を狎《こう》せんと欲す。英、袵《えり》を歛《おさ》め色を正して曰く、「余、其れ木石人ならんや、郎君の心内の事を知らざるや。但《ただ》、進賜、妾を以て菲薄と為さず、日夜、前に使令《しれい》し、信じて之を任せば、中門の外に出でず。今、之れ此に来たるは、已に厳令を犯すのみ。若し又恣《ほしいまま》に不法を行わば、醜声、彰聞し、死して余罪有り。縦《たと》い命に従わんと欲せども、其れ得べけんや」と。生、髀《もも》を拊《う》ちて歎きて曰く、「予、豈に生きんや。其れ泉下《せんか》の人と為らんかな。」と。遂に其の素手を執り、其の酥乳《そにゅう》を捫《な》で、其の玉脚に接《まじ》わり、唯《ただ》、心の欲する所、為さざる所無し。講歓に至らんとするも、則ち不可なり。

【語釈7】○半餉　しばらく。短い時間。○歛袵　えりもとを引きしめる。みなりをきちんと整えること。

○木石人　木や石のように頑なで感情のない人。白居易「李夫人」に「人木石に非ざれば皆情有り」とある。○醜聲　みだらで、品行が悪いといううわさ。○彰聞　あらわにきこえる。知れ渡る。○髀　もも。○泉下　冥途。あの世。○酥乳　女性の柔らかい乳。『剪燈餘話』巻二「鸞鸞《らんらん》伝」に「雲鬢、檀口、柳眉、酥乳。」とある。○講歡　男女が肉体関係を持つ。

【原文8】

生鼓情竭誠、百端誘之曰、「烏飛急、兎走疾、歳月如流。紅已歇、*芳已衰、蝴蝶莫念。其在人也、何以異乎。顏凋紅於轉頭、髮生白於彈指。朝雲暮雨、陽臺神女、本無定情、碧海長天、月中姮娥、應悔偸藥。鳥生微而比翼、木性頑而連理。矧情欲之所鍾、豈人物之異致。春風蝴蝶之夢、特惱空房、夜月杜鵑之啼、偏驚孤枕、豈可使杜牧之尋春芳晚。魏寓言、『見姮娥遲、虛負青春之年、空遺黃壤之恨。每恨西陵綠樹寂寞、千載之荒丘、長信扃蕭條、幾夜之秋雨。』嗟。吾心之可惜、恨娘子之無情、生而何哉。死而止耳。」

〈校異〉＊芳已衰…底本「綠已衰」。

【書き下し8】

生、情を鼓し誠を竭《つく》くし、百端、之れを誘いて曰く、「烏は飛ぶことを急ぎ、兎は走ること疾く、歳月は流るるがごとし。紅、已に歇《か》れ、芳、已に衰うれば、蝴蝶、念《おも》い莫し。其れ人に在るや。何を以て異とするか。顔、転頭に紅凋《しぼ》み、髪、弾指に白生ず。朝に雲となり、暮に雨となり、陽台の神女、本は定情無し。碧海、長天、月中の姮娥、応に薬を偸《ぬす》むを悔いんとす。鳥は生、微《び》なれども比翼たり。木は性、頑《がん》なれども連理たり。矧《いわ》んや情欲の鍾《あつ》まる所、豈に人と物と之れ異致ならんや。春風の蝴蝶《こちょう》の夢、特に空房を悩ませ、夜月の杜鵑《とけん》の啼、偏《ひとえ》に孤《ひと》り枕を驚かせば、豈に杜牧之《とぼくし》の春芳を尋ぬるを晩らせしむべけんや。魏の寓言にいう『姮娥を見ること遅れ、虚しく青春の年に負《そむ》き、空しく黄壌の恨を遺さんや。毎《つね》に恨む、西陵の緑樹は寂寞として、千載の荒丘たり、長信の扃《かんぬき》は蕭条《しょうじょう》として、幾夜の秋雨たるを』と。嗟、吾が心、惜《おし》むべし。娘子の無情を恨む。生きて何んぞや。死して止むのみ」と。

【語釈8】○彈指　指を一度はじく時間。極めて短い時間。○陽臺神女　『文選』巻十九「高唐賦」に楚の襄王が夢の中で巫山の神女と契った際、神女が「妾は巫山の陽、高丘の阻《そ》に在り、旦《あした》には朝雲と為り、暮《ゆうべ》には行雨と為る。朝朝暮暮《ちょうちょうぼぼ》、陽台の下にあり。」と言った故事がある。○姮娥　嫦娥《じょうが》とも。月世界にいる美人の名。もと羿《げい》の妻。羿が西王母に請いて得た不死の薬を盗んで飲み、仙人となって月中に逃げた。『淮南子』覧冥訓、『後漢書』天女志に見える。○比翼・連理　白居易「長恨歌」「天に在りては願わくは比翼の鳥と作り、地に在りては願わくは連理の枝と為らん。」○蝴蝶之夢　人生の無常をいう。『莊子』齊物論に見える。莊子が夢で蝶になり楽しく遊んだという故事。○杜牧之　晩唐の詩人。名は杜牧、字は牧之。美男の才子で歌舞を愛した。○杜牧之尋春芳　杜牧之が江南地方（長江下流域の南岸を指す地名）の春を詠んだ「江南春」のことを言う。「千里鶯啼いて緑紅に映ず、水村山郭酒旗の風、南朝四百八十寺、多少の楼台煙雨の中」。○黄壤　冥途。あの世。○西陵　魏の武帝の陵の名。○長信扃　長信は漢の太后のいた宮殿である長信宮。扃はかんぬき。戸口。○蕭條　ひっそりとしてもの寂しいさま。

【原文9】

英終不肯隨曰、「郎君如致意於賤妾、可於他日相尋。」生不可曰、「一別音容、宮門幾重、欲寄音書、無由可達、其可更望喜眼之雙青乎。」英曰、「此豈知我者。是月望日夜、進賜與王子諸君、約爲翫月之會、是必入夜而還。且宮之墻垣、適爲風雨所壞、進賜緩於營家、故時未理之。郎君可於此日、乘昏黑而來到、從壞垣深入、則中有短墻之門、當啓而待之。由門而入、循墻而下、東階十歩許、有別寝數間。郎君潛身于此、待妾出迎、則何難乎佳期哉。」生頗然之、牢定約束、分袂而歸。一時登道、漸成南北、立馬回首、黯然消魂而已。生自此、懸憶尤甚。

【書き下し9】

英、終に随うことを肯《がえん》んぜずして曰く、「郎君、如《も》し意を賤妾に致さば、他日に相尋ぬるべし」と。生、不可として曰く、「一たび音容に別るれば、宮門、幾重ならん、音書を寄せんと欲せども、達すべき由無し。其れ更に喜眼の双青を望むべけんや」と。英、曰く、「此れ豈に我を知る者ならんや、是の月の望日の夜、進賜と王子諸君と、翫月《がんげつ》の会を為さんと約したれば、是れ必ず夜に入りて還らん。且つ宮の墻垣《しょうえん》、適《たまたま》、風雨の壊す所と為れども、進賜、営家に緩たれば、故に時に未だ之を理《おさ》めず。郎君、此の日にすべし。昏黒に乗じて来到し、壊れたる垣より深く入れば、則ち中に短墻《たんしょう》の門有り。当に啓《ひら》きて之を待つべし。門より入り、墻を循《めぐ》りて下り、東の階の十歩許《ばか》りに、別寝の数間有り。郎君、身を此に潜め、妾の出迎を待たば、則ち何ぞ難からんや、佳期なるかな」と。生、頗る之を然りとし、牢く約束を定め、袂を分かちて帰る。一時に道を登り、漸《ようや》く南北を成したれば、馬を立て、首を回らせ、黯然《あんぜん》として消魂するのみ。生、此より、憶いを懸くること尤も甚だし。

【語釈9】　○賤妾　英英の自称。自分をへりくだって言う。○一別音容　白居易「長恨歌」の「一別音容両《ふたつ》ながら渺茫《びょうぼう》」を踏まえる。○翫月之會　月見をする会。○營家　家屋の普請、修理。○昏黒　まっくらなこと。暗闇。○佳期　美人と会う日。吉日。○分袂　人と別れること。

【原文10】

乃作四韻一首、以自悼曰、

宮門深處鎖嬋娟　一別音容兩杳然
此日難忘情態度　前身應結好因緣
心勞往事愁如雨　若待佳期日似年
正欲尋芳三五夜　登樓看月幾時圓

及期而往、則果有壞垣、牙缺成門。由之而入、度密穿深、乃得小門。推之試而、果不鎖也。入而東下、果得別寢。心私自賀曰、「蘭香不欺我矣。」仍投其中、以待英出。

于時、白月初高、涼風乍起、階上群芳、暗香浮動、庭前綠竹、疎韻蕭洒。忽聞開戶之聲、自內而出。生將信將疑、屛息潛聽、跫音漸近、衣香來襲。開眼視之、乃蘭香也。生出而撫背曰、「情人金某、在斯矣。」英曰、「郎君大是信士。」卽攜手狎坐、問安否。生答曰、「忍得萬死、僅保殘喘耳。」英曰、「何故其然耶。」生曰、「地邇人遐之故也。」相與打語、不覺夜深。生仰見明月、而驚之曰、「初我來時、此月在東、今已中天、夜將過半。不以此時同枕、將何俟爲。」卽把英之衣襟、而解之。英止之曰、「郎君何以妾、如桑間遊女乎。別有寢房一所、可於其間穩度良夜。」

【書き下し10】

乃《すなわ》ち四韻一首を作り、以て自ら悼んで曰く、

宮門深き処嬋娟《せんけん》を鎖ざし　一別音容両《ふた》つながら杳然《ようぜん》たり
此の日の情態の度《ほど》忘れ難し　前身応《まさ》に好《よ》き因縁を結ぶべし

心に往事《おうじ》を労し愁い雨のごとし　佳期を待つこと日は年に似たるがごとし
正に芳を尋ねんとす　三五夜《さんごや》　楼に登りて月を看《み》れば幾《いつ》の時か円《まど》かならん

期《き》に及びて往くに、則ち果たして壊れたる垣有りて、牙欠くるがごとく門を成す。之《こ》れ由《よ》り入り、度《わた》りて密かに深きを穿ち、乃《すなわ》ち小門を得たり。之《これ》を推すを試みれば、果たして鎖さざるなり。入《い》りて東に下り、果たして別寝《べっしん》を得たり。心に私《ひそ》かに自ら賀して曰く、「蘭香は我を欺かず。」と。仍《すなわ》ち其の中《うち》に投じ、以て英の出ずるを待つ。

于《こ》の時、白月初めて高く、涼風乍《たちま》ち起こり、階上の群芳、暗香浮動《あんこうふどう》し、庭前の緑竹、疎韻蕭洒《そいんしょうしゃ》なり。忽《たちま》ちに開戸の声を聞き、内より出ず。生、将《は》た信じ将た疑い、息を屏《ひそ》めて潜《ひそ》かに聴くに、跫音漸《あしおとようや》く近く、衣香来襲す。眼を開けて之を視れば、乃ち蘭香なり。生、出でて背を撫して曰く、「情人の金某、斯《ここ》に在り。」と。英、曰く、「郎君は大いに是れ信《まこと》の士なり。」と。即ち手を携え狎坐《こうざ》して、安否を問う。生、答えて曰く、「忍んで万死を得るに、僅かに残喘《ざんぜん》を保つのみ。」と。英、曰く、「何の故にか其れ然るや。」と。生、曰く、「地邇《ちか》く人遐《とお》きの故なり。」と。相与《あいとも》に打ち語らい、夜深きを覚えず。生、明月を仰ぎ見て、之に驚きて曰く、「初めて我来たりし時は、此の月東に在り、今已《すで》に中天す。夜将《まさ》に半ばを過ぎんとす。此の時を以て枕を同じゅうせずんば、将に何をか俟《ま》たんとするや」と。即ち英の衣の襟を把《と》りて、之を解く。英之を止《とど》めて曰く、「郎君何ぞ妾を以て、桑間《そうかん》の遊女の如くするや。別に寝房一所《しんぼういっしょ》有り。其の間に穏《よ》く良夜を度《わた》るべし。」と。

【語釈10】○四韻　律詩を言う。首頷頸尾の各聯の末字、四か所に脚韻を踏むことから。○嬋娟　【語釈3】参照。○三五夜　十五夜。温庭筠《おんていいん》「南歌子七首　其五」に「月明三五夜、芳顔に対す。」とある。○牙缺　「牙」は歯。歯が欠けたように垣根に隙間があること。○狎坐　男女が慣れ親しんだ様子で座ること。○桑間遊女　『漢書』地理志下に「衛《えい》の地の桑間《そうかん》は濮上《ぼくじょう》の阻《そ》に有り、男女亦《ま》た亟《きわ》めて聚会《しゅうかい》し、声色《せいしょく》を生ず。」

ここから「桑間」は男女の密会の場を指すようになった。ここでは売春婦のことを指す。

【原文11】

生掉頭而謝曰、「我既冒法昧死、崎嶇到此。一之已甚、其可再乎。凡事、貴得萬全、若又咨行唐突、第恐事泄。」英曰、「事之泄不泄、惟我在。郎君無用自煎。」乃携手擁入。生不得已隨之、跼蹐惶恐、入門如臨深淵、踏地如履薄氷。毎移一足、動輒九蹶、汗出至踵、猶未能自覺也。無何繞曲砌循回廊、入門再三、然後、達于大内。宮人睡熟、庭戸寂然、惟見紗窓清燈明滅、可知夫人寢所也。英引生納之一房曰、「郎且少安。」卽入内、久而不出。生不任無聊、或坐或臥、私怪殊甚。既而有人趨入中門報曰、「進賜且入矣。」滿庭炬燭、照曜煒煌、侍女婢僕、奔走左右、擁衛而入。進賜醉臥庭中、尙不覺悟、鼾睡之聲、漸熟。英承夫人之命曰、「久臥冷地、恐爲風傷。」挽起王子、扶而入内。人聲漸息、火光亦滅。英右手持玉燈、左手携銀瓶、出而開戸、則生塗壁累足而立、自以爲將死而已。英笑謂生曰、「郎君無乃有驚懼之心乎。妾欲慰之、故持溫酒而來。」遂以金荷葉盞、酌而勸生、生辭曰、「在情、不在酒也。」仍命撤去。

【書き下し11】

生、頭を悼《ふ》り謝して曰く、「我既に法を冒《おか》し昧死《まいし》し、崎嶇《きく》として此に到る。一たびの已に甚だしきに、其れ再びすべけんや。凡《およ》そ事は、万全を得るを貴しとし、若《も》し又行《またこう》を咨《はか》ること唐突にして、第《ただ》事の泄《も》るるを恐る。」と。英、曰く、「事の泄《も》るるも泄らざるも、惟《ただ》我に在り。郎君は自ら煎《せん》ずること無用なり。」と。乃ち手を携え擁《したが》えて入る。生已《や》むを得ずして之に随い、跼蹐惶恐《きょくせきこうきょう》として、門に入ること深淵に臨むが如く、地を踏むこと薄氷を履《ふ》むが如し。一足を移す毎《ごと》に、動《ややもす》れば輒《すなわ》ち九たび蹶《のぼ》せ、汗出でて踵に至り、猶未だ能《よ》く自ら覚《さと》らざるがごときなり。何《いずこ》とも無く曲砌《きょくせつ》を繞《めぐ》り回廊を循《めぐ》り、門に入ること再三にして、然る後、大内《だいだい》に達す。

宮人は睡熟し、庭戸は寂然とし、惟《た》だ紗窓《しゃそう》に清灯の明滅するを見るに、夫人の寝所たるを知るべし。英は生を引きて之の一房に納《い》れて曰く、「郎且《まさ》に少《しばら》く安んずべし。」と。即ち内に入り、久しく出でず。生無聊《ぶりょう》に任《た》えず、或《あるい》は坐し或は臥し、私《ひそか》に怪しむこと殊に甚だし。既に人の中門《ちゅうもん》に趨《はし》り入る有りて報じて曰く、「進賜《しんし》且《まさ》に入らんとす。」と。庭に満つる炬燭《きょしょく》、照曜煒煌《しょうよういこう》として、侍女婢僕《ひぼく》は、左右に奔走し、擁衛して入る。進賜は酔うて庭中に臥し、尚覚め悟らず、鼾睡《かんすい》の声、漸《ようや》く熟す。英、夫人の命を承りて曰く、「久しく冷たき地に臥せば、風傷と為るを恐る。」と。王子を挽《ひ》き起こし、扶《たす》けて内に入る。人声漸《じんせいようや》く息《た》え、火の光亦た滅す。英右手に玉灯を持ち、左手に銀瓶を携え、出でて戸を開けば、則ち生は壁に塗《まみ》れ足を累《かさ》ねて立ち、自ら以為《おもえ》らく、「将《まさ》に死せんとするのみ。」と。英笑いて生に謂いて曰く、「郎君乃ち驚惧の心有ること無きや。妾之を慰めんと欲す、故に温酒を持ち来たり。」と。遂に金の荷葉《かしょう》の盞《さん》を以て、酌して生に勧むるも、生辞して曰く、「情に在り、酒に在らざるなり。」と。仍《すなわ》ち命じて撤去せしむ。

【語釈11】　○昧死　訳のわからぬ愚かなことをして死罪を犯す。○崎嶇　険しいこと。艱難辛苦。○跼蹐惶恐　跼蹐は抜き足差し足、惶恐はおそれおののくこと。○動輒　ややもすればすなわち、と訓読し、「必ず常にそうなる」意。○曲砌　曲りくねった石畳。○照曜煒煌　あかあかと光り輝くさま。○累足　足が震えるさま。震えのために重なったり離れたりするので「累」という。○金荷葉盞　荷葉は蓮の葉。黄金で蓮の葉を象って作った杯。

【原文12】

見房中、無他物、只有朱紅書案、置杜草堂詩一巻、以白玉書填鎮之、琅玕卓上、横一短琴。卽口號二句先唱曰、

琴書蕭洒淨無塵　正稱空房玉一人

英英繼吟曰、

今夕不知何夕也　錦衾瑤席對佳賓

旣而相携昵枕、纔盡繾綣之意。夜已將闌、晨鷄喔喔然催曉、遠鍾隱隱乎罷漏。生起而攝衣、欷歔數聲曰、「良宵苦短、兩情無窮。其如將別何。一出宮門、後會難期。其如此心何。」英聞之、呑聲飲泣、玉手揮淚曰、「紅顏薄命、自古有之、非獨微妾。生如此而別、死如此而怨。其生其死、如花殘葉落、將不待歲月寒矣。郎君以男兒鐵石之心、何可屑屑然、爲兒女之念、以傷性情乎。伏願郎君、此別之後、無置妾面目於懷抱間、以傷思慮、善保千金之軀、不廢學業、擢高第、登雲路、以盡平生之願、幸甚幸甚。」

【書き下し12】

房中を見れば、他物無く、只《た》だ朱紅の書案《しょあん》有り。杜草堂詩《とそうどうし》一巻を置き、白玉の書瑱《しょてん》を以て之を鎮め、琅玕《ろうかん》の卓上には、一短琴《いちたんきん》を横たう。即ち口に二句を号して先《ま》ず唱《とな》えて曰く、

琴書《きんしょ》は蕭洒《しょうしゃ》にして塵《ちり》無く浄《きよ》らかなり　正に空房に玉一人《ぎょくいちにん》を称す

英英、吟を継《つ》けて曰く、

今夕何《こんせきいず》れの夕《ゆうべ》なるかを知らざるなり　錦衾《きんきん》瑤席《ようせき》佳賓《かひん》に対《むか》う

既に相携えて枕を昵《むつ》び、纔《わずか》に繾綣《けんかん》の意を尽くす。夜已《すで》に将《まさ》に闌《たけなわ》ならんとするに、晨鶏《しんけい》、喔喔然《あくあくぜん》として暁を催し、遠鍾《えんしょう》、隠隠乎《いんいんこ》として漏《ろう》を罷《や》む。生起《た》ちて衣を摂《と》り、欷歔《ききょ》すること数声にして曰く、「良宵は苦《い》と短く、両情は窮まりなし。其れ将に別れんとするを何如《いかん》せん。一たび宮門を出ずれば、後会期《こうかいき》し難《がた》し。其れ此の心を如何《いかん》せん。」と。英之を聞き、声を呑み泣を飲み、玉手にて涙を揮《ふる》いて曰く、「紅顔薄命《こうがんはくめい》、古《いにしえ》自《よ》り之《これ》有《あ》り、

独り微妾《びしょう》のみに非ず。生きて此《かく》のごとく別れなば、死して此のごとく怨まん。其の生くるや其の死するや、花残《そこな》いて葉落つるは、将に歳月寒を待たざらんとするがごとし。郎君は男児鉄石の心を以て、何ぞ屑屑然《せつせつぜん》として、児女の念《おも》いが為に、以て性情を傷つくべけんや。伏して郎君に願う、此《こ》の別れの後は、妾の面目を懐抱《かいほう》の間に置き、以て思慮を傷《そこ》なう無かれ。善《よ》く千金の軀《からだ》を保ち、学業を廃せず、高第に擢《ぬき》んでて、雲路に登り、以て平生《へいぜい》の願を尽くせば、幸甚なり、幸甚なり。」と。

【語釈12】　○朱紅書案　案は机のこと。朱塗りの文机。○杜草堂詩一巻　杜草堂は杜甫のことをいう。杜甫の詩集一巻と言う意味であり、大集のうち一巻なのか、それとも一巻もののセレクションなのかはわからない。○書瑱　文鎮。○琅玕卓上　「琅玕」は青緑色の美玉。玉石で飾った机。○今夕　『詩経』小雅「頍弁」の「酒を今夕に楽しむ、君子維れ宴す」を踏まえる。人生ははかなく短い、この先ともに会える日はないから、この夕べは酒を酌んで楽しもう。王の饗応される酒宴だの意。○錦衾瑤席對佳賓　「錦衾」は錦の座布団、「瑤」は玉でつづった敷物。美しくしつらえた宴席の意。李白「元丹丘の巫山の屏風に坐するを観る」に、「錦衾瑤席、何ぞ寂寂、楚王の神女、徒《いたずら》に盈盈《えいえい》」とある。楚王の神女の一節は【語釈13】参照。○繾綣之意　すがりつくように離れがたい気持ち。○喔喔然、隠隠乎　「喔喔」は鶏の鳴き声、「隠隠」は鐘の音の擬音語。「然」も「乎」も形容詞に付いて状態を表す語。○罷漏　朝を告げる鐘が鳴ること。○紅顔薄命、自古有之　美人は幸薄いこと。古語では「佳人薄命」、白話になって「紅顔薄命」の表現が現れる。明・馮夢龍《ふうむりゅう》『醒世恒言《せいせいこうげん》』巻三「古より紅顔薄命といふ、亦た未だ必ずしも我のごとく甚しきはあらず」。○微妾　「微」は一人称に付き、へりくだる意をあらわす。○將不待歳月寒矣　陶淵明「雑詩十二首　其二」の「時に及んで当《まさ》に勉励すべし、歳月人を待たず」を踏まえる。○男兒鐵石之心　「心如鉄石」の例が多い。『三國志演義』第四一回「子龍は患難において我に従い、心は鉄石のごとし」。○屑屑然　こせこせするさま。○高第　科挙に優秀な成績で合格すること。高科。○雲路　官吏になって出世することのたとえ。

【原文13】

仍抽兎毫管、開龍尾硯、展鸞鳳牋、遂寫七言律詩、吟付*爲臚曰、

幾日相思此日逢　綺窓綉幕接丰容
燈前不盡論心事　枕上旋驚動曉鍾
天漢不禁烏鵲散　巫山那復雲雨濃
遙知一別無消息　回首宮門鎖幾重

生覽之、悲不勝、不覺淚下、卽濡筆而和之曰、

燈盡紗窓落月斜　乖離牛女隔天河
良宵一刻千金直　別淚雙行百恨和
自是佳期容易阻　由來好事許多魔
他年縱使還相見　無恨恩情奈老何

英英展而欲覽、泪滴濕字、不能盡篇。收而藏之懐中、脉脉不語、握手相看而已。于時、曙燈晻翳、東窓欲明。英乃携生而出、送于壞墻之外。兩人相與嗚咽、不能成泣、慘於死別。生既還家、喪神失心、視不見物、聽不聞聲、筌蹄世故、無事掛念。爲一書、以致懇懇之意、而相思洞老嫗、既已捐世、無便可寄、徒費悵望、虛勞夢想而已。

〈校異〉＊爲臚…底本「爲別」。

【書き下し13】

仍《すなわ》ち、兎毫《とごう》の管を抽《ぬ》き、龍尾の硯を開き、鸞鳳《らんほう》の牋《せん》を展《の》べ、遂に七言律詩を写《しゃ》し、吟じ付して聴《はなむ》けと為して曰く、

幾日か相思いて此日《このひ》逢う　綺窓綉幕丰容《きそうしゅうばくほうよう》に接す
灯前に心事を論じ尽くさずして　枕上旋《たちまち》に暁の鍾に驚動す
天漢烏鵲《てんかんうじゃく》の散るを禁ぜず　巫山那《ふざんなん》ぞ復た雲雨濃き
遙かに知る一別すれば消息無きを　首《こうべ》を回《めぐ》らせば宮門幾重にも鎖《と》ず

生、之を覧《み》て、悲しみに勝《た》えず、覚えず涙下り、即ち筆を濡らして之に和して曰く、

灯《ともしび》尽きて紗窓に落月斜めなり　牛女は天河を隔て乖離《かいり》す
良宵《りょうしょう》一刻千金の直《あたい》　別れの涙双行《そうこう》して百恨和す
是れより佳期は容易に阻まれ　由来好事は許《こ》れ魔多し
他年縦《たと》い還りて相見しむも　恩情を恨む無く老ゆるを奈何《いかん》せん

英英、展《ひろ》げて覧《み》んと欲すれども、泪滴《るいてき》字を湿《うるお》し、篇を尽くす能《あた》わず。収めて之を懐中に蔵《かく》し、脈脈として語らず、握手して相看《あいみ》るのみ。于《こ》の時、曙灯晻翳《しょとうあんえい》として、東窓《とうそう》明けなんとす。英乃ち生を携《たずさ》え出で、壊墻《かいしょう》の外に送る。両人相与《とも》に嗚咽し、泣くを成すこと能《あた》わず、死別より惨《さん》たり。生既に家に還り、喪神し失心す、視れども物見えず、聴けども声聞こえず、筌蹄世故《せんていせこ》の事を、念《おも》いに掛くること無く、一書を為し、以て懇懇の意を致す。相思洞の老媼、既に已に世を捐《す》てたれば、便りを寄すべくもなく、徒《いたず》らに悵望を費やし、虚しく夢想を労するのみ。

【語釈13】　○兎毫管　筆のこと。兎毫は兎の毛。それを束ねて竹管に差し込んで作った筆。○龍尾硯　高価で見事な硯。龍尾は良質な硯の原石を産する山の名で、現在の中国・安徽省黄山市。○鸞鳳牋　牋は文書、

また詩や文章を書く美しい紙。鸞鳳牋は鸞・鳳の絵を刷りだした美しい紙。○丰容　美しい姿。○天漢不禁烏鵲散　天漢は天の川、烏鵲はカササギ。『白孔六帖』に「淮南子にいう、烏鵲河を填めて橋を成し織女を渡す」とある。「烏鵲の散るを禁ぜず」は、別れを禁じえない意。○巫山那復雲雨濃　「巫山雲雨」の故事。出典は宋玉「高唐賦」。巫山を英英にたとえ、金生に会えないことを表現している。○乖離牛女隔天河　英英が七夕の烏鵲説話を出したのを受け、同題で返したもの。牛は牽牛、女は織女を指す。同題のものを詠み込むのは唱和詩の基本形。○良宵一刻千金直　蘇軾「春夜」に「春宵一刻、値千金　花に清香有り月に陰有り」とある。用いるのは前半のみだが、続く「花有清香月有陰」は、物語の舞台が月見の宴の夜であることと、英英の字が蘭香であることを想起させる。○由來好事許多魔　明・高明『琵琶記』第三十六齣「幾父諫言」に「誰か好事魔多く風波起つを知らんや」とある。○筌蹄世故　「筌蹄」は手引き、手段の意味。世渡りの手段。○捐世　人が死ぬことの婉曲表現。

【原文14】

歳月荏苒、光陰倏忽、百憂叢裡、三秋已過。情隨事變、念懷稍弛。復事舊業、沉潛乎經籍、發奮乎文章、以槐黄之期、與國士鬪觜距於試場、再進再捷、擢千人爲壯元、光耀一世、人莫比肩。三日遊街、頭戴桂花、手執牙笏、前導雙盖、後擁天童、衣錦唱夫、左右呈技、執樂工人、衆聲並奏、觀者滿庭、望若天上郎也。生半醉半醒、意氣浩蕩、著鞭跨馬、一日千家。忽見道傍、高墉遠墻、逶迤乎百步、碧瓦朱欄、照曜乎四面、千花百卉、芬茀乎堦庭、戲蝶狂蜂、喧咽乎林園。生問之、則乃檜山君宅也。生忽念舊事、中心暗喜、佯醉墮馬、臥而不起。宮人出問、聚立觀者如市。時檜山君捐世、已閲三期、素服初闋。夫人索寞單居、無以爲懷、欲觀俳優伎倆、令侍女扶入西軒、臥以錦文席、枕以竹夫人。生昏昏瞑目、若不覺悟。

【書き下し14】

歳月は荏苒《じんぜん》として、光陰は倏忽《しゅくこつ》として、百憂は叢裡に、三秋已に過ぐ。情は事に随いて変わり、懐しさを念うことも稍《よう》やく弛《ゆる》む。復た旧業を事とし、経籍に沈潜し、文章に発奮し、槐黄《かいこう》の期《き》を以て、国士と觜距《しきょ》を試場に闘わせ、再び進み再び捷《か》ち、千人に擢《ぬき》んでて壮元《そうげん》と為り、一世に光耀して、人の比肩するなし。三日遊街し、頭に桂花を戴き、手に牙笏《がしゃく》を執り、前導《ぜんどう》は双蓋《そうがい》、後擁《こうよう》は天童《てんどう》、錦《にしき》を衣《き》たる唱夫《しょうふ》、左右に技を呈し、楽を執《と》る工人、声を衆《あつ》めて並び奏す。観る者庭に満ち、天上郎《てんじょうろう》を望むがごとし。生は半ば酔い半ば醒め、意気浩蕩《こうとう》として、鞭を著《あ》て馬に跨し、一日《いちじつ》に千家す。忽《たちま》ち道傍に、高墉遠墻《こうようえんしょう》、百歩を透迤《いい》し、碧瓦朱欄《へきがしゅらん》、四面を照曜し、千花百卉《せんかひゃっき》は、階庭《かいてい》に芬茀《ふんふつ》と、戯蝶狂蜂《ぎちょうきょうほう》は、林園に喧咽《せんいん》するを見る。生之を問うに、則ち乃ち檜山君の宅なり。生忽ち旧事を念《おも》い、中心に暗《ひそ》かに喜び、酔いを佯《いつわ》りて馬より堕ち、臥して起たず。宮人出でて問うに、聚立して観る者は市のごとし。時に檜山君は世を捐《す》て、已に三期を閲《けみ》するに、素服《そふく》初めて闋《お》う。夫人索寞《さくばく》として単《ひと》り居り、以て懐《おも》いを為す無く、俳優の伎倆《ぎりょう》を観んと欲す。侍女をして西軒《せいけん》に扶《たす》け入れ、以て錦文《きんもん》の席に臥せ、竹夫人《ちくふじん》を以て枕せしむ。生昏昏として瞑目し、覚悟せざるが若し。

【語釈14】

○荏苒　時が過ぎ去るさま。○倏忽　すみやかに。たちまち。○三秋　三年の意。朝鮮時代の科挙の試験は三年に一度行われた。○槐黄之期　「槐黄」はエンジュの花が黄ばみ始めた時期。陰暦六、七月ごろ、科挙の試験の始まる季節。宋・胡継宗編『書言故事』巻八・科第類に「槐黄、科挙近づくを槐黄眼に逼《せま》ると謂う。」とある。○國士　国中で第一級の優れた人物。○觜距　才覚。○壮元　朝鮮科挙制で大科の主席合格者。なお、中国では状元という。○三日遊街　新たな壮元には、三日〜五日の市街行進（遊街）が許された。一代の盛事であり、頭には王より賜ったムクゲの造花を挿し、従者を従えて華やかに行われた。○高墉遠墻　「墉」は高い垣根。墉墻に同じ。檜山君の邸宅の広大さまをいう。○佯酔　「佯」は偽ること。

酔ったふり。○素服　喪服。○闋　喪に服した期間が終わる。趙斗淳等編『大典会通』（一八六五刊）によれば、夫を亡くした妻の喪は「斬蓑《ざんすい》三年」と規定されている。○竹夫人　夏涼しく寝るための抱いて寝る竹かご。だきかご。

【原文15】

於是、唱夫工人、羅列庭中、衆樂齊作、百戲俱張。宮中侍女、紅顔粉面、綠鬢雲鬟、捲簾而觀者、可數十許人、而所謂英英者、不在其中。生心自怪之、莫知其生死。諦而觀之、有一少娘、出而望生、入而拭涙、乍出乍入、不能自止。盖是英英、不忍見生、不禁泪流、畏爲人所覺也。生望之、心甚悽然。然日將夕矣。知其不可久留于此、欠身而起、顧而驚曰、「此何所也。」宮中老藏獲、趨而進曰、「檜山君宅也。」生益驚曰、「我何爲來此耶。」藏獲乃以實對、生卽欲出。夫人念生酒渴、命英英奉茶而進。兩人相近、不得出一言、徒爲目成而已。

〈校異〉＊莫知其生死…底本「莫知可生死」。

【書き下し15】

是《ここ》に於いて、唱《しょう》夫《ふ》工人《こうじん》、庭中に羅列し、衆楽斉《ととの》い作り、百戯倶に張る。宮中の侍女の、紅顔粉面、緑鬢雲鬟《りょくびんうんかん》、簾を捲《かか》げて観る者は、数十許《すうじゅうばか》りの人なるべきに、所謂《いわゆる》英英なる者は、其の中に在らず。生心に自《みずか》ら之を怪しみ、其の生死を知るなし。諦《つまび》らかに之を観るに、一少娘《いちしょうじょう》有り、出でては生を望み、入りては涙を拭い、乍《たちま》ち出で乍ち入り、自ら止む能《あた》わず。蓋《けだ》し是《これ》英英なり。生を見るに忍びず、泪流るを禁ぜず、人の覚《さと》る所と為るを畏《おそ》るるなり。生之を望み、心甚だ悽然《せいぜん》たり。然《しか》るに日将《まさ》に夕《ゆうべ》ならんとす。其れ此に久しく留まるべからざるを知り、欠身《けっしん》して起《た》ち、顧みて驚きて曰く、「此《ここ》は何所《いずこ》なりや。」と。宮中の老蔵獲《ぞうかく》、趨《はし》り進みて曰く、「檜山君の宅なり。」と。生益《ますます》驚きて曰く、「我何為《なんす》れぞ此に来たるや。」と。蔵獲乃ち実を以て対《こた》う。生即ち出でんと欲す。夫人、生の酒渇《しゅかつ》を念《おも》い、英英に命じて茶を奉らせ進む。両人相近づくも、一言も出だし得ず、徒《いたずら》らに目成《もくせい》を為すのみ。

【語釈15】　○蔵獲　奴婢のこと。　○酒渇　酒を飲んだ後にのどが渇くこと。　○目成　目くばせ。

【原文16】

英奉茶既竟、將起入內、則華牋一封、落自懷中。生拾而藏之袖中而出、上馬還家、拆而觀之、其書曰、

薄命妾英英、再拜白金郎足下。

妾生不相從、又不能死、殘骸餘喘、至今尚存。豈妾微誠念君不至。天何茫茫。地何漠漠。桃李春風、閉妾深宮、梧桐夜雨、鎖妾空房。久廢絲桐、蛛網生匣、空藏粧鏡、塵土滿奩。斜陽暮天、能添妾恨、曉星殘月、誰念妾心。登樓望遠、雲蔽妾眼、倚窓思睡、愁斷妾魂。吁嗟、郎君、寧不悲哉。妾又不幸、老嫗捐世、欲寄音書、無由可達、徒想面目、每斷心腸。假令此身、更獲一見、芳容頓改、厚恵何施。不識郎君、亦念妾否。天荒地老、妾恨無窮。嗟哉、奈何。死而已矣。臨楮悽然、不知所云。

【書き下し16】

英茶を奉ること既に竟《お》え、将に起ちて内《うち》に入《い》らんとするに、則ち華牋《かせん》の一封、懐中自《よ》り落つ。生拾いて之を袖中《しゅうちゅう》に蔵《かく》して出で、上馬《じょうば》して家に還《かえ》り、拆《ひら》きて之を観るに、其書《そのしょ》に曰く、

薄命の妾《しょう》英英、再拝して金郎足下に白《もう》す。

妾は生きては相従わず、又た死する能《あた》わず、残骸の余喘《よぜん》、今に至るも尚《なお》存す。豈《あ》に妾が微誠の念《ねん》君に至らざるや。天は何ぞ茫茫《ぼうぼう》たる、地は何ぞ漠漠たる。桃李春風《とうりしゅんぷう》、妾を深宮《しんきゅう》に閉ざし、梧桐夜雨《ごどうやう》、妾を空房に鎖《と》

ざす。久しく糸桐《しとう》を廃し、蛛網匣《ちゅうもうはこ》に生じ、空しく粧鏡《しょうきょう》を蔵《ぞう》し、塵土奩《じんどはこ》に満つ。斜陽の暮天、能《よ》く妾が恨みに添い、暁星残月、誰か妾が心を念《おも》わん。楼に登りて遠きを望めば、雲、妾が眼を蔽《おお》い、窓に倚《よ》りて睡《ねむ》りを思えば、愁い妾が魂を断つ。吁嗟《ああ》、郎君、寧《なん》ぞ悲しからざらんや。妾又た不幸なるは、老嫗《ろうおう》世を捐《す》て、音書《おんしょ》を寄せんと欲するも、達するべき由《よし》なく、徒《いたず》らに面目を想《おも》い、毎《つね》に心腸《しんちょう》を断つ。仮令《たとい》此身《このみ》、更に一見を獲《う》れども、芳容頓《とみ》に改まり、厚恵《こうけい》何ぞ施さるるや。識《し》らず郎君、亦た妾を念うや否や。天は荒れ地は老いれども、妾が恨みは窮まりなし。嗟哉《ああ》、奈何《いかん》せん。死するのみ。楮《ちょ》に臨《のぞ》みて悽然《せいぜん》として、云《い》う所を知らざるなり。

【語釈16】 ○残骸　なきがら。死骸。○餘喘　死に際にわずかにまだ息をしていること。○茫茫　広々として果てしないさま。○漠漠　遠くはるかなさま。○桃李春風・梧桐夜雨　白居易「長恨歌」の「春風桃李、花開く夜。秋雨梧桐、葉落つる時。」を踏まえる。○閉妾深宮・鎖妾空房　白居易・新楽府「上陽白髪人」の「一たび上陽に閉ざされて多少の春ぞ」および「一生、遂に空房に向かって宿す」を踏まえる。○絲桐　琴のこと。○蛛網　蜘蛛の巣。○匣・奩　ともに箱のこと。匣は蓋のある箱。奩は手回りの品をしまう箱。鏡奩は鏡や化粧品を入れる箱。○心腸　はらわた。心のうち。○天荒地老、妾恨無窮　白居易「長恨歌」の「天長く地久しけれども時有りて尽く、此の恨み綿綿として尽くる期無からん」を踏まえる。○臨楮悽然、不知所云　諸葛亮「出師《すいし》の表」の「表に臨みて涕泣し、言う所を知らざるなり」を踏まえる。楮は紙のこと、すなわち臨楮は紙に向き合って文章を記すことをいう。

【原文17】
書下、復有七言絶句五首、曰、

好因緣反是惡緣　不怨郎君只怨天
若使舊情猶未絶　他年尋我向黃泉
一日平分十二時　無時無日不相思
相思何日期相見　深恨人間有別離
柳憔花悴若爲情　鏡裡猶憂白髮生
自是佳人無好事　墻頭晨鵲爲誰鳴
別來忍掃席中塵　愛有郎君坐臥痕
寂寞深宮消息斷　落花春雨掩重門
欲寄音書寄得難　幾回呵筆綠窓間
空教別後相思淚　點滴花牋一班班

〈校異〉＊有情…底本「爲情」。

【書き下し17】

手紙の下に、復《ま》た七言絶句五首有り。曰く、

好因縁《こういんねん》反《かえ》りて是れ悪縁　郎君を怨まず只《た》だ天を怨む
若《も》し旧情猶《なお》未だ絶えざらしめば　他年我を尋ねて黄泉《こうせん》に向かうべし

一日平分十二時《いちじつへいぶんじゅうにじ》　時無く日無く相《あい》思わざらんや
相《あい》思いて何《いつ》の日か相見るを期《ちぎ》らん　深く人間《じんかん》に別離有るを恨む

柳憔花悴情《りゅうしょうかすいじょう》有るが若《ごと》く　鏡裡《きょうり》猶憂い白髪《はくはつ》を生ずるがごとし
是れ自《よ》り佳人《かじん》好事無く　墻頭《しょうとう》の晨鵲《しんじゃく》、誰《た》が為にか鳴く

別れてより来《このか》た忍びて席中の塵を掃き　郎君が坐臥の痕《あと》有るを愛す
寂寞《せきばく》たる深宮に消息断え　落花春雨、重門を掩う

音書《おんしょ》を寄せんと欲するも寄すること得難く　幾回か筆を呵《か》す緑窓の間
空しく別れし後の相思《そうし》の涙をして　花牋《かせん》に点滴せしむること一班班《いちはんぱん》

【語釈17】　○柳憔花悴　「柳花」は美しい女性の喩え。「憔悴」は心配事のあまりやせ衰えること。○呵筆　寒い時に文章を書くこと。

【原文18】

生覽之、沉吟愛玩、不忍置釋于手、致念英英、倍於曩時。然青鳥不來、消息難傳、白鴈久絶、音信莫寄。斷絃不能復續、破鏡難得重圓。憂心悄悄、輾轉何益。形枯體鑠、臥而成疾、幾過數月。適有同年李正字者、來問生疾。生携手陳情、告以疾祟。正字驚慰曰、「君疾愈矣。夫檜山君夫人、於我爲姑、義切情親、可以達其

所懐。且夫人自失所天以來、信幽明報應之説、不愛家産珍玩、好爲捨施、可以爲君、更圖之矣。」生喜曰、「不意今日、復見茅山道士。」乃申申然定約束、再拜而送之。

【書き下し18】

生之を覧《み》るに、沈吟《ちんぎん》し愛玩し、手より置釈《ちしゃく》するに忍びず、念《おも》いを英英に致すこと、曩時《のうじ》に倍せり。然るに青鳥《せいちょう》来たらず、消息伝え難く、白鴈《はくがん》久しく絶え、音信寄する莫《な》し。絃を断ちて復《ま》た続くること能《あた》わず、破鏡《はきょう》は重ねて円《まどか》なること得難《えがた》し。憂心悄悄《しょうしょう》として、輾転《てんてん》何の益ぞ。形は枯れ体は鑠《くだ》け、臥して疾《やまい》を成し、幾《ほとん》ど数月を過ぐ。適《たまたま》同年に李正字なる者有り、来《きた》りて生の疾を問う。生手を携えて情を陳《の》べ、告ぐるに疾祟《しっすう》を以てす。正字驚き慰めて曰く、「君の疾は愈《い》ゆ。夫《そ》れ檜山君夫人は、我が姑為《こた》り。義切情親《ぎせつじょうしん》、以て其の所懐《しょかい》を達すべし。且つ夫人天に所を失いてより以来《このかた》、幽明報応《ゆうめいほうおう》の説を信じ、家産珍玩《かさんちんがん》を愛さず、好んで捨施《しゃせ》を為《な》すに、以て君が為《ため》に、更に之を図るべし。」と。生喜びて曰く、「意《おも》わず今日、復《ま》た茅山《ぼうざん》の道士に見《まみ》ゆ。」と。乃《すなわ》ち申申然《しんしんぜん》として約束を定め、再拝して之を送る。

【語釈18】　○置釋　手から離すこと。○曩時　先の時。○青鳥　使者や書簡をいう。漢の武帝の時、青い鳥が飛来したのを見て東方朔《とうほうさく》が西王母《せいおうぼ》の使いと言ったという故事による。○白鴈　書簡。『漢書《かんじょ》』蘇武伝の「雁信」の故事を踏まえる。前漢の将軍蘇武《そぶ》が匈奴《きょうど》に囚われ、帰国の交渉に当たって漢は「天子の射止めた雁の脚に蘇武からの手紙が結ばれていた」と使者に言わせたという内容。○斷絃　夫婦の縁が切れることを、楽器の弦が切れることに例える。○破鏡　『本事詩《ほんじし》』「情感」、『太平広記』巻一六六「楊素」。徐徳言《じょとくげん》とその妻が戦乱のために別れるに当たって、鏡を二つに割って片方ずつ持って、後日再会の証にした故事。○同年　同じ年の科挙及第者。義兄弟として強い絆を結ぶのが通例。○姑　父親の姉妹。○義切情親　非常に親しく情が厚いこと。○失所天　（夫を亡くしたので）天下にいるところのない。○幽明報応之説　現世での行いがあの世で報いとなって返ってくるという説。因果応報説に同じ。〇茅山道士　中国・江蘇省の茅山は、道教の一大根拠地である。ここでは李正字を不老長生、反魂の術などを行う道士に例えている。〇申申然　のびのびとくつろいだ様子。悩みの種が消えたのである。

【原文19】

卽日、正字、往于夫人前、告之。「某月某日、有及第壯元者、醉過門前、墮馬不省人事。姑氏命扶入西軒。有諸。」曰、「有之。」曰、「命英英、奉茶慰渴。有諸。」曰、「有之。」曰、「是乃姪之友、壯元金某也。爲人才器過人、調度脫俗、將大有爲之人也。不幸嬰疾、閉戸臥吟、已數月。姪朝夕往來問疾、則肥膚憔悴、氣息奄奄、命在朝夕。姪甚憐之、問疾所由、則英英爲祟也。不識、可使循諸。」夫人感激曰、「吾何惜一英英、使人以至死亡耶。」卽命英英、歸金生家。二人相見、其喜可掬。生憊氣頓蘇、數日乃起。自此、永謝功名、竟不娶妻、與英英相終云云。

【書き下し19】

即日、正字、夫人の前に往《ゆ》き、之に告ぐ。「某月某日、壮元に及第せし者有りて、酔いて門前を過ぐるに、馬より堕ちて人事を省みず。姑氏命じて西軒に扶け入る。諸《こ》れ有るや。」と。曰く、「之れ有り。」と。曰く、「英英に命じて、茶を奉りて渇《かつ》を慰む。諸れ有るや。」と。曰く、「之れ有り。」と。曰く、「是れ乃ち姪《てつ》の友、壮元の金某なり。為人《ひととなり》、才器人に過ぎ、調度は俗を脱し、将《そ》れ大いに有為の人なり。不幸にして疾《やまい》に嬰《かか》り、閉戸して臥吟《がぎん》すること、已に数月《すうげつ》なり。姪朝夕《ちょうせき》往来して疾を問うに、則ち肥膚《ひふ》は憔悴し、気息奄奄《きそくえんえん》、命は朝夕に在り。姪甚だ之を憐れみ、疾の由《よ》る所を問うに、則ち英英の祟《すう》を為すなり。識《し》らず、諸《これ》に循《したが》わしむべきや。」と。夫人感激して曰く、「吾何ぞ一英英を惜しみて、人を以て死亡に至らしめんや。」と。即ち英英に命じ、金生が家に帰《とつ》がしむ。二人相い見《まみ》えて、其の喜び掬《きく》すべし。生が憊気《こんき》頓《たちま》ちに蘇り、数日にして乃《すなわ》ち起つ。此より、永く功名を謝し、竟《つい》に妻を娶らず、英英と与《とも》に相い終ると云云。

【語釈19】　○姪　おい。檜山君夫人の男兄弟の男児の意味。すなわち李正字の父は檜山君夫人の兄弟。○嬰疾　病にかかる。○肥膚　健康で張りのある肌。○氣息奄奄　息も絶え絶えで死にそうなさま。○可掬　ありありと目に見えるようなさま。○憊気　疲れ果てた気持ち。

（付記）本作品の1～9段は李興淑、10～19段は金木利憲が担当した。

王郎返魂伝

太田陽介

作品解説

『王郎返魂伝《おうろうへんこんでん》』(왕랑반혼전《ワンランバノンジョン》)の梗概は以下の通りである。

王郎《ワンラン》は、姓は王、名は思機《サギ》といい、年は五十七歳で、妻宋《ソン》氏とは十一年前に死別した。王郎の「郎」は、男子の尊称である。ある夜、宋氏が王郎の前に現れ、大事な話があると言う。宋氏によると、自分は冥途で生前の罪について審問を受けてきたが、結審のために、明朝、閻魔王の使者の冥官が王郎を捉えに行くから、その時あなたは西の壁に阿弥陀仏の絵を掛けて、念仏をしているようにと告げる。王郎が冥官が来る理由を尋ねると、宋氏は自分たちが隣の安老宿《アンノスク》の阿弥陀信仰を誹謗したからで、冥官は王郎を捉えて、宋氏と二人の罪を審問するのだと答える。そう言って去った。

翌朝、王郎が宋氏の言いつけ通りに念仏をしていると冥官がやって来た。しかし、王郎の様子を見た冥官は、念仏する人を捕らえるわけにはいかないが、閻王の命令に背くことはできないと言って、王郎を冥府へ連れて行く。閻王は、冥官から王郎の念仏の話を聞くと、安老宿を誹謗した罪は消えたとし、王郎と宋氏を甦らせる。しかし、宋氏は死んでから十一年も経っていたので自分の肉体はなくなっていたので、閻魔王は魂を月氏国の翁主(諸侯の娘)の肉体に託して甦えらせた。その後、王郎と宋氏は残りの寿命である三十年に、さらに六十年を加えられ、百四十七歳で極楽へ転生したという。

梗概は以上の通りであるが、ここから読み取れるように、『王郎返魂伝』は借屍還魂をモチーフとしている。この点については中国の『太平広記』所収の「田先生」や、『西遊記』の「劉全」からの影響が既に指摘されている。『剪燈餘話』の「賈雲華還魂記」も典型的な借屍還魂の結末を語る。しかし、これらの作品には『王郎返魂伝』に描かれるような念仏の功徳は説かれていない。また、韓国文学では『三国遺事』の「善律」からの影響が指摘される。「善律」は、ふとしたことから冥府に堕ちた善律が、六百般若を完成させようとする功徳で還生する話である。仏教的な内容を持った話である点、また地獄が登場する点で「善律」は『王郎返魂伝』と一致しているが、両者における仏教の扱いは異なる。『三国遺事』の善律は仏教を篤く信仰しており、それが六百般若の書写という行動になり、その功徳によって善律は蘇生する。しかし『王郎返魂伝』の王郎および宋氏は、仏教を信じていないだけでなく、安老宿の念仏を誹謗して、その応報として冥界に召喚されるのだが、たった一度の念仏の功徳で蘇生し、長寿を全うすることになる。これは念仏の功徳を非常に強調していることになる。

『王郎返魂伝』と右の作品とを比較して見ると、共通点としては借屍還魂の話型、還生譚があるが、際立つのは『王郎返魂伝』における仏教の扱い方である。仏教を信仰しない王郎のような人間であっても、たった一度の念仏で過去の罪報が消滅し、極楽往生できるという功徳を強調している点を、この作品の眼目と見るべきであろう。

『王郎返魂伝』は従来、朝鮮時代の僧で仏教の中興者である普雨《ボウ》（一五一五〜一五六五年）の作と考えられてきた。それは『王郎返魂伝』が、普雨の『観念要録』中の一篇として収められているためである。『観念要録』には十一篇の往生譚が収録されているが、近年高麗刊本が発見されたことにより、普雨を原作者と見る説は否定されている。

『王郎返魂伝』が中国の漢籍や、朝鮮の説話、仏教資料などの影響を受けていることは確かであろう。また、朝鮮時代における仏教排斥の風潮の中で、普雨によって『観念要録』が編まれ、『王郎返魂伝』が採用された理由についても考える必要があるだろう。『観念要録』には『王郎返魂伝』以外に十篇の往生譚が収められている。しかしその十篇は全て中国由来の往生譚とされており、なぜ『王郎返魂伝』だけが朝鮮由来のものなのかを考える必要があろう。『観念要録』所収の他作品との比較によって、『王郎返魂伝』の位相がより一層明確になるだろう。

『校勘本韓國漢文小説』（以下、校勘本）に拠れば、本作品には諸本として以下の五本が挙げられている。

①　無題：東國大所蔵。『佛説阿彌陀經』所載。木版。大徳八年甲辰（一三〇四）九月日誌。六張。高麗刊本。

②　王郎返魂傳：各処所蔵。『勸念要錄』所載。木版。崇徳二年（一六三七）秋七月初吉日求禮地華嚴寺開刊。一二張。華厳寺刊本。

③　王郎返魂傳：各処所蔵。『佛説阿彌陀經諺解』所載。木版。乾隆十八年（一七五三）十一月日慶尚道大丘八公山桐華寺開刊。一〇張。桐華寺刊本。

④　王郎返魂傳：各処所蔵。『念佛普勸文』（蓮宗寶鑑）所載。木版。乾隆四十一年丙申（一七七六）三月日慶尚道陜川海印寺開刊。九張。海印寺刊本。

⑤　王郎返魂傳：各処所蔵。『念佛普勸文』所載。木版。乾隆五十二年（一七八六）丁未七月日全羅茂長禪雲寺開刊。九張。禪雲寺刊本。

以上五本のうち①は高麗刊本で、これは『仏説阿弥陀経』に「窮原集曰」として引かれているものであり、この時点ではまだ「王郎返魂伝」という題名は付けられていない。また『窮原集』についても不明である。②は華厳寺刊本の『観念要録』で、この『観念要録』の成立までに「王郎返魂伝」という題名がつけられたことになる。③～⑤は、校勘本の解題に拠ればこれらはすべて華厳寺刊本から出ているものと推定されている。

【参考文献】

・韋旭昇／豊福健二・柴田清継・野崎充彦『中国古典文学と朝鮮』研文出版　一九九九年三月（原著『中国文学在朝鮮』花城出版社　一九九〇年三月）
・韓普光（泰植）「朝鮮・虚應堂普雨禪師の念佛禪について」『印度學佛教學研究』第五十七巻第二号、二〇〇九年三月
・金寛雄・金晶銀『韓国古代漢文小説史略』北京大学出版社、二〇一一年一月
・太田陽介「『王郎返魂伝』の諸問題—研究の展望」『古代学研究所紀要』二十六号、明治大学日本古代学研究所、二〇一八年六月

現代語訳

【1】この王郎《ワンラン》という者は、姓は王、名は思機《サギ》、吉州《キルチュ》の人である。年齢は五十七歳で、その妻の宋《ソン》氏は既に亡くなっていた。その死から十一年経ったある夜半の午前零時頃、窓を叩いて誰かが言う。

「あなたさま、寝ていらっしゃいますか。起きていらっしゃいますか。」

　王郎が「誰だ」と言うと、

「あなたの亡妻、宋氏でございます。急ぎ大事な話を伝えようとしてやって来ました。」

と答えるのだった。

　王郎は驚き、不審に思って、「大事な話とは何か。」と尋ねると、宋氏は次のように言った。

「私が亡くなってからというもの十一年が経ちましたが、生前の罪についての審問がまだ終わりません。結審するのはあなたがこちらに来るのを待ってからにしようと、閻魔王とは以前から話し合っておりました。そこで明朝、あなたを捉えるために、閻魔王の使いとして五人の鬼が行きます。その時あなたは家の中で、阿弥陀仏の絵を西側の壁に高く掛け、東側に座り、その絵に向かって阿弥陀仏を念じていてください。」

王郎が「冥官が私を捉えるというのはなぜだ。」と聞くと、宋氏は、

「わが家の北隣に高僧の安老宿《アンノスク》という者がおります。この安老宿は、毎日早朝に、西方に向かって五十回礼拝し、毎月の望月の日には阿弥陀仏を一万遍唱えるのを業としていました。それを、あなたと私はいつも誹謗していました。このために私は囚人として冥官に捉えられ、先に罪を問われてきました。そしてあなたの来るのを待って審問し、審問が終われば、私たちは必ず地獄に堕ち、永遠にそこを出る機会はやってこないでしょう。」

と言った。

このように言い終わると、宋氏はただちに帰って行った。

【2】こういうわけで王郎は明朝、宋氏が告げたように、至って誠実に念仏をしていたが、突然五人の鬼がやってきて、庭に立ち、しばらくあたりを見回し細かく観察してから、はじめに阿弥陀仏の絵を拝み、次に王郎を拝んだので、王郎は大変驚いて、座を降りてひれ伏し、返礼をした。

使いの鬼が言った。「我々冥途の役人は閻魔王の命によって、そなたを捉えようとしてやってきた。ところが今、そなたは清浄な道場に正座して、阿弥陀仏を念じている。我々はそなたの誠実な念仏ぶりを敬うことは限りがないが、閻魔王の命令に背くことはできない。閻魔王の仰せどおりではないとしても、そなたを連れ去らないわけにはまいらぬ。旅支度をお願いしたい。」

また第三の鬼が言った。「閻魔王が下した命令は、『かの王郎をふん縛って連れて来い』というものでした。この命令に従わなければ、閻魔王の怒りの矛先は我々に向いてしまいます。」

他の鬼たちも言う。「我々は長い間、善道を修めず、それがために鬼報を受けることになり、いまだにそこから脱することができません。たとえ死罪を受けることになっても、命令だからといって念仏する人を縛るようなことは決してしません。」

第一の鬼が王郎に告げた。「そなたが山のように大きな罪を犯して、必ず地獄に堕ちることになるとしても、我々はここで見たことを、つぶさに閻魔王に奏上して、そなたを必ず人道に還すようにしよう。そんなに悲しまないでくれ。そなたがもし極楽浄土に生まれ変わったならば、我々のことを忘れないでくれ。」

そうしてひざまづいて偈《げ》を作って言った。

「我作冥間使　　我々は冥途の使いとなり
今已百千劫　　今すでに百千劫
不見念佛人　　見たことがない　念仏する人が
堕於悪道中　　悪道に堕ちるのを

そなたがもし極楽浄土に生まれたならば、我々のことを鬼報から脱出できるように祈ってくれ。」


【3】こうして王郎を冥途の役所に連れて行くと、閻魔王は使いの鬼どもに対して怒って言った。

「急いで縛って連れて来いと言ったのに、どうして遅くなったのか。」

使いの鬼が王郎の家で見たことを詳細に述べたところ、閻魔王は席から立ち上がって言った。

「立派である。王郎よ、急ぎ階段を上りこちらへ参れ。」

十王は一斉に王郎を拝して言った。

「そなたたち夫妻は昔、常日ごろ安老宿の念仏を誹謗していたため、まず妻の宋氏を捕らえ、つづいて夫である王郎、そなたを問いただしてから、悪道に堕とそうとしていたのだ。今、極悪の鬼使を遣わし、そこで見たことを聞いたところ、そなたはすでに改心し、熱心に念仏していたということだ。もはや何の罪があろうか。」

閻魔王は偈を作って言った。

「西方主彌陀佛　　西方極楽浄土の主たる阿弥陀仏は
此娑婆別有縁　　この娑婆の現世に格別の因縁がある

若不一念彼佛　　もしかの仏を一心に念じなければ
冥曹猛使難降　　冥途の猛使を心服させることは難しかったろう

夫妻を人間界に生き返らせ、速やかに彼の極楽浄土に往きなさい。我々十王も皆そなたが西方に往けるように送ってやろう。」

閻魔王は、冥途の役人の崔判官《さいはんがん》に命じて言った。

「王郎は道場を造り、懇切に念仏したため、昔犯した無限の罪報は、今すでに消滅した。これはひたすら念仏の功徳である。それゆえ夫妻をともに人間界に還し、ともに老いるまで、ともに暮らして、念仏するがよい。ところで、宋氏は死んでから長い年月が経っており、身体はなくなってしまったので、魂は誰の身体に託したらよかろうか。」

崔判官は閻魔王の命令を聴き、王郎夫妻を拝んでから、閻魔王に申し上げた。

「月氏国の翁主が、今二十一歳ですが、寿命で亡くなりました。その魂は夜摩天に生まれ変わりましたが、身体はまだそのまま現世にあります。宋氏の魂は翁主の身体に託して、人間界に還生させるのがよいでしょう。」

閻魔王は歓喜して言った。

「王郎夫妻よ、この願を忘れなければ、ただちに極楽浄土に生まれることになろう。王郎よ、よく聴け。そなたの家の北隣に住む安老宿のことはけっして誹謗してはならない。安老宿はこの世に生まれて以来、常に西方極楽浄土を尊び、この功徳によって、諸仏諸天が常に護持しているのだ。そなたは常に安老宿を父母のように供養しなさい。それから、我々の消息を安老宿に伝えてくれ。」

王郎は承諾した。

閻魔王は現世の安老宿に向かって拝礼をして言った。

「老宿、お身体はいかがですか。日々新たに堅固に精進すれば、三年後の三月の初一日に、西方の教主阿弥陀仏が紫金蓮花の座を持ってあなたをお迎えし、あなたは西方極楽浄土の上品に往生するでしょう。」

【4】閻魔王の言葉が終わると、宋氏は月氏国の翁主の身に生まれ変わった。家の者が葬儀をしようとしていたとき、宋氏は生き返って偈を作って言った。

「満堂妻子與財珍　堂を満たす妻子と財宝も
受苦當時不代身　苦を受ける時には身代わりとならない
一念彌陁消罪報　阿弥陀仏を一度念じただけで罪報は消滅した
還生延命更修真　生き返って長生きしさらに精進しよう」

宋氏は、翁主の身体によって生き返った。月氏国の王と夫人が歓喜していたとき、翁主の身に生まれ変わった宋氏が、これまでの次第を詳しく申し上げたので、王は嘆いて、王郎に詔して言った。

「私は今までこのようなことは見たことも聞いたこともない。世に言うところの夢中の瑞兆である。」

王郎は王に奏上した。

「宋氏の死後十一年間、私は他の女性と結婚せず宋氏との信義を守って、こうして再び縁を結ぶことができました。」

王郎と宋氏は喜んで月氏国王家を退出し、長寿を全うして百四十七歳でともに極楽に往生したのだった。

原文・書き下し・語釈

【原文1】

此王郎者、姓王、名思機*、吉州人也。年五十七、其妻宋氏先亡。後十一年、中夜三更、扣窓云、「郎宿耶。不宿耶。」郎云、「阿誰也。」「郎君故妻宋氏也、乍傳要意、以告之來也。」郎驚怪云。「何要事也。」宋氏曰、「我亡後十一年、問其罪而未畢、待君已決。前日閻王相論久矣。來朝捉君差使五鬼來。君宜家中彌陁幀高掛西壁、君東坐向西念彌陁佛。」郎云、「冥官捉吾何事。」宋氏云、「宅北隣居安老宿、毎日早晨、向西五十拜、毎月望日、念彌佛萬篇為業。君與我毎常誹謗、以此捉囚先問、待君問了、我等必然墮於地獄、永無出期。」言訖、宋氏即還。

〈校異〉＊思機…底本「思机」。「机」は「機」の俗字。私に改めた。

【書き下し1】

此の王郎は、姓は王、名は思机、吉州の人なり。年五十七、其の妻宋氏先に亡す。後十一年、中夜三更、窓を扣きて云く、「郎、宿すか。宿せざるか。」と。郎云く、「阿誰《たれ》か」と。「郎君の故妻の宋氏なり、乍《たちま》ち要意を伝え、以て之を告げんとして来たるなり。」と。郎驚き怪しみて云く、「何の要事なるや。」と。宋氏曰く「我亡して後十一年、其の罪を問われて未だ畢らず。君を待ちて已にして決す。前日、閻王、相論ずること久し。来たる朝、君を捉えんがために、差使の五鬼来たらん。君宜しく家中に、弥陀の幀を西壁に高掛し、君は東に坐り西に向かいて弥陀仏を念ずべし。」と。郎云く、「冥官の吾を捉うるは何事ぞ。」と。宋氏云く、「宅の北隣に居る安老宿、毎日早晨、西に向かいて五十拝し、毎月望日、弥仏万篇を念ずるを業と為す。君と我と毎常誹謗す。此れを以て捉囚して先に問われ、君を待ちて問了す。我等必ず然うして地獄に堕ち、永《とこしえ》に出づる期無し。」と。言い訖り、宋氏即ち還る。

【語釈1】○吉州　現在の北朝鮮北東部、咸鏡北道南部を指す。○中夜三更　「中夜」は夜中。「三更」は一夜を五等分したうちの第三の時刻で、季節により時間帯は異なるが、現在の時刻で午後十時すぎから午前一時頃の間をさす。○阿誰　誰か。○相論久矣　この箇所、高麗刊本は「商議」とする。「商議」は「話しあう」の意。○差使　使者。○彌陁幀　阿弥陀を描いた絵。「掛」は掛け軸様のもの。○冥官　冥界の官人。○老宿　年を取った高僧に対する尊称。

【原文2】

於是、郎明朝如其所告、至誠念佛時、忽然五鬼、來立庭中、良久回看、審諦觀察、先禮彌陁幀、次拜王郎、郎大驚下座答拜。鬼使云、「吾等冥曹承命、捉君而來。今君清浄道場、端坐勤念彌陁、吾等雖敬無已、難避閻王之命、雖不如勅、非不捉去。伏請行李。」第三鬼云、「閻王下令、『彼王郎、嚴縛将來。』不如勅、則王之所嗔、吾等可被也。」餘鬼曰、「*君我等多劫、不修善道、故今受鬼報未脱、寧受死罪、不敢以念佛者從令縛之。」第一鬼告王郎曰、「雖有犯罪如山、必入地獄、吾等所見、善奏閻王、必還人道、君不敢悲憫、君若生極樂、不忘吾等鬼使。」因跪示偈曰、

我作冥間使　　今已百千劫。
不見念佛人　　堕於悪道中。

「君若生蓮花国、念吾輩脱鬼報。」

〈校異〉＊君我等多劫…底本「若我等被多勅」。高麗刊本によって校訂した。

【書き下し2】

是に於いて、郎、明朝其の告ぐる所のごとく、至誠に念仏せし時、忽然として五鬼来たりて庭中に立ち、良や

久しく回看し、審諦に観察し、先づ弥陀の幀に礼し、次に王郎に拝す。郎、大いに驚きて下座し答拝す。鬼使云く、「吾等冥曹、命を承け、君を捉えんとして来たり。今、君清浄なる道場に、端坐して弥陀を勤念す。吾等敬すること已む無しと雖も、閻王の命を避くること難く、勅のごとくせざると雖も、捉え去らずんば非ず。伏して行李を請う。」と。第三鬼云く、「閻王の令を下すや、『彼の王郎、厳縛して将来せよ。』と。勅のごとくせずんば、則ち王の嗔る所、吾等、被るべきなり。」と。余鬼曰く、「君と我等と多劫、善道を修せず、故に今鬼報を受け、未だ脱せず。寧ろ死罪を受くとも、敢て念仏する者を以て、令に従い之を縛せず。」と。第一鬼、王郎に告げて曰く、「罪を犯せること山のごとく有りて、必ず地獄に入ると雖も、吾等の見る所、善く閻王に奏して、必ず人道に還さん。君敢て悲憫することなかれ。君若し極楽に生まれば、吾等鬼使を忘るるなかれ。」と。因りて跪きて偈を示して曰く、

我 冥間の使と作り　　今 已に百千劫
見ざるかな 念仏する人の　　悪道の中に堕つるを

「君、若し蓮花の国に生まれば、吾輩を念じて鬼報を脱せしめよ。」と。

【語釈2】 ○審諦　詳細に。○鬼使　冥界の使者で、下級役人。○冥曹　冥界の役人。○端座　正しく座る。○無已　尽きることがない。はてしがない。○行李　使節として外国へ行くことを指すが、ここでは冥界への旅支度を調えるよう催促する。○多劫　きわめて長い年月。永劫。○偈　仏典における詩のこと。多くは仏徳をたたえる内容を持つ。○蓮華国　極楽浄土。

【原文3】

已然後、到冥曹、閻王怒勅使曰、「急捉縛來、如何遅晩也。」鬼使具陳所見、王起坐立云、「善哉、王郎速階上。」

十王齊拜曰、「夫妻常曾誹謗安老宿念佛事、先囚宋氏、當問王郎、墮於悪道。今差極悪鬼使、鬼使所見聞之、君改心懺悔、勤修念佛、有何罪乎。」王因偈曰、

西方主彌陀佛　此娑婆別有縁
若不一念彼佛　冥曹猛使難降

「夫妻還返人間、遺命三十年、年加六十歳、勤修精進、念彌陀佛、速往彼刹、吾等十王、並到西方為送。」王命曹府崔判官曰、「王郎造排道場、懇切念佛、先犯無間罪報、今已散盡、唯念佛功徳、夫妻同返人間、偕老同住念佛。宋氏命終年久、皮骨散失、屬魂何處。」判官聽*閻王旨、回拜王郎夫妻、奏王、「月氏國翁主、時命二十一歳、命限已盡、故*魂今生於夜摩天、其體專在、宋氏之魂托於翁主形、還生可宜。」閻王歡喜曰、「郎君夫妻、不忘此願、速生西方、君則諦聽、君宅北居安老宿、不敢誹謗。受此身以來、常尊西方、由此功、故諸佛諸天、常護持也。君則常供養如父母、請君吾等音信、傳達安老宿」。王郎應諾。閻王向老宿拜曰、「道體如何。日新堅固、隔三年三月初一日、西方教主、持紫金蓮花座迎君、西方上品往生。」

〈校異〉＊「判官聴閻王旨」…底本「聴王命、以閻王命」。高麗刊本により改める。　＊「故魂今生於夜摩天」…底本「故魂今生來此、夜摩天報已盡、還生於天上」高麗刊本により改める。　＊翁主…底本は「公主」。私に改める。以下、原文の「公主」は「翁主」に改めた。

【書き下し3】

已にして然る後、冥曹に到れば、閻王勅使を怒りて曰く、「急ぎ捉縛し来べきに、如何んぞ遅晩せしや。」と。鬼使、具に見る所を陳ぶるに、王、起坐し立ちて云く、「善きかな。王郎速《すみやか》に階上せよ」と。十王斉拝して曰く、「夫妻常に曾て安老宿の念仏を誹謗せし事により、先ず宋氏を囚え、当《まさ》に王郎に問い、悪道に堕とさんとす。今極悪たる鬼使を差《つか》わし、鬼使の見る所を聞くに、君、改心懺悔し、勤修《ごんしゅ》念仏す。何の罪有らんや」と。王因りて

偈に曰く、

西方の主　弥陀仏は　此の娑婆に別の縁有り

若し彼の仏を一に念ぜずんば　冥曹の猛使を降《くだ》し難し

「夫妻、人間に還返するに、遺命は三十年、年六十歳を加えん。勤修精進し、弥陀仏を念ぜよ。速やかに彼の刹《くに》へ往け。吾等十王、並びに西方に到る。為に送らん。」と。王、冥府の崔判官に命じて曰く、「王郎　道場を造排し、懇切に念仏し、先に犯せる無間の罪報、今已に散尽す。唯だ念仏の功徳により、夫妻を同じく人間に返さん。偕老同住して念仏せよ。宋氏命を終えて年久しく、皮骨散失す。魂を何処にか属《つ》けん。」と。判官、閻王の旨を聴き、王郎夫妻を回拝し、王に奏す。「月氏国の翁主、時に命二十一歳。命限ありて已に尽き、故に魂、今、夜摩天に生まれ、其の体専ら在り。宋氏の魂、翁主の形に托し、還りて生を宜くすべし。」と。閻王歓喜して曰く、「郎君夫妻、此の願を忘れずんば、速やかに西方に生まれん。君、則ち諦聴せよ。君の宅の北に居する安老宿、敢て誹謗せざれ。此の身を受けて以来、常に西方を尊び、此の功に由り、故に諸仏諸天、常に護持するなり。君、則ち常に供養すること父母のごとくせよ。請う、君、吾等の音信、安老宿に伝達すべし。」と。王郎応諾す。閻王、老宿に向かいて拝して曰く、「道体如何。日新堅固せば、三年を隔て三月の初一日、西方の教主、紫金蓮花の座を持ちて君を迎え、君、西方の上品に往生せん。」と。

【語釈3】　○十王齊拝　「十王」は冥府で亡者を裁く十人の王。秦広王・初江王・宋帝王・五官王・閻魔王・変成王・太山王・平等王・都市王・五道転輪王。特に閻魔王のみをいう場合もあるが、ここでは「齊拝」とあるので、閻魔王以外の十王も王郎を拝している。○崔判官　生死を管理する冥府の官僚。『太平広記』巻三百十四「崔練師」にその名が見え、明刊本『西遊記』の唐太宗入冥譚に登場する。○月氏國　「月氏」は古代中国、西域の民族名を指す。なおこの箇所、高麗刊本では「越氏國」とする。○翁主　諸王または諸侯の娘。○夜摩天　六欲天の第三。昼夜の別がなく、蓮の開閉で時を知るという。一昼夜は人間界の二百年に相当し、寿命は二千年という。○道體　貴人の身体。ここでは安老宿の身体。○西方教主　阿弥陀仏のこと。

【原文4】　言訖還生本家、家人欲葬時、還生偈曰、

　満堂妻子與財珍　　受苦當時不代身
　一念彌陁消罪報　　還生延命更修真

宋氏托翁主身還生、王與夫人歡喜時、翁主生身、具陳上事、王嘆之、詔王郎曰、「朕曾不見此事、所謂夢中之瑞。」王郎卽奏言、「宋氏十一年間、不思餘親、唯守前信、乃遇重親」歡喜而退、延壽一百四十七歳後、同生極樂也。

【書き下し4】　言訖りて本家に還生す。家人葬らんとする時、還生して偈に曰く、

　満堂の妻子と財珍　　受苦　時に当たりて身に代わらず
　彌陁を一念せば罪報消え　　還生延命して更に修真す

宋氏、翁主の身に托して還生し、王と夫人と歓喜する時、翁主の生身、具に事を陳上すれば、王之を嘆じ、王郎に詔して曰く、「朕曽て此の事を見ず、所謂夢中の瑞なり。」と。王郎即ち奏して言わく、「宋氏、十一年間、余親を思わず、唯だ前信を守り、乃ち重親に遇う。」と。歓喜して退き、延寿一百四十七歳の後、同じく極楽に生まるなり。

【語釈4】　○餘親＝他の親族。それ以外の親族。○重親＝重ねて縁組みをすること。ここでは王郎と宋氏が婚姻関係に復したことをいうか。

解説に代えて――韓国漢文小説へのアプローチ

野崎充彦

一、はじめに――韓国古典文学史の困難さについて

日向先生から私に与えられた課題は、訳出された作品を中心に韓国漢文小説の文学史的な解説を、というものだが、これには少なからぬ困難が伴う。というのも、韓国の古典小説は士大夫の手になる一部の作品を除いて、作者・成立年代が不明なため時系列的な記述には適さず、特に朝鮮王朝前期は小説と見なせるほどの作品自体が乏しい。そのため、日本文学的な感覚からすればとても文学史の態をなさず、あたかも「不毛」のように見えてしまうからである。

しかし、それは皮相の見というものだろう。なぜなら、この時期は来たるべき文学的開花への「大いなる助走」として、さまざまな文化的営みが時代の水面下で胎動していたからだ。問題はそのような活力と豊饒なる可能性を孕みながら、何ゆえそれらが充分に開花発展しえなかったのか?である。言い換えれば、描かれたことのみならず、描かれなかったことの意味を問う、それが却って理解の捷径になるかも知れないということだ。本稿はそのような視点に基づくものである。

壬辰倭乱《じんしんわらん》を経た朝鮮後期に至ると作品数は急激に増加するものの、主人公・舞台とも朝鮮ではなく中国に仮託したものが多く、また、似たような結構をもつ作品が繰り返し登場する傾向が強い。つまり、匿名性・抽象性・類型性をその特徴とするといえよう。そのため、ここでも通常の文学史的な叙述は厄介で、ジャン

ルごとに整理されることが多い。ところが、そのジャンルなるものも中国や日本文学とは似て非なる面があり、微妙な齟齬が生じやすいのである。そこで、まず韓国の文学事情に不慣れな日本の読者のためにここでその一端を紹介し、概略的な把握の一助としておこう。

二、朝鮮古典小説の諸ジャンル

〈伝奇小説〉

本来、伝奇とは中国唐代に形成された漢文小説の一種で、朝・日・ベトナムなど広く漢文化圏に広がった。朝鮮では新羅末高麗初めの唐への留学経験者によってもたらされ、『新羅殊異伝』（編著者不祥）をその嚆矢とする。[1] 特に、「崔致遠」は挿入詩による抒情の深化や、主人公の孤独さの描写などが評価されるが、まだまだ説話的な性格が強かった。

明の瞿佑（一三四一～一四二七年）の『剪燈新話』を換骨奪胎した金時習（一四三五～九三年）の『金鰲新話』こそは本格的な朝鮮小説の始祖といえよう。[2] そこに含まれる五つの作品はいずれも主人公が異界（または冥界）の異人（または鬼神）と出会い、最後は自らも現世から姿を消すという物語で、文人小説らしく洗練された漢詩文の表現が効果的に用いられ、高い完成度を示している。

伝奇小説は、権韠の（一五六九～一六一二年）の『周生伝』や、趙緯韓（一五五八～一六四九年）の『崔陟伝』、それに『雲英伝』（世宗の第三子である安平大君に仕える宮女雲英と金進士が禁断の恋の末、非業の死を遂げる悲恋譚。作者不詳だが、柳泳とする説がある）などに受け継がれていくが、十八世紀に入ると衰退してしまう。

〈夢遊録小説〉

文字通り夢の世界を描いたもので、ある人物が夢の中で一群の人々と出会い、そこで闘わされる討論や宴の場に陪席し、宴が終るとともに覚醒するという共通した構造を持つが、もとは『剪燈新話』巻四の「龍堂霊会録」で伍子胥が范蠡を罵倒した設定に因むもの。日本では『伽婢子』巻五の「幽霊評諸将」などに影響を与えた[3]。登場人物は実在もしくは架空だが、いずれの場合も現実世界に対する批判や諷刺が込められ、強い寓意性を帯びている。

世祖（朝鮮第七代）に王座を奪われた端宗（世祖の甥）の復位を謀って惨殺された死六臣が登場する『元生夢遊録』（作者には林悌と元昊の二説あり）、尹継善（一五七七～一六〇四年）の『達川《たつせん》夢遊録』（壬辰倭乱の激戦地で戦没者の鬼神が敗戦の責を問う）のほか、『皮生《ひせい》夢遊録』『金華寺夢遊録』『大観斎夢遊録』などが知られる。夢遊録は十五世紀に登場して以来、開化期に至る近代のはじめまで連綿と続く。それは社会参与を旨とする士大夫の問題意識の反映であったからである。

なお、同じく夢をモチーフにしたものであっても、天界から地上へ謫降された主人公が八人の美女と結ばれるロマンを描いた金萬重（一六三七～九二年）の『九雲夢』や、李庭綽（一六七八～一七五八年）の『玉麟夢』などでは、夢は思想的・宗教的覚醒の契機として利用され、夢遊録とは性格が異なるため〈夢字小説〉として別個に扱われることが多い。

〈英雄軍談小説〉

非凡な主人公が様々な困難に遭遇するも、戦乱などで功を挙げ活躍するサクセスストーリー。奸臣の陰謀によって一家離散となった劉忠烈が避身中に得た道術で奸臣を討ち、夷狄を撃退して国家の危機を救う『劉忠烈伝』。幼くして孤児となった蘇大成が李尚書の娘彩鳳と佳縁を結ぶも、尚書の死後、義母に疎まれて家を追われ、放浪中老僧から道術や宝剣を得、中原に侵入した胡国を撃破して皇帝を救い、妻とも再会する『蘇大成伝』（両作品とも作者不詳。舞台は中国の明）のほか、『張豊雲伝』や『張雄伝』などが知られる。

壬辰倭乱で活躍する実在架空の武将の活躍を通じ、朝鮮の〝精神的勝利〟を描く『壬辰録』や、丙子胡乱で孤軍奮闘のすえ謀殺される実在の将軍の悲劇を描いた『林慶業将軍伝』などは同じく戦乱を背景とするものだが、それらは通常〈軍談小説〉と呼ばれ、ここにいう英雄軍談小説とは別ジャンルとされる。

〈大河小説〉

朝鮮後期、才子佳人の結びつきを軸に家門の栄枯盛衰を描いた大長編小説が登場した。主人公が複数存在し、したがってストーリーも複線的に展開するなど、通常の小説とは構成が全く異なるうえ、『柳孝善行録』と『劉氏三代録』『聖賢公淑烈記』と『林氏三代録』などのように、それぞれ前篇・後篇をなす場合も少なくない（しかも、作者が異なる）。中でも『玩月会盟宴』は百八十巻百八十冊という大長編で、おそらく世界一であろう。作者には没落両班のほか、宮廷図書館である楽善斎に多く所蔵されていたことから、小説読者から作者に転じた「コリアの紫式部」ともいうべき宮廷女性作家の存在が考えられる。

〈パンソリ・野談系小説〉

パンソリとは森羅万象を声で演じる伝統口承芸で、『春香伝』や『沈清伝』など十二マダンとよばれる代表的な演目がある。[4] その中から文字表記によって定着したものをパンソリ系小説と呼び、数こそ少ないものの民衆芸能に起源をもつものとして貴重なものである。

漢文説話である野談のなかで、特に小説的な完成度の高いものを漢文短編、もしくは野談系小説と呼ぶ。[5]実学派の巨匠朴趾源（一七三七〜一八〇五年）の社会風刺に満ちた「許生伝」や「両班伝」「虎叱」はその代表格であり、[6]死んだ子さえ脅しのネタに利用する醜い親の姿（「成進士伝」）など、市井にうごめく人間の欲望世界をシニカルに描いた李鈺（一七六〇〜一八一二年）などもこの系列に属する。

〈天君小説〉

唐の韓愈が毛筆を擬人化した「毛穎伝」に始まる仮伝体（もしくは擬人体小説）は漢文化圏で多くの模倣作を産んだ。しかし、人の心を国王とし、そのもとに仕える四端七情（惻隠の情など心の働き）を臣下として、あるべき国家像を描く天君小説なるジャンルは朝鮮だけに出現したものである。師の曺植《そうしょく》の説いた心性論にもとづき金宇顒《きんうおう》（一五四〇〜一六〇三年）が「天君伝」を書いたように、朱子学を奉じた朝鮮士大夫の理想世界をこれほど直截に反映したものはない。現在まで八種の作品が確認されている。[7]

但し、これら以外にも〈理想小説〉や〈倫理小説〉といった概念を設定することも可能だし、[8]また一つの作品が複数ジャンルの性格を帯びることも少なくない。ジャンル区分なるものはあくまで便宜的かつ相対的なもので、それだけでは作品を整理し、その概観を知るには便利ではあっても、それらの由って来たる所以までには及ばず、表面的な咀嚼にとどまってしまおう。

三、近世小説を準備したもの――成任と林羅山の役割

その限界を超えるために、ここでは二つの手立てに拠ることにしたい。まず、一つめは歴史的・社会的な環境論だが、それを扱うには比較的な視野が有効だろう。なぜなら、一国主義では何が特異かは不明瞭であ

り、それを比較考量する対象があってこそ初めて見定められるからである。ここでは、朝鮮王朝および江戸幕府の初期に活躍した二人の儒者、成任（一四二一〜八四年）[9]と林羅山（一五八三〜一六五七年）を例にあげよう。

国も時代も異なる二人であるが、ともに儒学（朱子学）を基盤とし、新たな政治権力の中枢にあって、博物学的知識の広さを誇った。また、注目すべきは彼らの怪異なるものについての関心の深さである。両者ともに自ら筆を取って小説を創作することはなかったものの、中国志怪類の積極的な紹介は自国の文学の発展に大きな影響を与えた。その影響には二つの意味があるだろう。一つは外国の文学作品の素材や叙述形態の導入であり、もう一つは自国が生んだ怪異譚へのさらなる関心の喚起である。その文学的、および文化史的な意義は小さくない。なお、羅山と文学の関わりについては、すでに先学の指摘があるが[10]、ここでは成任ら朝鮮士大夫の著作との親近性に重点を置くことにする。

成任が一四六二年に刊行した『太平広記詳節』は『太平広記』五百巻をおよそ十分に一に縮めたものだが[11]、構成・内容には若干の違いがある。まず、編目および細目については、『太平広記』では九十二個の編目を百五十二個の大小の細目に分けているのに対し、『太平広記詳節』では細目を独立した百四十三個の編目に再編し、大小の区別は無くしている。内容的には、異僧・報恩・再生・方士・妖怪などの説話の選択は『広記』に比べ、『詳節』では少なく、逆に吝嗇・豪侠・奢侈・才婦・妬婦など人物逸話的なものが多い。それはいずれも十五世紀朝鮮社会の現実志向的な嗜好を反映したものであり、『筆苑雑記』『慵斎叢話』『青坡劇談』などにおける人物逸話の豊富を導いたものとされる[12]。

しかし、外国文化を受容さえすれば、それを直ちに消化、利用できるわけではない。受容が単なる受容にとどまらず、自国文化への関心を高め、その再「発見」をもたらすまでに至るには時代的・個人的条件が必要とされよう。成任が編纂した『太平通載』（一四九二年頃刊行）には、『広記』以外の様々な中国文献（史記・後漢書・三国志・唐書・晋書・世説新語・名臣言行録・事林広記・事文類聚・真仙通鑑・勧善書・剪燈新話・剪燈餘話・笑苑千金など）に加え、『三国遺事』や『高麗史』『破閑集』、それに『新羅殊異伝』まで含まれており、成任の自国文化・文学に対する意識が明瞭にうかがわれる。それこそは朝鮮初期という時代に生まれ、王朝および自らのアイデンティティーに自覚的だった成任なればこそ、体現しえたものといえよう。

一方、周知のように林羅山には怪異譚に関する著作が多い。『怪談全書』『恠談』『怪談録』『幽霊之事』『狐媚鈔』がそれらである。[13]『怪談全書』（一六八九年刊行）は後人の手が加わった可能性があるものの、羅山の著作をもとにしたものとの見解が有力であるが、[14]ここではその引用書目に注目したい。

『狐媚鈔』はすべて狐に関する怪異譚からなり、『太平広記』（巻四四七～四五五）所収の狐譚を抜粋した『狐媚叢談』を抜粋、翻訳したものである。『怪談全書』『恠談』『怪談録』『幽霊之事』には重複する話が多いが、そこで引用される主な書目は次の通り。

後漢書・魏書・呉越春秋・国語・左伝・三国志・風俗通・事文類聚・幽冥録・捜神記・異聞録・説淵・説海・太平広記・広異記・清尊録・夷堅志・離魂記・剪燈新話

史書・類書・説話集・伝奇小説など、一見して成任の『太平通載』との類似性が見て取れよう。この類似には単なる偶然以上のものが感じられる。羅山が成任の親友であった徐居正（一四二〇～九二年）の『筆苑雑記』や末弟である成俔（一四三九～一五〇四年）の『慵斎叢話』などに親しんでいたことは確かなものの、[15]『太平通載』を読んだとの証拠は無い。しかし、林羅山とほぼ同時代の松下見林（一六三七～一七〇三年）の『異称日本伝』巻下三には『太平通載』からの引用がみえるので、[16]同書が江戸時代前期に存在したことは疑いなく、羅山も読んだ可能性は高いだろう。[17]

以上、見てきたように、近世日朝の士大夫・儒者と文学との関わりには少なくないものがあった。羅山の怪異趣味は浅井了意（?～一六九一年）らに影響を与え、その後の江戸文学に大きな軌跡を残したことは周知の通り。一方、成任の先駆的な活動は成俔や金時習らを刺激したものの、散発的な成果しかもたらさなかった。無論、そこには当該の時代に至るまでのそれぞれの文学的な諸条件が異なることは否めないが、朝鮮文学の場合、それ以外にも小説の発展を束縛した「内なる制約」があった。次にそれを見てみよう。

四、儒教なるものの桎梏

儒教が朝鮮文学の発展を阻害したとの言説はこれまで無数に繰り返されてきた。しかし、そこでいう儒教とは、或るときは儒教経典、もしくはその解釈学であったり、或るときは漠然たる儒教的徳目であったり、また或るときは儒教（朱子学）を国是とした国家が作り出した社会制度であったりと、その実態が異なるにも拘らず、その曖昧さに無自覚なまま朝鮮なるものを語るのに最も簡便な道具として乱用されてきたと言っても過言ではないだろう。

例えば、朝鮮古典小説で最もポピュラーな『洪吉童伝』は「父を父と、兄を兄と呼べない」庶子差別で知られるが、[18]それは決して儒教経典からダイレクトに導きだされたものではなく、既得権を守ろうとする士大夫階級の内なる要求が生み出した朝鮮的制度に過ぎないのである(女性の再嫁禁止も同様)。言うまでもなく、こうした「朝鮮化」は至るところに見受けられものの、それを踏まえて文学作品を考察した論稿は極めて少ない。この課題に果敢に挑んだのが鄭順姫氏の『日本近世中期における中国文学受容―李朝と比較して』である。[19]

鄭氏はまず都賀庭鐘（一七一八～九四年）の『繁野話』所収の作品と朝鮮翻案小説『月峰記』を事例に改

作部分を原作と比較し、その「道義化」の様相と意味の違いを指摘。先行研究でも日本では中国文学の影響のもとで同義化が深化したし、韓国では中国よりも一層リゴリスティックな傾向を帯びるのは朝鮮社会の内在的伝統にもとづくとされる。[20]そこで鄭氏は権韠の『周生伝』をとりあげ、妓女徘桃の自己犠牲的な行動にみえる道義化は家父長的倫理観の反映のみならず、人間内部の道徳的な本姓（本然の性）の内在を信じ、その発現を重んじた朝鮮作家の道徳志向的な精神の投影の産物だとするのである。[21]このような朝鮮社会の〝本然の性〟に対する厚い信頼を支えるものとして、鄭氏は李退渓の思想を取り上げ詳細に論述するのだが、[22]残念ながらここでは割愛する。

さて、日本とは異なり、朝鮮小説は中国文学から男女間の愛情を描くことを学んだというのは韓国における定説だが、鄭氏はその様相を再検討し、朝鮮時代の作家が時には大胆な情欲の描写も辞さなかったのは「当代支配階級に対する反発」であり、抵抗精神だとする。[23]興味深い見解だが、私には愛情モノを中国から学んだこと、つまり内発的なものではなく外来であったことが作品における欠陥もしくは欠落をもたらした原因だったように思えてならない。

例えば、『周生伝』はそもそも舞台も主人公も中国人のうえ、結末が急転直下でしかも曖昧。『相思洞記』は十六世紀初めの設定だが、まるで時代性が感じられない。『憑虚子訪花録』に至っては丙子胡乱という国家的危機も馬耳東風とばかりに、内面的な葛藤は恋情のみというのは士大夫というより人間として理解しかねる。唯一『崔陟伝』は壬辰倭乱という未曾有の災厄に見舞われながら、数々の困難を乗り越え、夫婦親子が再会を果たすという感動ストーリーで、今日の読者にも深い感銘を与えよう。恐らくは、倭乱の衝撃が常套的な叙述の定型を変容させたものと思われる。とはいえ、倭乱を題材にした作品群全体からいえば、類似のモチーフを持つものは幾らでもあるし、[24]また描写のリアリティーからいえば、倭乱のさなか一族郎党を率いて逃避行を続けた呉希文の日記『瑣尾録』の迫真性には遠く及ばないのである[25]。

五、おわりに

解説といいながら最後は辛口の評ばかりという、些か異色の結末になってしまった。韓国古典文学に馴染みのない日本の読者が初めて作品に触れたとき、おそらく感ずるであろう当惑や違和感を少しでも和らげられればとの思いからだったが、或いは、いらざる口出しだったかも知れない。伏してご海容を願う。

最後に、本国でもいまだ行き届いた注釈の乏しい原作に詳細な語釈を加えたうえ、こなれた現代語訳まで添えた研究会メンバーの労苦に心から敬意を表したい。願わくば、あとに続くもののあらんことを！

（1）『新羅殊異伝』小峯和明・増尾伸一郎編訳（平凡社東洋文庫　二〇一一年）。
（2）『金鰲新話　訳注と研究』（早川智美　和泉書院　二〇〇九年）。
（3）麻生磯次『江戸文学と中国文学』五十三頁（三省堂　一九四六年）。
（4）『パンソリ』姜漢永・田中明訳注（平凡社東洋文庫　一九八二年）
（5）野談については、拙訳『青邱野談』（平凡社東洋文庫　二〇〇〇年）の解説参照。
（6）「許生伝」以下の三作品は『熱河日記』今村与志雄訳注（平凡社東洋文庫　一九七八年）所収。
（7）これらのジャンルと作品概説は拙稿「古典文学」（『新版　朝鮮を知る事典』所収　平凡社　二〇一四年）に基づく。
（8）たとえば、金起東『韓国古典小説研究』（教学社　一九八一年　ソウル）など。

（9）　世祖・成宗代に活躍した文人官僚。円覚寺碑石などを書いた名筆でもあった。著書には『太平広記』を抄録した『太平広記詳節』や、中国や朝鮮の異聞を集めた『太平通載』があって、成侃や成俔ら弟のみならず、徐居正や姜希孟ら同時代人との交友を通じて多大な影響を与えた。

（10）　・長沢規矩也「怪談全書の著者について」（法政大学国文学会編　『国文学誌要』第三巻二号）、「怪談全書・奇異雑談集についての疑問」（愛知大学文学会編『文学論叢』一九五七年）。

・中村幸彦「羅山の翻訳文学」（『中村幸彦著述集』第六巻　一九八二年　中央公論社）。

・日野龍夫「儒学思想論」（『日野龍夫著作集』第一巻江戸の儒学所収　二〇〇五年　ぺりかん社）。

（11）　『太平広記詳節』の完本は現存しないが、その復元を試み、訳注と影印を比した労作が刊行されている（金長煥・朴在淵・李来宗　校勘『太平広記詳節』延世国学叢書　二〇〇五年）。

（12）　「『太平広記詳節』について」（金長煥・朴在淵・李来宗　校勘『太平広記詳節』所収　延世国学叢書　二〇〇五年）。『筆苑雑記』『慵斎叢話』『青坡劇談』はいずれも十五世紀朝鮮の随筆集である。

（13）　いずれも『仮名草子集成』（巻十二・二十七）に所収（東京堂出版　一九九一年）。

（14）　・長沢規矩也「怪談全書の著者について」「怪談全書・奇異雑談集についての疑問」（前出）。

・中村幸彦「羅山の翻訳文学」（前出）。

（15）　なぜなら、羅山は朝鮮通信使との会談を何度も行っているが、そのうち寛永十三（一六三六）年の会談で、正使は白絖、従使は金世濂に対し、『慵斎叢話』の温泉説に対する疑問をぶつけたり、『筆苑雑記』の檀君神話に対する批判をそのまま援用して通信使を問い詰めようとしているからである（『羅山先生文集』巻十四）。

（16）　引用は『太平通載』巻七十五「草」とあり、姜希顔（一四一八〜六四年）の『養花小録』を出典とする。因みに、姜希顔の弟である姜希孟は成任とも親交があった。

（17）全一〇〇巻と推定される完本『太平通載』はまだ発見されておらず、現存する七～九巻、二十八・二十九および六十五～六十七巻などの残巻のみである（影印本『太平通載』学古房　二〇〇九年ソウル）。つまり、『異称日本伝』に引用された『太平通載』巻七十五は今日の韓国では失われた「幻」の部分であり、それが確認できたことは極めて貴重だといえよう。

（18）拙訳『洪吉童伝』解説参照（平凡社東洋文庫　二〇一〇年）。

（19）鄭順姫氏『日本近世中期における中国文学受容―李朝と比較して』（京都大学博士学位論文　二〇〇〇年三月）。

（20）同前、第一章翻案小説における「道義性」志向

（21）同前、第二章両国における「道義化」様相の差異

（22）同前、第三章二―1　本然の性の否定

（23）同前、第三章李朝小説における主題継承の特徴とその背景

（24）拙稿「倭乱文学の位相――「崔陟伝」はどこに位置するか」（『古代学研究所紀要』二十六号　明治大学　二〇一八年）

（25）拙稿「『瑣尾録』に見える奴婢の生態について」、『韓国語文学と文明の交流』（韓国語文研究会　二〇一八年十一月）。

■作品関連地図

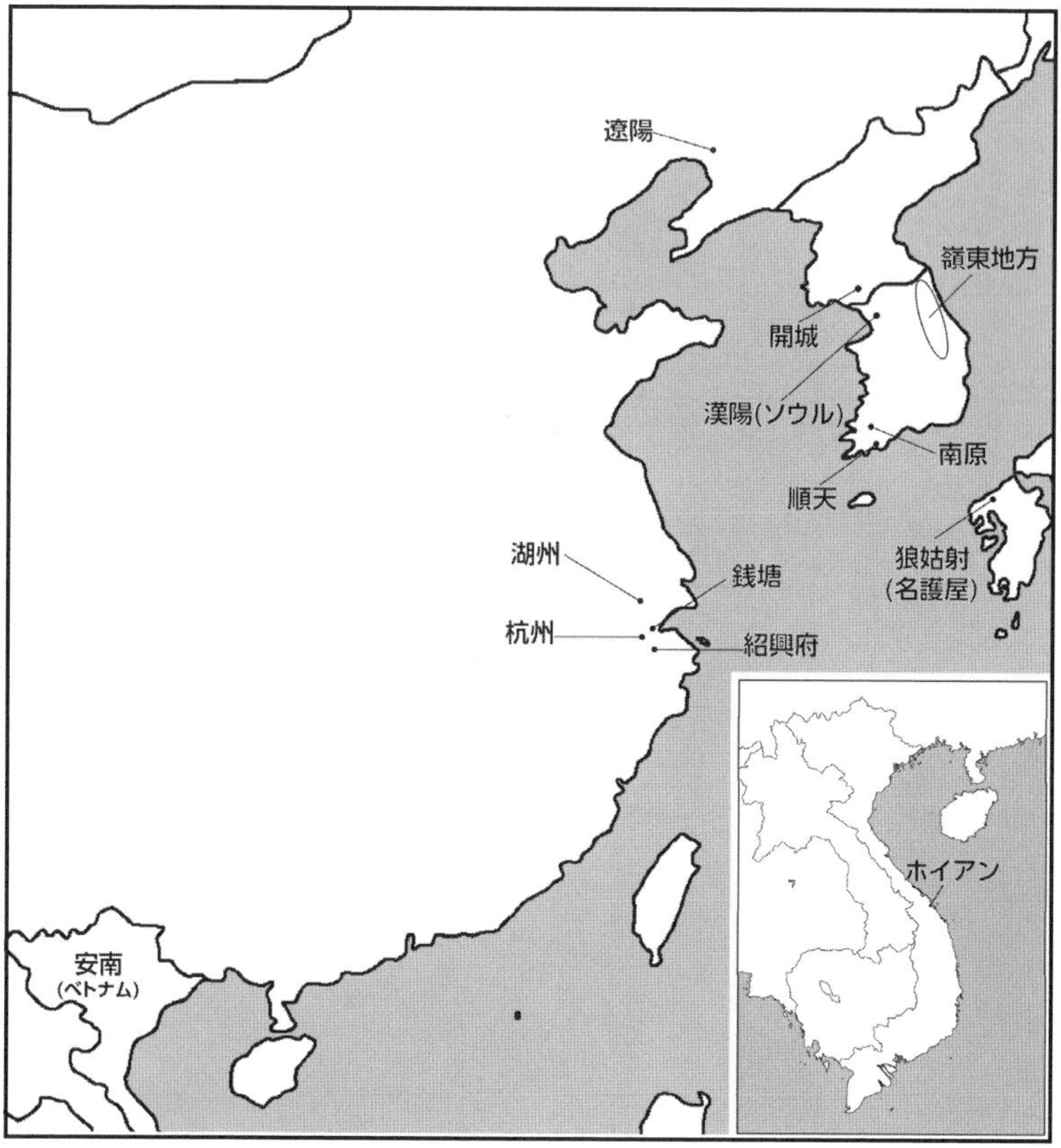

あとがき

日向一雅

本書は韓国漢文小説の「伝奇」小説の翻訳である。この訳注を行ったメンバーは明治大学大学院で日本古典文学や中国古典文学を専攻した者であって、私を含めて韓国文学の専門ではない。それがどうして専門外の韓国漢文小説の翻訳をしようなどと思い立ったのか、編者としてその経緯について簡単に触れておきたいが、少し個人的なことにわたることになるのをお許しいただきたい。

今回の「伝奇」小説翻訳の直接のきっかけは、二〇一二年に明治大学に客員教授として来られた張孝鉉高麗大教授から、本書の底本にした「校勘本韓國漢文小説」叢書の寄贈を受けたことであった。内訳は『傳奇小説』『愛情世態小説』『家庭家門小説』『寓言寓話小説』『夢遊録』『英雄小説』の六分類、七冊の作品集で、きわめて詳細な校異を付したものである。私は平安文学や源氏物語の関連で唐代伝奇には関心を持っていたので、朝鮮時代に「伝奇」小説が書かれていたということに驚いて読み始めてみたが、とても一人では手に負えないと分かり、大学院で平安文学を専攻した太田陽介君に話をしてみると、乗り気になったので、次に同じ平安文学専攻の留学生であった金孝珍さんや、牧野淳司氏にも話をしてみると、面白そうだということで読書会を始めることにしたのだった。

第一回の読書会は二〇一五年一月である。その時には巻末記載の研究会メンバーの大部分がそろったが、韓国文学研究者はいなかった。それ以来ほぼ月一回のペースで五作品を読んできた。各作品の担当者が原文、書き下し文、校異、語釈、現代語訳の原稿を作成し、それを基にして検討するという形で続けた。私自身は連絡、調整役程度のことしかしてこなかったので、今にして思うと、よくここまで漕ぎ着けたものだと、担当者の努力と研究会メンバーの熱意に敬服する。研究会をはじめて一年後、鄭雨峰教授が客員教授として来られ、その前後に野崎充彦教授や甲斐雄一氏が参加されて、韓国古典文学、漢文学の専門家が加わり、韓国漢文小説研究会らしい体裁が整ったことが、今につながったのだと思う。

その成果を韓国テサン財団の翻訳出版支援を受けて出版するようにと勧めてくれたのが鄭雨峰教授である。二〇一七年四月に応募し、八月に採用通知が届いてから、中間報告の提出などを経て、二〇一九年五月に最終的な審査報告書が届き、報告書の指摘を受けて検討修正をし、同年九月に完成原稿を提出した。テサン財団には心から感謝申し上げたい。

以上が本書の翻訳出版に至る大まかな経緯であるが、ここに至るまでに明治大学と高麗大学校の文学部、大学院文学研究科の長年にわたる教育研究の交流があったことにも触れておきたい。

まず個人的なことになるが、私にとって最初の韓国体験は、一九八九年三月から一年間、韓国外国語大学校に国際交流基金の派遣で赴任したことだった。この時お世話いただいたのが金鍾徳教授である。はじめての心細い外国暮らし当たって、氏のこまやかなご配慮には感謝に堪えなかった。また延世大学校の薛盛璟教授の研究室を訪ねて韓国古小説研究の話を聞き、日韓古典文学について語り合ったことも忘れがたい。この年は学生運動が盛んで、韓国外大正門の前では学生と機動隊が対峙して、催涙ガスが教室に流れ込み授業が続けられなくなることが再三あった。

余談であるが、一九八九年は二月に昭和天皇の葬儀が行われたが、その年の五月にソウルでは梨本宮家から李王家の皇太子、李垠に嫁いだ方子氏の葬儀があった。これは韓国では王家の最後の葬儀として行われたとのことであった。昌徳宮から宗廟までのメインストリートを、カラフルな制服の太鼓や笛の楽隊、旗指物を持った人々の葬列が方子氏の霊柩車を中心に延々長蛇の列を組んで葬送した。テレビで見た昭和天皇の黒づくめの荘重、厳粛な葬儀との違いが印象深かった。

それはさておき、その後科研費による韓国の儒教、仏教、民間信仰等の調査をする機会があり、金鍾徳氏、朴銓烈中央大教授、崔吉城教授の案内で韓国各地を三年にわたり回ることができた。韓国文化の深い層に少し触れた気がした。『三国遺事』の作者一然ゆかりの寺などを高雲基漢陽大教授に案内してもらったのもありがたかった。

その後二〇〇六年、延世大学校の許敬震教授主催の研究発表会で沈慶昊教授と知り合い、それが縁で沈教授の尽力があって、二〇〇八年度から明大と高麗大との間で、まず文学を中心に、その後歴史、考古学を併せて大学院生の教育研究交流が始まった。二〇〇九年八月に高麗大での研究発表会の時に、沈教授の案内で安東の河回地域見学ツアーが組まれた。途中で韓国国学振興院に立ち寄り、儒教文化博物館の版木の収蔵を見学した。海印寺の八万大蔵経に匹敵するかと思われるほどの版木コレクションは壮観であった。近世における印刷文化の体系的な研究のための根本史料であり、その保存を兼ねた研究施設が整備されていることに感心した。日本でも歴史民俗資料館のような所で体系的に収集すべきではないかと思ったものである。

もう一つその時珍しい発見をした。投壺は壺に矢を投げ入れる平安時代の遊戯である。『倭名類聚抄』（九三〇）四「雑芸」に載るが、その投壺が韓国国学振興院の庭に置かれていたのである。双方の学生、教員が対抗戦をして、最後の私の一投で明大が勝った。文雅の遊戯に供せられるものと『古事類苑』には説明されるが、平安文学を学ぶ者としては思いがけない発見であった。

同じ頃に明大文学部に海外から客員教授を迎える制度ができたので、高麗大からは国文学や漢文学の教授を一年ないし半年招聘するようになった。これまで来られた先生方の名前を挙げると、故印権煥教授、沈慶昊教授、張孝鉉教授、尹在敏教授、鄭雨峰教授、李相雨教授である。むろん他大学から来られた先生方も何人もいる。こうして韓国文学の先生方と知り合いになれたことは本当に幸いであった。二〇一二年に定年退職したが、その後も両大学の間では考古、歴史、文学のシンポジウムや研究発表会を毎年開催してきた。文学関係はもっぱら牧野淳司氏の尽力による。

本書に直接関わることとしては、二〇一七年七月に牧野氏のコーディネートによって、「韓国愛情伝奇小説の世界―翻訳紹介の意義と研究の展望―」と題して、本書五作品の訳注担当者の研究発表と、韓国文学の専門家である野崎充彦氏、染谷智幸氏、小峯和明氏を招いてシンポジウムが行われた（『古代学研究所紀要』26号、明治大学古代学研究所）。これは本書をまとめる上での大事な一里塚であった。

個人的な回想に片寄りすぎたと思うが、専門でない韓国漢文小説の翻訳を思い立った機縁を自分なりにたどってみると、長々述べたような経緯があったと思う。駄弁はお許しいただきたい。

最後に本書の出版に当たって、テサン財団との連絡役を勤めてくれた金孝珍さん、印刷用データ作成と校正に当たってくれた太田陽介君の二人のご苦労も特に記しておきたい。そして何よりこのような時流にそぐわない本書の出版を引き受けてくださった白帝社・佐藤康夫社長と、編集の伊佐順子氏のご高配、ご協力に心から感謝申し上げる。

二〇二〇年八月　コロナ禍の夏に

韓国漢文小説研究会会員

李興淑（い・ふんすく）
一九六八年生。明治大学大学院文学研究科博士後期課程修了。博士（文学）。専攻は平安文学。明治大学兼任講師。
論文：「源氏物語の戌亥の町の「対二つ」について―神社の植物及び回廊を媒介に―」物語研究会『物語研究』13、二〇一三年。「光源氏の音楽論と女楽―礼楽思想を媒介に―」高麗大学校『Journal of Korean Culture』21、二〇一二年。

伊與田麻里江（いよだ・まりえ）
一九八五年生。明治大学大学院文学研究科博士後期課程修了。博士（文学）。専攻は近世文学。明治大学文学部助教。
論文：「山東京伝『復讐奇談安積沼』の創作手法」『近世文藝』111、二〇二〇年。「山東京伝『双蝶記』の創作法」『読本研究新集』10、二〇一八年。「山東京伝と岸本由豆流の交流」『江戸の学問と文藝世界』森話社、二〇一八年。

太田陽介（おおた・ようすけ）
一九八〇年生。明治大学大学院文学研究科博士後期課程単位取得退学。修士（文学）。専攻は平安文学。攻玉社中学・高等学校教諭。

論文：「『王郎返魂伝』の諸問題：研究の展望」明治大学『古代学研究所紀要』26、二〇一八年。

甲斐雄一（かい・ゆういち）

一九八二年生。九州大学大学院人文科学府修了。博士（文学）。専攻は中国文学。明治大学文学部専任講師。

著書：『南宋の文人と出版文化―王十朋と陸游をめぐって―』九州大学出版会、二〇一六年。

論文：「『名公妙選陸放翁詩集』所収の陸游詩について」『日本宋代文学学会報』第1集、二〇一五年。

金木利憲（かねき・としのり）

一九八四年生。明治大学大学院文学研究科博士後期課程修了。博士（文学）。専攻は中国古典文学・日中比較文学。大東文化大学・聖徳大学・目白大学非常勤講師。

著書：『太平記における白氏文集受容』新典社、二〇一八年。

論文：「《白氏文集》的文本系列及其對日本文學的影響」、南京大学『第二届南京大學域外漢籍國際學術研討會論文集』二〇一七年。「藤原定家『奥入』所引の漢籍―『白氏文集』を中心として」『白居易研究年報』Vol.10、二〇〇九年。

金孝珍（きむ・ひょじん）

一九七三年生。明治大学大学院文学研究科博士後期課程修了。博士（文学）。専攻は平安文学、日韓比較。明治大学・中央大学兼任講師。

論文：「『周生伝』に見える西湖世界」明治大学『古代学研究所紀要』26、二〇一八年。「平安時代の婚姻形態―中国・韓国の正妻、次妻との比較を通して―」明治大学『文芸研究』131、二〇一七年。「正徳元年朝鮮通信使への饗宴―新井白石と吉宗をめぐって―」『洌上古典研究』41、二〇一四年。

佐野愛子（さの・あいこ）

一九八七年生。明治大学大学院文学研究科博士後期課程退学。修士（文学）。専攻は日本古代文学、ベトナム文学。

論文：「占城王妃の叙述をめぐって―『越甸幽霊集録』および『大越史記全書』から」倉本一宏編『説話文学と歴史史料の間に』思文閣出版、二〇一九年。「『禅苑集英』における禅学将来者の叙述法」小峯和明監修『東アジアの文化圏』笠間書院、二〇一七年。

千葉仁美（ちば・ひとみ）

一九八九年生。明治大学大学院文学研究科博士後期課程修了。博士（文学）。専攻は中国古典文学。東京大学附属図書館非常勤職員。

論文：「『予楽院臨書手鑑』所収「白氏文集」の本文について」明治大学大学院『文学研究論集』47、二〇一七年。「『覆宋本文選跋』について―袁褧刊本「六家文選」をめぐって―」『汲古』70、二〇一六年。「東洋文庫蔵「六家文選」二部について」『東洋文庫書報』47、二〇一六年。

鄭雨峰（じょん・うぼん）

一九六一年生。高麗大学校大学院博士課程（国文学）修了。博士（文学）。専攻は朝鮮古典文学。高麗大学校教授。
著書：（共訳）『福永光司の荘子内篇』問津、二〇二〇年。『朝鮮後期の日記文学』召命出版、二〇一六年。『朝はいつ来るのか』太学社、二〇〇六年。

野崎充彦（のざき・みつひこ）
一九五五年生。大阪市立大学大学院後期博士課程（中国文学）単位取得退学。専攻は朝鮮古典文学・文化史。大阪市立大学大学院教授。
著書：『コリアの不思議世界』平凡社、二〇〇三年。
翻訳：『洪吉童伝』平凡社　東洋文庫、二〇一〇年。

朴知恵（ぱく・ちえ）
一九七八年生。明治大学大学院文学研究科博士後期課程退学。修士（文学）。専攻は中世文学。明治大学兼任講師。
論文：「『蜻蛉国志』日本書籍記述について」『日本古代学』11、二〇一九年。「延慶本『平家物語』における女人往生」明治大学大学院『文学研究論集』48、二〇一八年。「『崔陟伝』紹介―韓国における先行研究を踏まえて―」明治大学『古代学研究紀要』26、二〇一八年。

日向一雅（ひなた・かずまさ）
一九四二年生。東京大学大学院博士課程単位取得退学。博士（文学）。専攻は平安文学。明治大学名誉教授。

著書：『源氏物語　東アジア文化の受容から創造へ』笠間書院、二〇一二年。『源氏物語の世界』岩波新書、二〇〇四年。

牧野淳司（まきの・あつし）

一九七一年生。名古屋大学大学院文学研究科博士課程（後期）満期退学。博士（文学）。専攻は中世文学。明治大学文学部教授。

著書：（共著）『延慶本平家物語全注釈』（巻1〜巻12）、汲古書院。

論文：「「御法」の物語としての源氏物語―源氏供養の発生と結縁の心性―」明治大学日本古代学研究所『古代学研究所紀要』27、二〇一九年。「『平家物語』と唱導文化との関わりについての綜合的研究―後白河法皇をめぐる唱導の観点から―」『明治大学人文科学研究所紀要』84、二〇一九年。

編者
日向一雅（ひなた・かずまさ）

訳注
金孝珍（きむ・ひょじん）
千葉仁美（ちば・ひとみ）
朴知恵（ぱく・ちえ）
李興淑（い・ふんすく）
金木利憲（かねき・としのり）
太田陽介（おおた・ようすけ）

解説
野崎充彦（のざき・みつひこ）

韓国漢文愛情伝奇小説

2020年 12月 10日 初版発行

編　者　日向一雅
発行者　佐藤康夫
発行所　白 帝 社

〒171-0014 東京都豊島区池袋 2-65-1
電話 03-3986-3271 FAX03-3986-3272
http://www.hakuteisha.cp.jp

装丁　トミタ制作室
印刷・製本　ティーケー出版印刷

ISBN978-4-86398-420-2
＊定価はカバーに表示してあります。
＊製本には十分注意しておりますが、乱丁落丁の際はお取替えいたします。